D0830860

De vierde overvaller

Kjell Ola Dahl

De vierde overvaller

Vertaald door Carla Joustra

2006
uitgeverij Signature / Utrecht

Europese thrillers van wereldniveau

Speur nu ook op internet
www.signa.nl

Wilt u op de hoogte worden gehouden van de literaire thrillers en romans van uitgeverij Signature? Meldt u zich dan aan voor de literaire nieuwsbrief bij uitgeverij
Signature via de website, www.signa.nl.

© 2005 Kjell Ola Dahl
Published by agreement with Salomonsson Agency.
Oorspronkelijke titel: Den fjerde raneren
Vertaling: Carla Joustra, via het Scandinavisch Vertaal- en Informatiebureau
Nederland
© 2006 uitgeverij Signature, Utrecht
Alle rechten voorbehouden.

Omslagontwerp: Wil Immink
Typografie: Pre Press B.V., Zeist
Druk- en bindwerk: Koninklijke Wöhrmann, Zutphen

ISBN 90 5672 202 6
NUR 305

There will be time to murder and create
And time for all the works and days of hands
That lift and drop a question on your plate;
Time for you and time for me,
And time yet for a hundred indecisions
And for a hundred visions and revisions,
Before the taking of a toast and tea.

In the room the women come and go
Talking of Michelangelo

T.S. Eliot
The Love Song of J. Alfred Prufrock

Deel 1

– PAS DE DEUX –

1

Twee mannen waren in het portiek blijven staan. Het was tijd om ze te testen. Frank Frølich sprong de onderste twee traptreden af en liep langs de beide mannen de straat op. Ze reageerden niet. Ze hadden moeten reageren, dacht hij. Waarom hebben ze niet gereageerd? Hij stak zijn handen diep in zijn zakken en liep met neergeslagen blik verder over het trottoir. In de etalage van de viswinkel was een man bezig ijs in een koelbox te scheppen. Hij keek snel over zijn schouder. Geen van beide mannen schonk aandacht aan hem. Ze stonden de hele tijd met hun bidsnoeren te spelen. Een van beiden zei iets en ze lachten luid.

Opeens klonk het piepende geluid van een verroeste fietsstandaard. Een vrouw had haar fiets op het trottoir neergezet. Ze liep langs de uitgestalde kratten met groenten. Ze opende de deur van Badirs winkel. De bel boven de deur rinkelde. De deur viel achter haar dicht.

Frank Frølich voelde zijn maag samentrekken: een klant in de winkel? Nu? Dat kon niet waar zijn.

Snel stak hij de weg over. Een auto remde hard. De auto erachter toeterde en reed er bijna bovenop. Frank Frølich liep met grote passen verder. Hij passeerde de fiets, de kratten met paddenstoelen, druiven, sla en paprika's. Hij opende de deur en liep de winkel in die rook naar rotte appels, vermengd met de zoetige geur van olie.

De vrouw was alleen in de winkel. Ze had een winkelmandje aan haar arm en liep langzaam tussen de schappen door. Verder was er niemand te zien. Er zat niemand achter de kassa. Het gordijn in de deuropening achter de kassa bewoog zachtjes heen en weer.

De vrouw was klein van stuk. Haar zwarte haar was in een knot in

9

haar nek opgestoken. Ze droeg een spijkerbroek en een kort jasje. Over haar schouder hing een kleine rugzak. Ze droeg zwarte handschoenen. Haar vingers pakten een conservenblik. Ze bestudeerde het etiket.

Frank Frølich was nog twee meter bij haar vandaan toen het gebeurde. Hij wierp een blik naar links. In het etalageraam aan de andere kant van de straat zag hij de dienstauto. Het was begonnen.

Op hetzelfde moment wierp hij zich bovenop de vrouw en trok haar in zijn val mee. Een halve tel later klonken gierende remmen. De man die over de toonbank sprong, was een van de twee met de bidsnoeren. In plaats daarvan had hij nu een handwapen vast. Er knalde een schot. Er klonk glasgerinkel. Het rek met shag en sigaretten viel om. Een nieuw schot knalde. De chaos was compleet: sirenes, harde stemmen, klepperende hakken. Het geluid van een deur en brekend glas. Het glasgerinkel hield maar aan. De vrouw lag doodstil onder hem. Pakjes sigaretten bleven over hen heen vallen. Ze was een jaar of dertig en rook naar parfum. Haar blauwe ogen fonkelden als saffieren. Het lukte Frank Frølich zijn blik los te rukken. Toen zag hij haar handen. Gefascineerd bleef hij liggen kijken naar haar effectieve handen. Lange vingers in leren handschoenen stopten automatisch pakjes sigaretten in de kleine stoffen rugzak die in de val was losgegaan. Toen werd hij zich bewust van de stilte. Het tochtte door de deur en het raam.

"Frølich?" De stem sprak door een megafoon.

"Hier!"

"Is alles goed met het meisje?"

"Ja."

"Ben jij van de politie?" fluisterde de vrouw. Ze schraapte haar keel om haar stem wat krachtiger te laten klinken.

Hij knikte en liet haar eindelijk los.

"Misschien niet zo handig om nu iets te gappen?"

Hij schudde het hoofd, opnieuw gefascineerd kijkend hoe de smalle handen dit keer doeltreffend de pakjes sigaretten uit de rugzak haalden. Hij kwam overeind.

Ze bleven naar elkaar staan kijken. Ze was mooi, op een kwetsbare manier. Er was iets met haar mond.

"Neem me niet kwalijk", mompelde hij. "Maar dit had niet mogen gebeuren. Iemand had je tegen moeten houden. Lang voordat je naar binnen ging."

Ze keek hem nog steeds aan.

"Er is iets misgegaan."

Ze knikte.

"Alles goed met je?"

Ze knikte weer, maakte een gebaar met haar armen. Hij had nog steeds niet om zich heen gekeken, had nog geen overzicht. Hij hoorde het kille geluid van handboeien die om polsen werden geklikt, het gevloek van een van de arrestanten. Zo gaat het dus, dacht hij. Ik vertrouw op de rest.

"Mag ik je naam?" vroeg hij met een droge keel.

"Heb ik iets fout gedaan?"

"Nee, maar je was hier. Je bent nu een getuige."

*

De herfstdagen verstreken. Donkere schemer overheerste het daglicht en de tijd kristalliseerde in het werk: inbraken, vuige, brutale moorden, zelfmoord, overvallen en huiselijk geweld. De dagen bestonden uit op elkaar volgende gebeurtenissen, sommige maakten indruk en lieten sporen na, maar bij de meeste werd niet lang stilgestaan. Het bewustzijn is getraind om te verdringen. Je hunkert naar vakantie, in de zomer twee weken naar een Grieks eiland of in dit jaargetijde een weekendtrip naar Denemarken. Drinken, brallen, lachen, een vrouw versieren met het juiste hese lachje, met warmte in haar ogen en een voorliefde voor hoge hakken. Maar tot het zover is, bestaan de dagen uit beelden die een paar tellen opflikkeren voor ze verdwijnen, sommige gemakkelijker te herinneren dan andere, maar uiteindelijk verdwijnen ze allemaal. Hij dacht niet meer aan haar. Of toch? Misschien herinnerde hij zich een paar keer die saffierblauwe blik, het gevoel van haar lichaam tegen het zijne, daar op de vloer in Badirs winkel. De man die nu langzaam door de gerechtelijke molen werd gehaald en binnenkort zou worden veroordeeld voor het smokkelen van vlees en sigaretten, voor verzet tijdens zijn arrestatie, voor bedreiging, voor onrechtmatig bezit van wapens, enzovoorts. Een van de velen die in de rij stonden te wachten op een lege plaats in een cel om hun straf uit te zitten. Maar afgezien van een enkele toevallige gedachte was Frank Frølich van één ding tamelijk zeker. Hij zou haar nooit meer zien.

Toen het tegengestelde gebeurde, was het een regenachtige middag, een van de laatste dagen van oktober. Buiten werd het al donker. Er stond een koude wind. De wind kreeg vat op de jassen van voorbijgangers en kopieerde schilderijen van Munch: menselijke schaduwen die wegdoken voor de striemende regen, in elkaar kropen en hun paraplu als een schild omhoog staken, en als ze geen paraplu hadden, met hun handen diep in hun zakken door de regen snelden, op jacht naar beschermende richels en markiezen. Het natte asfalt stal het laatste restje daglicht, en het water dat door de tramrails stroomde, reflecteerde het schijnsel van de neonreclames. Frank Frølich was klaar met zijn werk en had honger. Daarom opende hij de deur van Kafé Norrona aan Grensen. Binnen rook het naar warme chocola met slagroom. Hij kreeg er meteen zin in en ging in de rij staan. Bij de kassa veranderde hij van gedachten en hij vroeg wat voor soep er in de grote pan zat.

"Italiaanse minestrone." De serveerster was van het ongeduldige soort met een chagrijnig trekje om haar mond en een futloze houding.

Hij nam de warme soep, een broodje en een glas water op een dienblad mee. Hij vond een plaatsje bij het raam, klom op een kruk en keek naar de regen en de mensen die met opgeslagen kragen haastig over Grensen liepen. Een vrouw drukte haar kin tegen de kraag om haar jas dicht te houden. Het begon harder te regenen. De weerschijn van koplampen en knipperende reclameborden gleed over de gevels van de gebouwen. De mensen op straat leken kinderen die ineendoken om zich te beschermen tegen een donderstem van boven.

"Hoi."

Frank Frølich legde zijn lepel neer en draaide zich om. Haar gezicht had iets bekends. Ze was een jaar of dertig. Haar zwarte haar ging voor een deel schuil onder een alpinopet die als een baret op haar hoofd stond. De huid van haar gezicht was bleek, ze had felrode lippen en wenkbrauwen met een scherpe hoek, twee omgekeerde V's op haar hoge voorhoofd.

Chic, dacht hij en het kwam even in hem op dat ze goed zou passen in een opname van een zwart-witfilm uit de jaren veertig. Ze droeg een lange, nauwsluitende wollen rok en een kort jasje. De kleding benadrukte haar figuur, heupen, taille en schouders.

"Torggata", zei ze en ze hield haar hoofd even scheef, haast ongeduldig over zijn traagheid, "Marlboro en Prince."

Toen wist hij het weer; haar blik en vooral haar mond. Die haar zo kwetsbaar maakte. De kleine rimpeltjes rond haar lippen vertelden dat ze ouder was dan hij aanvankelijk had gedacht. Hij zocht meteen naar de blauwe kleur in haar ogen – zonder die direct te vinden. Het moest het licht zijn, dacht hij, het felle neonlicht hier doodde natuurlijk de blauwe kleur. In Badirs winkel hadden waarschijnlijk gewone lichtpeertjes aan het plafond gehangen.

"Je liet me gaan."

Opeens beviel de situatie hem niet meer en hij zocht naar een mogelijkheid om te ontsnappen. Hij had zijn soep bijna op en hij had betaald. Dit weerzien had iets klams, de situatie alarmeerde een sluimerend besef in zijn achterhoofd. Hij moest deze toenadering afwijzen. Maar hij zag ertegenop. Ze stond heel dichtbij, keek hem in zijn ogen. Het zou vreemd zijn om haar de rug toe te keren. Hij zei: "Wat had je dan gedacht? Je had niets verkeerd gedaan."

"Dat denk jij."

"O?"

"Ik heb drie pakjes gepakt, Marlboro ... en een reep chocola, Snickers."

Hij schoof zijn bord weg. "Je bent dus een dief."

"Je had het wel gezien, hè?"

"Wat gezien?" Hij trok zijn jas aan, klopte op zijn zak om te voelen of zijn portefeuille er nog in zat.

"Je hebt me gezien."

De woorden brachten hem even van zijn stuk. *Je hebt me gezien.* Ze had zich anders kunnen uitdrukken. Maar hij kon de dubbelzinnige boodschap niet misverstaan: aan de ene kant wist ze zijn aandacht te trekken, aan de andere kant gaf ze aan dat zij hem iets verschuldigd was, omdat hij iets voor haar had gedaan, iets wat het daglicht niet kon verdragen.

"Ik moet gaan", zei hij kortaf. "Het ga je goed ..." Hij dacht even na. Haar naam. Ze had gezegd hoe ze heette, hij had het zelfs opgeschreven. Op het laatste moment schoot haar naam hem weer te binnen: "... Elisabeth, nog een fijne avond."

Hij bleef even staan toen de glazen deur achter hem dicht ging. De wind was iets gaan liggen, maar de regen kwam nog met bakken uit de lucht. Hij trok een paar keer zijn schouders op, alsof hij het onbehagen van de gebeurtenis van zich af wilde schudden, en hij knoopte zijn jas dicht. Hij liep snel het kleine stukje naar de ingang van het metrostation. Daar liet hij zich in trance meevoeren in het dagelijkse metroritueel, in de geur van viezigheid, uitgeademde lucht, natte kleding, herfst en griep; oude vrouwen die met een vinger in een handschoen hun neus afveegden, mannen die hun blik naar God wendden in een stille smeekbede om deze keer niet door angina getroffen te worden, hier in de mensenmassa waar niemand een ander zag. Hij drukte zijn rug tegen de glazen wand in de metrotrein, prikte met zijn vinger in de condens op het raam en ontwaakte pas uit zijn trance toen de deuren op station Manglerud weer dicht sloegen en hij zich uit gewoonte losmaakte uit zijn hoek en een paar stappen in de richting van de uitgang deed toen de trein afremde voor het station van Ryen. De deuren klapten open als twee metalen lippen, klaar om hem uit te spugen. In de donkere namiddag was in dit hoger gelegen deel van de stad de regen overgegaan in de eerste natte sneeuw van deze herfst. Het schijnsel van de koplampen op de ringweg viel op het asfalt en werd opgegeten door het zwart. Hij slenterde met moeizame stappen de kleine helling op toen de treinwagons verder reden.

Misschien was het een gevoel, een geluid of een schaduw die net even anders viel toen hij in de richting van het portiek liep. Hij bleef staan en draaide zich om. De straatlantaarn bij het benzinestation stond precies achter haar rug en tekende een gele lijn om haar silhouet. Ze stond stil. Hij stond stil. Ze keken elkaar behoedzaam aan. Zij, met haar handen in de zakken van haar korte jasje en haar gelaatstrekken in de schaduw. Het haar dat over haar schouders golfde, het licht van de straatlantaarn als een aura rond haar alpinopet, het nauwsluitende jasje en de rok die tot over haar knieën reikte.

Ze waren alleen, in het donker. Verder was er niemand te zien. In de verte klonk het geruis van het verkeer. Een straatlantaarn knetterde. Hij liep met resolute stappen op haar af. Zij bleef staan. Hij liep de straat op, om haar heen, zodat ze hem met haar blik zou volgen en zich naar het licht zou keren, zodat hij haar gezicht kon zien.

Ze staarden elkaar in de ogen tijdens die idiote carrouselbeweging, en hij ontdekte iets in haar blik, een bepaalde energie, iets wat hij niet onder woorden kon brengen, iets wat zonder te praten moeilijk te plaatsen was. Hij zei: "Volg je mij?"

"Vind je dat niet prettig?"

Het antwoord bracht hem van de wijs, alweer.

Eindelijk sloeg ze haar blik neer. "Je hebt me gezien", zei ze.

Weer die vier woorden. "En wat dan nog?" zei hij.

Ze stonden vlak bij elkaar. Hij was heel dicht naar haar toegelopen en ze had zich niet verroerd. Hij voelde de warmte van haar adem op zijn wang.

Opeens pakte ze zijn handen vast.

Zijn gedachten werden geblokkeerd. Hij schraapte zijn keel, maar bewoog zich niet. Ze had zware oogleden en lange, gebogen wimpers. Aan het eind van elke wimper had zich een heel klein druppeltje condens verzameld. Tussen haar halfgeopende lippen ontsnapten kleine wolkjes vorstnevel die teder langs zijn wangen streken voor ze verdwenen. Toen begon ze te praten, haar woorden gleden langs zijn wang.

"Wat zei je?"

Zijn stem was krachteloos. Zijn mond was maar een paar centimeter van de hare verwijderd toen ze zacht fluisterde: "Ik vergeet niemand als ik je kus."

Toen maakte hij zijn handen vrij en legde ze om haar smalle gezicht.

Voor ze wegging, stond ze lang onder de douche. Hij lag op zijn rug in bed en hoorde het water stromen.

Toen ze de buitendeur achter zich dicht trok, was het vier uur 's nachts. Hij stond op en liep naar de badkamer. Hij stond met zijn voorhoofd tegen de betegelde muur geleund terwijl het water over zijn schouders spoelde. Zijn gedachten verkeerden bij de uren die waren verstreken: zijn lichaam hoog oprijzend boven dat van haar. Ze hield zijn blik vast toen hij diep inademde en uitademde, inademde en uitademde. Zweetparels tussen haar borsten, druppels die in duizend facetten weerspiegelden hoe diezelfde zachte borsten bewogen op de maat van elke ademhaling voor hij de lucht uit haar stootte. Dit is begeerte, een ongetemde honger die schuldgevoel achterlaat, schaamte, abortussen, vaderloze kinderen en een positieve diagnose. Hij meende nog steeds de druk te voelen van haar vingers toen ze stevig om zijn middel greep, tot hij al haar tien nagels voelde steken, alsof ze meer wilde, alsof ze nog minder adem wilde omdat ze het aftellen achter zijn oogleden had zien flikkeren.

Later, alleen en met zijn voorhoofd tegen de tegels gedrukt, draait Frank Frølich de hete kraan zo ver mogelijk open en laat hij het gloeiend hete water over zich heen stromen, terwijl hij terugdenkt aan de wonderlijke tatoeage op haar heup. Het beeld van de tatoeage toen ze schrijlings op hem zat met haar rug naar hem toe; hij kan er niet aan denken zonder weer een erectie te voelen opkomen, verlangen om het nog een keer te doen, en hij weet dat hij, als ze op dat moment door de deur was gekomen, haar op de badkamervloer had gelegd, of in de kamer – op het bureau – en zich nergens door had laten stoppen.

Dat soort gedachten zijn net griepvirussen. Uiteindelijk verdwijnen ze wel, maar het duurt even. Alles gaat over, geholpen door de tijd. Drie dagen, misschien vier, een week – dan verliezen de gedachten hun greep, op het laatst heb je alleen nog een zwaar gevoel in je lijf, je voelt je steeds beter en je bent blij dat het voorbij is.

Zes dagen verliepen. Hij was weer helemaal in orde. Maar toen piepte zijn mobiele telefoon op zijn bureau. Een sms'je. Hij las het. Eén woord maar: Kom!

Automatisch toetste hij het nummer van de afzender in en stuurde het naar de inlichtingencentrale. De telefoon piepte nog een keer. Weer een sms'je. Deze keer met naam en adres van de afzender: Elisabeth Faremo.

Frank Frølich ging zitten. Zijn lijf voelde plotseling helemaal hyper. Hij tilde zijn hand op. Die trilde niet. Maar toch: de vrouw had een gevoelige snaar geraakt. Hij had gedacht dat hij geen last meer had van ziekteverschijnselen, dat hij gezond was, hij had gedacht dat hij over de roes heen was. Maar nee. Pang! Veertig graden koorts. Niet in staat om te denken. Hij was een en al opgekropte energie. Hij was helemaal opgeladen. Door één enkel woord!

Hij bleef naar de kleine telefoon met de verlichte display zitten kijken. Opeens begon het ding in zijn hand te trillen. Hij ging over. Hetzelfde nummer.

"Hallo Elisabeth", zei hij, verrast over de helderheid van zijn eigen stem.

Twee seconden stilte. Lang genoeg voor hem om te denken: nu begrijpt ze dat ik haar nummer heb gecontroleerd. Ze begrijpt hoe ik in elkaar zit, hoe ze mij moet raken en mij veertig graden koorts kan bezorgen door een enkel bericht. Maar toen, haar zachte stem die hij al dagenlang niet had gehoord: "Waar ben je?"

"Op het werk."

"Waar?"

"Politiebureau, Grønland."

"O."

Het was zijn beurt om te praten. Hij schraapte zijn keel, maar kwam niet verder dan een keer inademen, voor ze hem onderbrak: "Heb je gauw pauze?"

"Hoe laat is het?" Hij keek op, naar de plek boven de deur waar tot een paar weken geleden een klok had gehangen. Er staken alleen twee snoertjes uit de wand.

"Geen idee. Ongeveer lunchtijd."

"Waar ga ik heen?"

"Heb je een auto?"

"Ja."

"Ik sta op Lisa Kristoffersens plass, bij Voldsløkka."

"Over tien minuten."

Zijn koorts werd erger. Hij dacht niet na. In zijn hoofd was alleen plaats voor fantasiebeelden: de ronding van haar rug, de welving van haar heupen, het zwarte haar dat over het hoofdkussen stroomde, haar blauwe blik.

Hij greep zijn jas, liep naar beneden en naar buiten. Hij startte zijn auto en reed weg. Hoe laat het was? Hij had geen idee. Er was niets op de hele wereld waarover hij zich nog druk kon maken, hij lette alleen op dat hij geen voetgangers raakte toen hij gas gaf. Toen hij door de Stavangergata reed, dook ze uit het niets op, ze kwam hem tegemoet over het trottoir. Ze nam een geur van late herfst, parfum en keelpastilles mee toen ze instapte – zonder een woord.

Hij hield zijn ogen gericht op de zijspiegel. Hij ademde normaal, ondanks haar zoete geur. Hij keek kil en geconcentreerd in de spiegel, wachtte tot de rijbaan vrij was, gaf richting aan en reed verder, terwijl hij de hele tijd haar blik op zich gericht voelde, op zijn eigen afwijzende profiel. Ze trok haar jas uit, een gevoerd, bruin leren jack.

Ten slotte, toen hij de afrit naar Nydalen passeerde, doorbrak zij de stilte: "Ben je niet blij om me te zien?"

Hij wierp een blik opzij. Ze was een kat. Twee enorme, blauwe ogen met grote pupillen, een kattenblik. Hij voelde zijn hart slaan. Het klopte in zijn slapen. Maar hij hield zijn masker op. "Natuurlijk wel."

"Je zegt niets."

Haar hand op de zijne, op de versnellingspook. Hij keek even naar haar hand, haar vingers, daarna weer even naar haar: "Het is leuk om je weer te zien." Het geluid bleef in zijn keel steken. Hij was onderweg naar Kjelsås, Brekke en Maridalen.

Waar ben ik mee bezig?

Lippen beroerden zachtjes zijn wang. Een hand gleed van zijn hand, onder zijn jas. Ze had net zogoed een opgevoerde benzinemotor kunnen vullen met explosieve brandstof met een hoog octaangehalte en op de startknop kunnen drukken. Zijn hart ging zo tekeer dat het suisde in zijn oren. Bomen aan beide kanten. Hij minderde vaart en reed een parkeerplaats op, helemaal tot aan de bosrand, zo ver mogelijk van de weg. Hij stopte. Zette de auto in zijn vrij en liet de motor draaien. Toen hij weer naar rechts keek, bedekte zij zijn lippen met haar mond.

Toen ze bijna een uur later begon te praten, was dat het eerste wat ze zei: "Kun je me ergens naartoe brengen?"

"Waarheen?"

"Blindern."

"Wat moet je daar?"

Verkeerde vraag. Ze leek gepikeerd.

De goede sfeer was weg.

Hij haalde diep adem en keek naar het bos buiten, hij verzamelde moed om weer naar haar te kijken. Haar stekelige blik was langzaam overgegaan in een afwezige glans, ergens vanuit een privéruimte binnenin staarde ze hem aan, daar wilde ze niets met hem delen. Haar stem klonk uit een koel glimlachende mond: "Ik moet iemand om een gunst vragen."

*

Hij stopte en zette haar af aan de Moltke Moes vei. Hij keek haar na. Er was 's nachts een heel klein beetje sneeuw gevallen, maar dat ontdekte hij nu pas. De sneeuw was gesmolten tot een natte smurrie waarin de sporen van haar voetstappen achterbleven. De vrouw die zo kort geleden nog een deel van hemzelf was geweest, was nu gereduceerd tot een schriele gestalte die haar benen optilde als een kat die geen natte poten wilde krijgen. *Is dit mogelijk? Is die kleine, scheve gedaante, dat anonieme schepsel verpakt in katoen, wol en leer, het wezen dat mij volledig beheerst, dat mijn hart zo snel laat slaan dat het lijkt alsof mijn borst uit elkaar zal barsten?*

Rij weg! Ver weg! Over twee weken ben je haar vergeten, is ze weggewerkt. Toen de tengere gestalte echter in het Niels Henrik Abels gebouw verdween, zette hij de motor af, opende het portier en stapte uit. Hij volgde haar. *Waarom doe ik dit?*

Omdat ik meer van haar wil weten.

Ze was dwars door het gebouw gelopen en aan de andere kant weer naar buiten gegaan. Hij volgde op vijftig meter afstand. Een kleine minitractor kwam over de licht besneeuwde helling aanrijden. Hij ging opzij. Hij passeerde excentrieke studenten die in groepjes van twee of drie zachtjes stonden te praten. Ze liep het Sophus Bugges gebouw binnen. Hij bleef op ruime afstand staan en keek haar door de hoge ramen na, tot ze in een van de collegezalen verdween.

Als ze student was, wat studeerde ze dan? Hij liep door de grote deuren naar binnen.

Hij liep naar de brede deur die toegang gaf tot de collegezaal. *Reidun Vestli* stond meermalen op het rooster vermeld. Dezelfde Reidun Vestli die nu college gaf.

Hij nam plaats in een stoel en pakte een krant die daar lag. Twijfel overviel hem. Wat moest hij doen als ze naar buiten kwam en hem ontdekte?

Hij sloot zijn ogen. *Ik vertel hoe het zit, ik vertel dat incidentele seks in een auto op een parkeerplaats voor mij niet genoeg is, dat ik wil weten wie ze is, wat ze denkt, waarom ze doet wat ze doet ...*

Weet je zelf waarom je doet wat je doet?

Frank Frølich bleef met een lege blik naar de voorpagina van de krant zitten staren. Een foto van een oorlogsvoertuig. Moord op burgers. Een gebeurtenis die de aandacht van de hele wereldbevolking in beslag nam, was door *Dagsavisen* op de voorpagina gezet in de overtuiging dat het hem zorgen zou baren, dat hij zich zou laten verleiden zich te verdiepen in het gekeuvel dat zij aan een dergelijke gebeurtenis besteedden. Maar het hield hem niet bezig. Op dit moment was niets belangrijk, niets behalve Elisabeth, die van afstand volkomen anonieme en tengere gedaante met het bleke gezicht en de rode lippen en ogen met een blauwe kleur zoals hij nog nooit eerder had gezien. Haar bestaan speelde een rol, een belangrijke rol. Hij had geen idee waarom. Hij wist alleen dat ze iets met hem deed, lichamelijk, maar ook mentaal, dat ze een verlangen in hem opriep waar hij alleen maar over had gelezen, over had gehoord, maar waarin hij nooit had geloofd. Nu ging hij zelfs zover dat hij haar bespioneerde.

En hij had haar drie keer ontmoet.

Dat bericht op zijn telefoon. *Kom!* Onmiddellijk had er niets anders door zijn hoofd gespeeld dan beelden van haar lichaam, haar lippen, haar ogen. En nauwelijks een halfuur later lagen ze ineengevlochten in een seksuele storm zoals hij nog nooit eerder had beleefd. *Dat ene woord. Wist ze wat ze in gang had gezet? Deed ze het met opzet?*

Eindelijk ging de deur open. Een anonieme meute studenten stroomde naar buiten. De meesten hadden hun jassen al aan. Hij keek op de klok. Het was vier uur. Het college was afgelopen. Het kriebelde in zijn maag. *Wat als ze mij ontdekt?*

Er kwamen steeds minder studenten naar buiten. Al snel droogde de stroom helemaal op. Was ze langs hem heen gelopen?

Frank Frølich stond langzaam op. Hij liep naar de deur en deed hem open.

Hij bevond zich boven in de zaal, achter de rijen stoelen die afdaalden in de richting van de kathedr. Er stonden twee personen beneden. Elisabeth was een van hen. De andere vrouw sprak zacht met haar. Ze was een jaar of vijftig, haar zwarte haar was in een pagekapsel geknipt en ze droeg een lange, zwarte jurk.

Ze stonden heel dicht bij elkaar. Ze zouden goede vriendinnen kunnen zijn. Ze zouden moeder en dochter kunnen zijn. Maar moeders liefkoosden hun dochters niet op die manier.

Hij was ontdekt.

De beide vrouwen keken naar hem op. Allebei heel rustig, alsof ze beleefd wachtten tot hij zou verdwijnen. Hij zocht in Elisabeths blik. Maar hij vond geen herkenning, geen schuldgevoel, geen verlegenheid, niets.

Een hele tijd bleven ze zo staan. Drie paar ogen ontmoetten elkaar over de rijen stoelen heen. Tot hij achteruit door de deur liep en verdween.

2

Af en toe probeerde hij zichzelf van een afstand te bekijken. Hoe stond hij ervoor? Zijn wangen brandden van woede en schaamte. Zijn hersenen werden overheerst door één enkele wens: hij wilde de tijd terugspoelen, alles wegknippen, ontsnappen aan deze klamme armzaligheid. Elisabeth was gewoon een student die het deed met een docent, ook nog eens een vrouw. Frank Frølich nam een besluit: nooit meer. Hij zou nooit meer in haar buurt komen.

Het rationele stemmetje in zijn hoofd protesteerde. Waarom? Omdat ze gevaarlijk is. Biseksueel? Mysterieus? Omdat ze deed alsof ze hem niet kende? Omdat hij op een vernederende manier was afgewezen?

Nee, dacht het versmade stemmetje dat zich niet liet onderdrukken: omdat ze hem in een koortsachtige toestand wist te brengen. Omdat ze hem lam en week als gelei maakte.

Toen ze de volgende keer belde, nam hij de telefoon niet op. Hij zat met zijn mobiele telefoon in zijn handen. Hij stond op de trilfunctie en het voelde net alsof er een klein hartje in zat. Haar naam stond op de display. Maar hij nam niet op. Geen enkele keer.

Al snel begon ze hem thuis te bellen.

Het was net een comedy. Hij rende naar de telefoon en las het nummer op de display. Als zij het was, nam hij niet op. Bij een anoniem nummer raakte hij de telefoon niet aan. Zo zat hij op een avond laat te luisteren naar de telefoon die maar bleef rinkelen. In zijn leunstoel, zonder op te staan, omdat zij belde. Zo had ze controle over hem gekregen, ook wanneer hij alleen was, bezig zichzelf te bevrijden.

*

Er verstreek een week. Frank Frølich had bijna nergens meer last van. Het was donderdagmiddag geworden. Hij was klaar met werken, had als gewoonlijk het metroritueel doorstaan en liep net als anders op zijn gemak naar huis. Een oude vrouw van de zevende verdieping stond in het portiek te morrelen aan haar eigen postbus. Frank Frølich verkeerde nog steeds in de metrotrance. Hij hield de liftdeur open voor de kromgebogen vrouw, die er precies zo uitzag als alle andere kromgebogen vrouwen die hij van tijd tot tijd in de lift ontmoette. Hij drukte op de knop toen de deur dicht viel. Hij staarde met een lege blik voor zich uit naar de deuren die voorbij schoten op zijn weg naar boven.

Hij stapte uit de lift.

Hij hoorde de dreun toen de lift verder naar boven gleed, terwijl hij in zijn zak naar zijn sleutels zocht.

Hij verstijfde.

Een kleinigheid bij de voordeur deed hem stilstaan. Er viel geel licht door het spionnetje in de deur. Normaal was het kijkgaatje een donkere vlek. Had hij vanmorgen vergeten het licht in de hal uit te doen?

Eindelijk stak hij de sleutel in het slot, aarzelde even, maar draaide hem toen om. Hij opende geluidloos de deur. Hij sloop naar binnen en deed de deur geluidloos weer dicht. Hij hield zijn adem in. Het licht in de hal was het eerste dat opviel, het tweede was dat de deur naar de woonkamer op een kier stond.

Deze situatie zou hem altijd bijblijven.

Er was iemand in zijn flat.

Die gedachte speelde keer op keer door zijn hoofd terwijl hij daar bleef staan en zijn lichaam langzaam maar zeker gevoelloos werd, zijn mond uitdroogde en hij het contact met zijn handen verloor. Zonder na te denken wat hij deed, sloop hij geruisloos de laatste twee meter door de hal naar de kamerdeur. Hij had de situatie niet onder controle. Het leek alsof hij zichzelf van een afstand bekeek: hij zag dat hij zijn hand optilde, hem voorzichtig tegen de deur legde en de deur open duwde.

Hij haalde diep adem. Zijn lichaam was nog steeds gevoelloos, alsof hij in shock verkeerde.

Ze zat met haar rug naar hem toe. Op de vloer. Zonder kleren, ze droeg alleen haar turkooizen ondergoed. Haar slanke rug gekromd. Twee kleine moedervlekken naast haar ruggengraat. Op deze afstand leek haar tatoeage een lange, donkere krul. Ze zat met haar benen over elkaar voor de platenspeler en stereo-installatie. Ze hoorde hem niet. Ze had zijn nieuwste headset over haar oren getrokken. Het geluid van de muziek knisperde zachtjes door de kamer, alsof de wind een spel speelde met droge bladeren. Ze zat daar alsof ze thuis was. Ze was bij hem binnengedrongen en had zich daarna ingekapseld in haar eigen wereld. Rondom haar lagen cd's en elpees over de vloer verspreid.

Allerlei gevoelens kwamen in zijn maag samen. Spanning. Woede. Nieuwsgierigheid. Ze had zich toegang verschaft tot zijn woning, de gedachten stormden door zijn hoofd. Het fysieke indringen, het feit dat ze hier zat, was één ding. Het andere aspect was de inbraak op het mentale plan, ze had zich toegang verschaft tot zijn privésfeer, zijn thuis – ze had dat zomaar gedaan, zonder te vragen, ze had zich het recht gewoon toegeëigend. Het lukte hem niet zich los te rukken. De stroom van gevoelens hield hem tegen.

Misschien kwam het door de tocht van de deur, misschien had ze een glimp opgevangen in de glazen kast van de installatie, maar ineens schrok ze op, ze trok de headset van haar hoofd en kwam overeind.

"Allemachtig, dat is schrikken!"

Het volgende moment was ze heel dichtbij. "Hoi."

"Hoi."

Ze keek op, voelde zijn verontwaardiging, de stroom van tegenstrijdige gevoelens die in hem woedde.

"Ben je niet een beetje ... blij?"

"Hoe ben je binnengekomen?"

"Ik heb een sleutel geleend."

"Een sleutel geleend?"

"Toen ik de vorige keer hier was."

"Dus je bent een dief?"

Een echo van een eerder gesprek. Ze keek hem onbevangen in zijn ogen en zei: "Dat wist je toch?" Eerst uitdagend, tot ze haar blik neersloeg, alsof ze zich schaamde.

Alsof, dacht hij steeds weer: *alsof*!

"Ik heb hem geleend. Uit de schaal in de keuken."

"De sleutel geleend?"

"Ben je boos?"

"Heb je de vorige keer een sleutel uit mijn keuken gepakt, zonder iets te zeggen?"

"Je bent boos."

"Helemaal niet."

"Hou je niet van dit soort verrassingen?"

"Ik weet niet of 'houden van' het juiste woord is."

"Ik bedoelde het in elk geval goed."

"Waarom heb je geen kleren aan?"

Haar stem klonk zwoel. "Dan kun je me beter zien." Ze giechelde gemaakt toen hij niet meespeelde.

23

Haar geforceerde gedrag had iets kwetsbaars. Ze voelde dat hij het merkte en begroef haar mentale naaktheid met een omhelzing. Ze zei snel: "Nee joh, ik heb me gedoucht. Ik was zo koud." Ze drukte haar lichaam tegen hem aan en verstijfde toen ze zijn tegenzin merkte. "Ik weet dat het fout was. Een sleutel lenen zonder te vragen. Het spijt me." Ze maakte zich los en liep met grote stappen door de kamer, naar de keuken.

Op de stoel onder het raam lag haar jack. Ze bukte met gestrekte benen, een levend motief uit een glossy mannenblad. Ze zocht in haar jaszak, liet een sleutel zien en wierp het zwarte haar op haar rug. Haar navelpiercing schitterde. Toen was ze weer heel dichtbij. "Ik zal het nooit meer doen." Ze liep de keuken weer in. Hij hoorde het gerinkel in de schaal met kleine spulletjes en buitenlandse munten toen ze de sleutel losliet. Ze richtte zich op, legde haar hoofd tegen de deurpost en keek hem aan. Hij moest slikken. Toen ze in beweging kwam, leek het alsof ze over een catwalk liep, ze zette haar ene voet voor de andere. Tegelijk hield ze met haar ogen zijn blik vast. Haar lippen zeiden: "Ik dacht dat je blij zou zijn. Ik hou zelf wel van verrassingen." Haar hand raakte hem tastend aan en ze keek op. "Je bent blij. Je lichaam is blij."

"Maar hoe heb je die sleutel gevonden?"

Ze maakte zijn broekriem los, trok zijn overhemd omhoog, haar vingers maakten de knoop van zijn broeksband los. De koele vingers gleden over zijn buik. Ze stond met gesloten ogen en zei met een gemaakt stemmetje: *"Jij praat ook altijd alleen maar over nare dingen, Karius."*

Hij gaf het op en kuste haar.

"Ze is mijn mentor", zei ze plotseling.

"Wie is wat?"

"Reidun, die college gaf op Blindern, ze is mijn mentor."

"Nu ben jij degene die over nare dingen wil praten. Jullie leken trouwens helemaal in elkaar op te gaan."

"Zíj doet dat."

"Zij doet wat?"

"Ze is verliefd op mij." Ze aarzelde en keek op. "En daar kun jij niets aan doen. Daar kan ik niets aan doen."

Hij zei niets.

"Ik moest wel naar haar luisteren. Ze vertelde me iets belangrijks. Bovendien was het ook niet erg netjes van jou om mij te volgen."

Hij zweeg. Hij wist niet of dat netjes was of niet. Al het bloed in zijn lichaam werd naar haar koele hand getrokken. Haar lippen krulden op in een glimlach toen zijn erectie groeide. Ze glimlachte met gesloten ogen, de make-up op haar oogleden was wat korrelig geworden.

Ze liet zich op haar knieën zakken. Hij sloot zijn ogen en haalde diep adem. Hij haalde zijn vingers door haar haar. Ze keek op. Het knispe-rende geluid van de headset op de vloer kwam terug. Hij vroeg: "Zul-len we naar de slaapkamer gaan?"

"Ben je bang dat iemand ons zal zien?"

"Ik wil je helemaal."

Hij tilde haar op, droeg haar tengere lichaam dat niets woog, gooide haar lachend op het bed, trok haar ondergoed uit en pakte haar enkels. De gouden ring om haar grote teen weerkaatste het licht van de namid-dagzon buiten. Hij hield haar vast. Ze vond het fijn dat ze werd vastge-houden.

*

Die nacht volgde hij haar. Het was bijna drie uur toen ze naar buiten sloop. Hij gaf haar drie minuten voorsprong voor hij haar achterna ging. Zijn hersenen waren in conflict. Een deel van zijn bewustzijn rolde zich op als een kat in het zonnetje bij de gedachte aan hoe ze zich tegoed had gedaan en wat ze had gegeven. Een ander deel van zijn her-senen verborg zich achter een struik, argwanend, jaloers, bang dat de voorstelling bedrog zou blijken te zijn. Dat deel joeg hem naar buiten, de koude herfstregen in, deed hem over straat sluipen, honderd meter achter haar, in de schaduw, op de loer. *Je doet het omdat zij de eerste keer dat ze bij je thuis was, een geheime strategie had. Ze stal een sleutel! Ze stal verdomme een sleutel. Toen liet ze zichzelf binnen, alsof ze er woonde. Ze praat in codes, praat nooit over zichzelf, ze vertelt niet wat ze doet, is zelfs niet openhartig als je ernaar vraagt. Ze bagatelliseert en redeneert haar verhouding met die docent weg. Elisabeth zit vol leugens!*

Ze liep met grote, verende passen voor hem uit. Opeens klonken piepjes in zijn jaszak. Zijn mobiele telefoon. Hij pakte hem en keek naar de display terwijl hij in de schaduw van de bomen probeerde te blijven, buiten het licht van de lantaarnpalen. Hij las: *Hallo Frank, dankjewel voor een heerlijke avond, droom maar fijn vannacht, liefs van Elisabeth.* Onwillekeurig bleef hij staan. Hij keek naar de slanke rug in de verte. Van een afstand leek ze heel tenger, oprecht. Waar ben ik mee bezig? Ik volg een vrouw die mij een nacht uit duizenden heeft gege-ven! Ik weet waar ze woont. Ze is onderweg naar huis.

Hij kwam weer tot zichzelf, hij stond met zijn telefoon in zijn hand in de regen die aan alle kanten van zijn capuchon droop. Hij keek op. Ze was weg. Hij liep op een drafje de Ryenbergveien af. Onderaan ont-dekte hij haar gestalte weer. Een taxi met een brandende lichtbak op het dak passeerde hem en reed haar kant op. Hij kon zich verbergen voor ze zich omdraaide om naar de auto te kijken. De taxi remde af, maar reed door toen ze geen teken gaf hem staande te houden. Ze sprak dus de waarheid. Ze had zin om te lopen, niet om snel thuis te zijn.

Hij was verbaasd toen hij het appartementencomplex zag waar ze woonde. En nog verbaasder toen hij de namen bij de bel las. Niet alleen verbaasd. Hij voelde zich helemaal verlamd: *Elisabeth en Jonny Faremo.*

3

Er volgde een nieuwe herstelperiode.

Eerste dag: koorts.

Tweede dag: koorts.

Derde dag 07.30-12.00: koortsvrij en uitzicht op herstel.

12.03: sms: *Kom!*

12.03: veertig graden koorts.

12.06: telefoon gaat. Haar nummer.

Hij liet de telefoon overgaan. Hij stond in de rij in de kantine met een rinkelende mobiel in zijn hand. Mensen draaiden zich naar hem om. Hij deed of hij de blikken niet zag. Het zweet brak hem uit. Handenwringend keek hij een andere kant op. De rest van de dag liep hij rond als in een mist.

De vierde dag controleerde hij eerst het strafregister. Zijn zoekopdracht had resultaat. Naam: *Jonny Faremo*. Geschiedenis: drie keer veroordeeld voor gebruik van geweld en een keer voor een gewapende overval. Verder nog een veroordeling voor diefstal van een personenauto. Uitgezeten straf: 38 maanden van een totale straf van vijf jaar. Straf uitgezeten in: Ila, Sarpsborg en Mysen.

Het zweet liep over zijn rug. Hij knipperde een paar keer met zijn ogen, maar was wakker genoeg om een print van het verslag te maken. Daarna een nieuwe zoekopdracht: *Elisabeth Faremo*. Geen resultaat. Zij had dus geen strafblad.

Maar als Elisabeth getrouwd was met Jonny Faremo, gebruikte ze dus zijn naam. Misschien stond ze geregistreerd onder een andere naam?

Hij voelde zich ziek. Hij zag haar gezicht voor zich. Nee, geen gezicht, alleen haar lichaam. Zijn eigen hand in een vaste greep om haar enkel, haar voeten en de contouren van haar gestalte op het bed. Hij knipperde weer met zijn ogen. *In welk net heb ik me laten vangen?*

De deur ging open. Yttergjerde kwam binnen stampen. Yttergjerde met zijn bolle *snus*-lip. De hoeveelheid nicotinepoeder onder zijn bovenlip gaf hem het uiterlijk van een uit de kluiten gegroeid konijn met een misvormd gebit. Ongeschoren kin, maar een gladgeschoren hoofd.

Yttergjerde: "Hé, hoe gaat ie?"

Frank knikte even met zijn hoofd. Hij had nu geen zin om te praten, geen zin om te luisteren naar Yttergjerdes flauwe grappen, visserslatijn en vrouwenverhalen.

De geur van herenparfum vulde de kamer. Er hing voortdurend een kauwgomlucht om Yttergjerde heen. Frank begreep niet dat de man het uithield.

"O, o."

Hij keek op. Yttergjerde stond bij de printer. In zijn hand hield hij de print van Jonny Faremo. Frank voelde hoe hem het zweet weer uitbrak, dit keer over zijn hele lijf. Hij knipperde met zijn ogen. Zijn ogen waren droog, kurkdroog. Hij kon wel overgeven.

"Die ken ik", mompelde Yttergjerde.

"Wie ken je?"

"Faremo, Jonny. Wat heeft ie nu weer uitgevreten?"

Frank schraapte zijn keel: "Ik controleer gewoon wat namen. Vertel eens."

"Wat?"

"Wat je weet over Jonny Faremo. Voor mij is hij niets meer dan een homp vlees met een cap en een zonnebril."

"Ze zijn in elk geval met zijn drieën. Gewapende overvallen, van hetzelfde soort als de roofoverval in Stavanger. Echte commando's. Wapens, bivakmutsen, overalls. Ik kan me nog een geldtransport herinneren van vijf of zes jaar geleden, hier staat het: geldtransport uit Østfold, onderweg naar Oslo. Hij is keihard. Zo een die eerst slaat en dan pas vragen stelt. Ik ben een van de weinige gelukkigen die hem een paar klappen heeft kunnen verkopen. Ik was erbij toen hij werd gearresteerd voor de overval op dat geldtransport."

"Die straf heeft hij al een hele tijd geleden uitgezeten. Weet je nog meer?"

Yttergjerde draaide zich naar hem toe.

Frank ging automatisch verder: "Ik weet dat hij in een poenige buurt woont, een van die terraswoningen op Ekebergåsen."

"Je weet hoe dat gaat, als ze niet vastzitten, rijdt dat soort kerels in vette auto's en drinken ze Hennessy. Dat is dan weer de reden dat ze regelmatig vastzitten."

"Dus het appartement is gewoon een dekmantel?"

"Nee, ik geloof dat ze een erfenis hebben gehad. Het optrekje is van hen. Ik kan me herinneren dat daar tijdens de rechtszaak niet aan werd getwijfeld."

"Ze hebben een erfenis gehad? Wie zijn zé?"

"Hij en zijn zus. Hij woont samen met zijn zus. Toen wel in elk geval."

Yes! Ze is niet getrouwd! Het is haar broer!

Frank, met een stalen gezicht: "En zij?"

"Zij?"

"Heeft zij ook wat op haar kerfstok?"

"Dat dacht ik niet. Af en toe lijkt ze zijn moeder wel. Hoewel ze jonger is. Maar ik weet het ook niet. Als je wormen vindt, is er meestal ook genoeg stront om in te graaien, zei mijn oom altijd. Hij was boer."

Stront om in te graaien. Hij knipperde met zijn ogen. "Wat bedoel je met 'zijn moeder'?"

Yttergjerde schudde het hoofd en haalde zijn schouders op. "Ach, ik zei maar wat, geen idee. Waarom ben je zo nieuwsgierig?"

"Hm?" Hij voelde het klamme zweet weer uitbreken.

"Faremo", zei Yttergjerde ongeduldig. "Waarom ben je zo nieuwsgierig naar Jonny Faremo?"

"Een tip. Iemand zei dat ik die naam moest onthouden."

Yttergjerde draaide zich om, met opgetrokken wenkbrauwen. Zijn grote vuist draaide de dop van een flesje cola.

Frank knipperde met zijn ogen. *Maak een eind aan dit gesprek voor je nog meer slapende honden wakker maakt.*

Yttergjerde was er als de kippen bij: "Een tip?"

"Vergeet het, ik wilde alleen maar weten over wie het ging. Hoe gaat het verder? Nog steeds samen met dat Thaise meisje?"

"*Gentlemen prefer blondes!*"

"Dus ze heeft het uit gemaakt?"

Yttergjerde haalde met zijn wijsvinger de *snus* onder zijn lip vandaan. Hij grijnsde met bruingevlekte tanden. "Luister jij eens even, ík ben nog altijd degene die het uit maakt!"

Frank liep naar het toilet om even alleen te zijn en na te denken. Hij was geschrokken van zijn eigen reactie. Hij had pure blijdschap gevoeld toen hij hoorde dat Elisabeth de zus was van Jonny Faremo en niet zijn echtgenote. Maar het was een probleem dat haar broer een crimineel was. Wat zou nu de correcte manier van handelen zijn?

Hij keek naar zijn eigen spiegelbeeld en zei hardop tegen zichzelf: "Het zou het beste zijn om haar met de feiten te confronteren en over haar broer te praten." *Nee. Je moet haar uit je hoofd zetten.*

Hij ging op de wc-deksel zitten en beet op zijn knokkels. Wat moest hij doen? Telefonisch het contact verbreken? Haar opbellen en stotte-ren: Je moet begrijpen dat ik geen verhouding kan hebben met de zus van een crimineel! Dan zou zij de voor de hand liggende wedervraag stellen: Frank, ben je geïnteresseerd in mij of in mijn broer?

Hij veegde met de rug van zijn hand over zijn voorhoofd. Was dit eigenlijk wel zo bijzonder? Er raakten toch wel meer mensen in een dergelijke situatie verzeild? Zoiets is vast weleens eerder gebeurd. Hij probeerde zichzelf te troosten door voorbeelden te verzinnen: een belastinginspecteur die op een goede dag ontdekt dat zijn vrouw knoeit met taxirekeningen om zo belastinggeld op te strijken. *Nee. Niet relevant. Dit gaat om een relatie.* Er zijn politici uit linkse partijen die een verhouding hebben met iemand uit een rechtse partij en omgekeerd. Vrouwelijke gevangenbewaarders die een relatie beginnen met een gedetineerde.

Die laatste vergelijking bracht hem nog meer aan het zweten.

Een dominee die tegen vrouwelijke dominees is, begint zelf een verhouding met een dergelijke vrouw. Een militante neonazi komt in de verkeerde kroeg terecht en ontdekt dat hij eigenlijk homo is. *Idiote voorbeelden. Denk na!* De voorzitter van de plaatselijke afdeling van een ultrarechtse partij hoort dat zijn dochter zich gaat verloven met een neger en dat die neger eigenlijk een heel aardige jongen is.

Frank schudde het hoofd. Krijg ik de zenuwen omdat het deze keer over mezelf gaat? Gaat deze paniek eigenlijk om mijn eigen paranoia of is het echt een probleem dat haar broer vast heeft gezeten – een crimineel is?

Hij zag nog een keer voor zich hoe het gesprek zou verlopen: Luister eens, Elisabeth, ik ben politieman! Jouw broer is lid van een bende. Dat zijn geen mensen die open staan voor maatregelen om recidive te voorkomen en met een schone lei te beginnen. Jonny en zijn kameraden zijn beroepscriminelen. Dit gaat over georganiseerde misdaad!

Hij schudde zijn hoofd om zichzelf; alsof zij die dingen niet zou weten!

Tja, en wat is nu het probleem?

Het probleem is dat zij haar mond heeft gehouden. Ze weet dat ik politieman ben, ze heeft het de hele tijd geweten. We hebben elkaar voor het eerst ontmoet omdát ik politieman ben. Dus had ze al lang geleden over haar broer moeten vertellen!

De naakte waarheid van deze conclusie sloeg hem eerst uit het veld. Daarna had hij het gevoel dat hij boven water kwam nadat hij te lang zijn adem had ingehouden. Hij kon geen andere conclusie trekken: ze had haar mond gehouden. Ze had gemanipuleerd, verzwegen, er een spelletje van gemaakt!

Op dat moment nam hij een besluit.

Hij spoelde zijn gezicht met schoon, fris water, droogde zich met een papieren handdoek af en liep de deur uit, terug naar zijn kamer.

Gunnarstranda was gearriveerd. Hij zei: "Je ziet bleek, Frølich. Moe?"

Frank pakte zijn jas, sloeg hem over zijn schouder en liep terug naar de deur. "Nee, maar ik ben doodziek van al dat papierwerk."

Gunnarstranda keek over zijn bril heen. "Rustig maar, nog een paar weken en dan is het kerst. En als het zover is, komt er wel een of ander jaloers kereltje achter dat hij wordt bedrogen door zijn vrouw en neemt hij wraak door iemand te vermoorden."

In de gang kon hij Gunnarstranda's emfyseemlachje nog horen.

*

Toen ze de volgende keer belde, nam hij de telefoon op. Alle onrust verdween als sneeuw voor de zon toen hij de sensuele toon in haar stem hoorde.

Ze wilde naar de bioscoop.

Hij stemde toe.

Ze ontmoetten elkaar voor Saga. Eerst gingen ze naar de Burger King. Hij nam een hamburger met bacon. Zij wilde een milkshake. Met vanillesmaak.

"Ik eet alleen hamburgers bij McDonald's", zei ze toen ze bij het raam zaten dat uitkeek op straat. Hier op de bovenste etage zat bijna niemand. Alleen een vader met twee dochtertjes, die kruimelden en ketchup op hun kleren knoeiden.

"Zullen we dan naar McDonald's gaan?"

"Nee, nu heb ik zin in een milkshake. Als je een keer bij me op bezoek komt, zal ik een milkshake voor je maken, met banaan. Die vind je vast lekker."

"Dus je nodigt mij uit om op bezoek te komen?"

Ze keek op. "Waarom niet?"

"Tja, waarom niet?"

Stilte. Onbehaaglijke stilte. En toen, alsof ze iets uit zijn houding kon opmaken, alsof ergens een lichtje ging branden: "Wat is er?"

"Hm?"

"Ik kan het aan je zien, er is iets, zeg maar wat er aan de hand is."

Hij nam nog een hap. De burger smaakte naar papier. Maar hij kon beter papier in zijn mond stoppen dan tegen haar uitvallen. Bovendien wist hij niet hoe hij het moest zeggen. Hij kreeg het ineens warm. Hij voelde zich hier niet prettig: de geur van oude olie, muffe lucht, koude muren en neonlampen – het harde licht gaf de huid een ongezond witte kleur en maakte ogen kleurloos. "Ik moet ergens met je over praten", zei hij snel.

"Wacht", zei ze.

"Ja", zei hij.

"Eerst moet ik iets tegen jou zeggen. Het gaat over mijn broer."

Hij hield zijn adem in. *Kan ze mijn gedachten lezen?*

"Mijn broer, Jonny, hij ..." Ze viel stil en speelde met haar servet. Haar slanke vingers vouwden het servet dubbel, daarna nog een keer, terwijl ze in gedachten uit het raam keek.

"Wat is er met je broer?" hoorde hij zijn eigen stem, terwijl zij op haar onderlip zat te bijten.

"We wonen samen."

"Ja, en?"

Ze scheurde langzaam het servet doormidden. "Jonny ... hij is ... hij heeft gezeten."

Ze keek hem nu recht aan. En hij keek naar haar. Het gif was weg, de verdoving die hem een gevoel had gegeven alsof hij stuurloos rondtastte in een verstild en met watten gevuld universum was uitgewerkt. Het was net alsof zijn lichaam uit een cocon tevoorschijn was gekomen, de akelige, klamme dwangbuis was verdwenen. Hij haalde opgelucht adem, zijn hart sloeg niet langer als een trommel, het gesuis van stromend bloed in zijn oren verdween. De vrouw aan de andere kant van de tafel was een tenger schepsel met bange, blauwe ogen en droge lippen, net als arrestanten die hun blik neerslaan als ze panisch op zoek zijn naar details voor het verhaal dat ze opdissen – hun droge lippen met kleine huidschilfers beginnen te schrijnen en ze voelen een onweerstaanbare drang om die lippen te bevochtigen.

Hier zit ik op te wachten, dat ze haar lippen zal bevochtigen en de eerste leugen zal serveren. Wat gebeurt er toch in mijn hoofd?

"Jonny is altijd al een beetje wild en gek geweest, maar we zijn maar met z'n tweeën. Hij is vier jaar ouder dan ik en hij is de enige broer die ik heb, mijn grote broer, mijn ... wat zal ik zeggen? Mijn ... houvast. Maar je moet het weten, dat begrijp ik wel. Je bent politieman. Je moet weten dat hij heeft gezeten, in totaal meer dan drie jaar. Het kan gebeuren dat Jonny op straat wordt opgepakt door patrouillerende agenten, alleen omdat hij Jonny is, een bekende van de politie, zoals ze dat op de televisie zeggen. Maar dat verandert er niets aan dat hij mijn broer is, begrijp je dat? Ik kan niet minder van mijn broer houden omdat hij heeft gezeten. Hij is de enige die ik familie kan noemen. We hebben alleen elkaar. Begrijp je dat?"

"Elisabeth, wat probeer je te zeggen?"

Sla je ogen op. Kijk me aan.

"Ik probeer te zeggen dat mijn broer je misschien niet aan zal staan. Maar daarom zal ik niet minder voor je voelen. Dat je politieman bent, hoeft toch niets te betekenen. Jonny is op zoek naar werk. Hij is nu op het rechte pad."

"Weet Jonny van mij?"

"Hm?"

Ze weet niet wat ze moet antwoorden. Ze probeert tijd te winnen.

Een geluid verbrak de spanning en gunde hen een pauze.

De wenteltrap langs de lange wand rammelde. Hij keek ernaar. Er kwam iemand naar boven. Iemand die hij kende – Lena Stigersand, collega bij de politie. Lena en haar racistische vriend, c.q. geliefde, kwamen de wenteltrap op, ieder een blad met eten in hun handen. De afstand tot de trap bedroeg vijf meter. Als Lena verder de trap op kwam, zou ze zich deze kant op draaien en Elisabeth en hem ontdekken.

"Weet je broer van ons beiden?"

"Dat geloof ik niet."

Op dat moment draaide Lena zich om, op zoek naar een zitplaats. Het was een kwestie van seconden voor ze zou ontdekken dat Frank Frølich met een nieuwe vriendin op stap was, een kwestie van seconden voor een gerucht over hem zou ontstaan.

Elisabeth glimlachte ontwapenend.

Toen hij haar glimlach niet beantwoordde, werd ze weer ernstig en sloeg ze haar blik neer. Haar vingers bewogen onrustig. "Doet het ertoe?"

"Wat?"

"Dat met Jonny, doet het ertoe?"

Lena Stigersand riep: "Hallo Frank!"

Game over!

Frank keek op en leek verrast: "Hallo Lena!"

Elisabeth zweeg.

Lena Stigersand kwam lachend op hem af, gevolgd door die sukkel van een vriend, c.q. infiltrant in de drugsscene, die ongetwijfeld wist wie Jonny Faremo was, en waarschijnlijk zelfs wist dat Jonny Faremo een zus had. Ze stonden afwachtend naast de tafel waaraan hij samen met Elisabeth zat, die uit alle macht aan haar rietje zoog.

Frank schraapte zijn keel. "Lena, dit is Elisabeth."

De gereserveerde stemming die vaak ontstaat als namen worden uitgewisseld, daalde neer.

Lena zei glimlachend: "Wij hebben elkaar al eens ontmoet, Elisabeth."

Elisabeth, niet-begrijpend: "O?"

Het schoot Frank te binnen voor Lena het kon vertellen. Daarom viel hij Lena in de rede en zei het zelf: "In de Torggata, bij de winkel van Badir, Lena leidde die actie."

Elisabeths gezicht brak open in een glimlach. "Daar hebben Frank en ik elkaar voor het eerst ontmoet."

Lena Stigersands gezicht was een doorzichtige glazen ruit. Hij zag hoe de koppelingen in haar hoofd tot stand kwamen. De blik die ze hem toezond. Ze was ineens weer een smeris, een politievrouw die één en één bij elkaar optelt, geen gezellige vriendin die een goede collega in de stad treft.

Lena en haar vriend verdwenen buiten gehoorsafstand. Verderop in het restaurant werd met stoelen geschoven. Frank legde de halfopgegeten hamburger weg. Hij kon de gedachte aan eten niet verdragen. "Elisabeth ..."

"Ja?"

"Ik vroeg of je broer het weet van ons tweeën?"

"Dat weet ik niet."

Hij haalde diep adem. "Als je met hem over mij hebt gesproken, dan weet hij het."

"Ik geloof niet dat hij het weet."

"Heb je met geen woord over mij gerept?"

"Kalm aan, rustig maar." Elisabeth zat nu met tranen in haar ogen.

"Ik ben in jou geïnteresseerd", zei Frank geruststellend. "Ik ben nooit van plan geweest een verhouding met je broer te beginnen."

Haar gezicht was weer een en al glimlach en vrolijke ogen. Maar waarom was ze opgelucht? Hij wist het antwoord: ze was opgelucht omdat het gesprek was afgelopen.

4

Hij zat achter zijn bureau en was aan het werk. Frank schrok op. Hij was een paar tellen weg geweest, zijn gedachten ergens anders, bij haar, Elisabeth.

Hij schrok weer op toen Yttergjerde herhaalde: "Ga verder, Frank."

Hij zat naar Yttergjerde te kijken. In deze lege seconden had hij geen idee waarover ze hadden gepraat.

Kijk mij nou, begin ik een gesprek en raak ik vervolgens helemaal de draad kwijt. Wat is er met mij aan de hand?

Zijn herinnering kwam terug. Hij ging verder met het verhaal dat hij aan het vertellen was: "Ik zei dat we zo'n cursus hadden over blindenhonden."

"Blindengeleidehonden."

"Ja, we moesten leren letten op speciale dingen waaruit je kunt opmaken dat bepaalde honden geschikt zijn voor zulk werk, zoals karakter en ..." Frank keek naar Yttergjerdes gezicht, bijna dwaalden zijn gedachten weer af naar elders. Maar hij bleef bij de les en vervolgde: "Je moet letten op hun blik, lichaamstaal, dat soort dingen. Het is net als met drugshonden, sommige dieren zijn geschikt, andere niet."

Yttergjerde knikte enthousiast. Hij had het gevoel dat er iets leuks zou komen.

"Tja, en toen zat ik naar die honden te kijken en probeerde in praktijk te brengen wat ik had geleerd, en ik dacht dat de herder in het midden – want herders zijn tenslotte echte blindengeleidehonden, hè ..."

"Ja?" Yttergjerdes gezicht vertoonde al lachrimpels. Hij lachte al om een pointe die nog niet was geserveerd, een soort gespannen grijns die door aangespannen wangspieren op zijn plaats werd gehouden.

Allemachtig, dacht hij terwijl het puntje van Yttergjerdes kin onge-duldig op en neer wipte, hij wachtte op de pointe, op de climax, het verlossende woord dat ertoe leidde dat zijn lach kon losbarsten. *Waar ben ik mee bezig?*

"En toen zei die cursusleider dat we moesten laten zien wat we had-den geleerd, en ik had zojuist de allerbeste blindengeleidehond van heel Noorwegen ontdekt, dus ik steek mijn hand op ..."

"Ja?" Meer gelach, meer wippende kin.

"Ik sta op ..."

"Ja?"

"Ik loop naar de honden toe, die hond, die herder in het midden ..."

"Ja?"

"Ik steek mijn hand uit ..."

"Ja?" Yttergjerdes lach zat nu in zijn keel, borrelde al op in zijn mond-holte.

"En toen greep die hond ineens mijn hand, en ik ging zo onderuit!"

Hij bleef naar Yttergjerde zitten kijken die zijn lach vrij baan liet.

Is dit nu wat ik wil? Wordt dit nu sociale vaardigheid genoemd, is dit nu wat van mij een geslaagd mens maakt? Is dit het moment dat ik door een misstap kan kwijtraken? Is dit het moment dat op het spel staat? Ik weet niet eens zeker of een dergelijk moment me wel bevalt.

Yttergjerde veegde de tranen uit zijn ooghoeken. "Allemachtig", zuchtte hij. "Dit is zo typisch, godallemachtig ..."

"Het gerucht klopt", zei Frank plotseling.

Yttergjerde begreep hem niet. "Wat voor gerucht?"

"Over mij en die vrouw, de zus van Jonny Faremo."

Yttergjerdes gezicht veranderde volkomen. Het lachende masker ver-stijfde en kreeg een aarzelende, starende blik. Yttergjerde was groggy, zoals dat in bokstermen heet. Hij verkeerde in het stadium waarin de fysieke gevolgen al zichtbaar zijn, maar waarin nog niet echt is doorge-drongen dat je bent geraakt.

"Dus nu weet je het", zei Frank grimmig. "Alles wat ze zeggen is waar. Ik ga met de zus van Jonny Faremo, dezelfde Jonny Faremo die drie jaar heeft gezeten voor een gewapende roofoverval."

Hij greep zijn jas en vertrok.

5

Muziek van de Simple Minds klonk uit de stereo-installatie. De zanger zong *You turned me on* en even later *Alive and kicking*. Zogauw hij klaar was, begon de cd opnieuw, met het nummer *Hypnotized*.

Ze wilde graag muziek tijdens het vrijen. Ze wilde deze muziek. En daar was niets op tegen. Ze waren bij elkaar, hij was in haar en zij was in hem. Haar blik straalde geen onzekerheid uit, geen toneelspel, geen gebaren. Daarom betekende het geluid op de achtergrond niets, de muziek completeerde het beeld, zoals een zeebries onderstreept dat lucht iets is wat je inademt, zoals vochtigheid verklaart dat water een materie is waarin je kunt zwemmen. Hij hoorde niet de woorden in de muziek, hij hoorde niet de rollende drums, niet het koor, maar zijn lichaam danste met het hare, gefocust op twee lichtjes die heel dichtbij waren en tegelijk ver weg, haar blauwe ogen.

*

Toen hij uit de badkamer kwam, lag ze op bed te lezen. "Hetzelfde boek?" vroeg hij.

"Hetzelfde?"

"Ik heb het idee dat je steeds hetzelfde boek leest."

Ze legde het boek op het nachtkastje. "Heb jij ooit iemand horen zeggen dat je nooit twee keer in dezelfde rivier kunt zwemmen?"

"Griekse filosofie?"

Ze haalde haar schouders op. "Misschien. Maar ik geloof niet dat je twee keer hetzelfde boek kunt lezen."

Ze maakte plaats voor hem onder het dekbed.

Even later vroeg ze: "Waarom ben je bij de politie gegaan?"

"Het kwam zo uit."

"Dat geloof je zelf niet."

Hij draaide zijn hoofd en keek in haar gezicht. Hij glimlachte in plaats van te antwoorden.

"Is dat privé?" vroeg ze. "*Keep off! Danger!* Pas op voor de hond?"

"Ik heb gesolliciteerd bij de politieschool toen ik klaar was met rechten, en toen ben ik aangenomen."

"Met rechten? Dan had je toch ook een advocatenkantoor kunnen beginnen. Je had carrière kunnen maken als jurist, je had miljoenen kunnen verdienen. En in plaats daarvan loop je in andermans zaakjes te snuffelen."

"In andermans zaakjes te snuffelen?"

Die toon. Hij had een beetje scherp geklonken. Maar het was te laat om dat nog te veranderen. Hij keek haar even aan. Ze lag met haar hoofd op zijn borst terwijl hij met de vingers van zijn linkerhand het patroon in het behang volgde. Met zijn andere hand streek hij over haar haar en hij wist dat zij de stemming probeerde te proeven.

"Dat komt toch wel eens voor, rondneuzen?"

Hij gaf geen antwoord.

"Ben je boos?" vroeg ze.

"Nee."

"Het is in elk geval goed dat je geen rechter bent geworden."

"Wat is er mis met rechters?"

"Ik heb een beetje moeite met rechters, of het nu hun werk is of dat ze gewoon zo zijn – veroordelend."

Ze bleven zwijgend liggen. Haar hoofd op zijn buik. Hij lag te spelen met een lok van haar zwarte haar.

Ze vroeg: "Waar denk je aan?"

"Dat ik eigenlijk wel rechter had kunnen worden, dat ik het wat carrière betreft misschien had moeten doen." Hij speelde nog steeds met haar haar. Zij lag nog steeds stil. Hij zei: "Ik geloof eigenlijk dat ik mijn baan wel leuk vind."

Ze tilde haar hoofd op. "Maar waarom dan?"

"Ik ontmoet mensen. Ik heb jou ontmoet."

"Maar er moet toch een aanleiding zijn geweest, waarom heb je er ooit aan gedacht om smeris te worden?"

"Waarom wil je dat weten?"

"Ik hou van geheimen."

"Dat heb ik begrepen."

Ze legde haar hoofd weer neer.

"Er woonde een smeris bij ons in de straat", zei hij. "De vader van een heel mooi meisje uit mijn klas, Beate. Hij reed in een Ford Cortina. Dat oude model met ronde achterlichten, jaren zestig."

"Ik heb geen idee wat voor een auto het is", zei ze, "maar dat maakt niet uit."

"Een etage boven ons woonde Vivian. Ze tippelde, hoewel ze pas een jaar of achttien was."

"Hoe oud was jij?"

"Een jaar of tien. Ik had geen idee wat een hoer was. Ik wist helemaal niets van seks. De andere jongens praatten over Vivian en lieten mij pornoblaadjes zien met vrouwen die hun geslacht lieten uitpuilen. Ik vond het vreselijke foto's."

"Waren het foto's van haar, van Vivian?"

"Nee, maar de jongens wilden dat ik zou begrijpen waar zij mee bezig was, of misschien werden ze er ook wel geil van. Wie zal het zeggen, ik was er wat dat betreft niet zo vroeg bij. Toen ik tien was hield ik me alleen maar bezig met vissen en met mijn fiets en dat soort dingen. Ik herinner me Vivian als een beetje vermoeid, donkerharig meisje met een heleboel dunne, blauwe bloedvaatjes op haar benen. En die benen waren altijd heel erg bleek. Ze zat vaak op de trap te roken. Maar in elk geval: op een dag kwamen er twee mannen. De ene droeg een jas en had een vette kuif in zijn haar. De andere droeg een bril, had een pony en een kort leren jasje aan. Hij trok de hele tijd gekke bekken. Samen met de andere jongens speelde ik kastie op straat en Vivian zat in haar hot-pants op de trap te roken. Toen die twee kerels kwamen, stond ze op en ging ze naar binnen, het leek net alsof ze vluchtte."

Frank zweeg toen de telefoon ging.

Ze keek hem aan. "Zeg nu niet dat je die telefoon gaat opnemen."

"Misschien niet", zei hij en hij keek zonder zich te verroeren naar het toestel. Ze bleven naar het gerinkel liggen luisteren tot het ophield.

"Ga verder", zei ze.

"Waar was ik?"

"Twee mannen en Vivian die ervandoor ging."

"Een van de jongens uit de straat heette Yngve. Hij had een Tomahawk fiets, zo een met zo'n lang zadel. Yngve pakte een steen en smeet die naar de beide mannen. En meteen waren we er allemaal klaar voor. Net alsof die twee de vijand waren. Dus pakten wij ook een paar stenen op."

"Twee jongens van tien?"

"We waren wel met een stuk of vijf. Yngve was de oudste, hij was veertien. Mijn vriendjes waren twaalf en dertien. Ik was de jongste en ik weet nog dat ik doodsbang was. Ik was nog nooit zo bang geweest. De bekkentrekker vloog Yngve aan, die daarna bloedend op straat bleef liggen. Hij moest later naar het ziekenhuis. Ik weet nog dat ik in paniek

achter de huizen ben gevlucht, ik heb me verstopt achter de vuilnis-
bakken, ik moest overgeven, zo bang was ik."

Hij keek over zijn borst en trof haar blik. Hij grijnsde.

Ze fluisterde: "Ga verder."

"De vader van Beate heeft het allemaal geregeld. Hij had het allemaal
in de hand. Hij zei geen woord. Hij speelde niet de politieagent, had
geen uniform aan, maar hij kwam gewoon en zorgde ervoor dat alles
weer normaal werd. Ik geloof dat daar de reden ligt. Die man werd een
symbool."

"Bruce Willis", grijnsde ze.

"Het was niet eens een echt aardige kerel."

"Bruce Willis?"

"De vader van Beate."

"Wat deed hij?"

Hij haalde de schouders op. "Beate raakte aan de heroïne en is een
paar jaar geleden gestorven. Toen we een reünie hadden met de klas,
was zij de enige die er niet was en de meisjes vertelden hoe ze al die
jaren was mishandeld en misbruikt door haar vader." Hij rekte zich uit.
"Illusies gaan in rook op", zei hij droog.

Ze zei niets.

"Het zit al in het woord. Illusie, iets wat niet echt is."

"Dat kun je wel zeggen", zei ze.

*

"Waar ik van hou?" Hij dacht na. "Ik hou ervan om luchtgitaar te spelen op *LA Woman* van The Doors."

"Wat ben jij saai. Kom op. Waar hou je van?"

Hij rekte zich uit onder het dekbed en zei: "Ik hou ervan om liggend
uit het raam te kijken als ik 's morgens wakker word."

"Meer", zei ze.

"Wat meer?"

"Waar hou je nog meer van?"

"Jij eerst."

"Ik hou ervan om 's zomers in het gras te liggen en te kijken wat de
wolken voorstellen."

"Meer."

"Op een warme zomeravond bergafwaarts fietsen."

"Meer."

"Nu is het jouw beurt."

"Ik hou ervan om de titels van mijn platen op te schrijven en ze op
alfabetische volgorde te zetten."

"Echt waar?"

"Ja."

"Mooi." Onder het dekbed kroop ze helemaal tegen hem aan.

"Het is jouw beurt", fluisterde hij.

"Ik hou ervan om helemaal alleen te zijn op een bepaald plekje."

"Ik ook."

Ze tilde haar hoofd op van zijn borstkas en keek op. "Een strand", zei ze. "Als ik daar 's avonds zit, hoor ik op het laatst alleen nog de golven die op het land slaan, als er iemand komt en begint te praten, dan hoor je het niet."

"Dat is het water", zei hij. "Ik heb hetzelfde meegemaakt tijdens het vissen, bijvoorbeeld langs snelstromende rivieren en beken."

"Dat geloof ik niet."

Hij keek haar weer aan. Ze leek op haar teentjes getrapt. "Oké, ik geef het toe. Het is niet waar."

"Als je dat soort dingen zegt, heb ik geen zin om nog meer te vertellen", zei ze.

"Toe nou!" Hij draaide zijn bovenlichaam, tot ze weer oogcontact kregen. "Niet boos worden."

"Ik ben niet boos."

"Hoe heet dat strand van jou?"

Ze glimlachte. "Hvar."

"Waar?"

"Het heet Hvar."

"Maar waar ligt het?"

"Op een eiland."

"En waar is dat eiland?"

Ze legde haar hoofd neer zonder antwoord te geven.

Hij streelde over haar haar en gaapte. Hij voelde dat hij bijna in slaap viel. Een heerlijk gevoel. "Trouwens", mompelde hij en hij gaapte nog een keer, "ik hou ook van de geur van brandend tuinafval in het voorjaar."

Toen hij in de loop van de nacht wakker werd, was het gewicht van haar hoofd verdwenen. Hij hoorde een zachte stem praten en sloeg zijn ogen op. Ze zat op de stoel bij het raam met haar mobiele telefoon aan haar oor. "Slaap je niet?" vroeg hij. "Hoe laat is het?"

"Ik kom eraan", fluisterde ze. "Slaap maar lekker."

Hij lag met gesloten ogen en voelde dat ze terug onder het dekbed kroop. Hij keek naar haar zwarte haar dat over het kussen stroomde en viel weer in slaap.

Deel 2

– DE VIERDE OVERVALLER –

1

"We hebben een klant."

"Moord?"

"Een man. Zo dood als een pier", vervolgde Gunnarstranda, "in de containerhaven op Loenga."

De verbinding werd verbroken. Er viel niet te onderhandelen. Er viel nooit te onderhandelen. Frank Frølich draaide zich om in bed. "Ik moet ervandoor", fluisterde hij met een droge stem en zweeg toen.

Ze was er niet. Het dekbed waar ze zich een paar uur geleden in had gerold, lag half op de vloer. Hij kwam overeind, masseerde zijn wangen en riep voorzichtig: "Elisabeth?"

Geen geluid te horen.

Hij keek op de klok. Het was halfvijf. Het was nacht. Hij stond op, slenterde de kamer in. Donker en stil. De keuken, donker. De badkamer, donker en leeg. Hij deed het licht aan, gooide water in zijn gezicht en keek in de spiegel naar zijn eigen, vermoeide ogen. Waarom doet ze dat? Waarom gaat ze ervandoor? Wanneer is ze vertrokken? Waarom is ze vertrokken?

*

Precies zes minuten later stapte hij in zijn auto en reed de Ryenberg-bakkene af. Het was kouder geworden. De maansikkel blonk aan de sterrenhemel. De thermometer van de autocomputer stond op min vijf. Hij dacht aan Elisabeth die in deze kou met haar strakke rok en minieme ondergoed over straat liep. Het bed uit, naar buiten en weg. De auto was zo koud dat hij ineengedoken met beide handen om het stuur zat. De spijkerbanden rammelden over het asfalt. In de bochten was het glad. Wolken vorstnevel hingen boven het water in de haven. Echt een moordsfeertje, dacht hij, toen hij Gamlebyen in reed.

*

Een patrouilleauto stond met blauwe zwaailichten buiten het hek. Gunnarstranda's Skoda Octavia stond half op het trottoir geparkeerd. Achter het gazen hekwerk stond een groepje mensen rond een gestalte die op de grond lag.

Frank Frølich sloeg het portier dicht en liep met zijn handen diep in zijn broekzakken door de poort. Hij had het koud en voelde dat de behoefte aan een ontbijt de kop opstak. Gunnarstranda kwam hem tegemoet. Het overhemd onder zijn overjas was scheef dichtgeknoopt. Een onaangestoken sigaret bengelde in zijn mondhoek.

"Een nachtwaker in dienst bij Securitas. Om 03.43 ontdekt door een collega. Sporen van inbraak in een opslagcontainer." Gunnarstranda wees. Een groene metalen container stond met wijdopen deuren. "De container is eigendom van AS Jupro. Het is nog onduidelijk wat ze hebben meegenomen, waarschijnlijk elektronica."

Van afstand leek de dode op een flauwgevallen slalomskiër. Hij lag in stabiele zijligging. Hij droeg een uniform. Frank Frølichs gezicht vertrok toen hij het toegetakelde hoofd en het bloed eromheen zag.

"Pathologen noemen dat stomp geweld", zei Gunnarstranda formeel. "Slag op het achterhoofd. Moet niet zo moeilijk zijn om de doodsoorzaak vast te stellen. Het moordwapen ligt waarschijnlijk daar." Hij wees naar een met bloed bevlekte plastic zak naast het lijk. "Een honkbalknuppel, aluminium."

De kortegolfzender van een van de geüniformeerde agenten begon luid te kraken. De man gaf hem aan Gunnarstranda, die de oproep bits en vormelijk in de microfoon beantwoordde.

Frank Frølich kon de melding die krakend doorkwam niet goed horen. Maar een grijnzende Gunnarstranda kon dat wel. "Pak ze op."

Hij draaide zich om en keek op zijn horloge. "We hebben ze en kunnen daarom dus nog even verder gaan met schaapjes tellen. Sorry, dat ik je zo vroeg wakker heb gemaakt. Maar zo gaat het in dit werk. Geen zaak is gelijk. Ik gun mezelf nog twee uurtjes", zei Gunnarstranda. "Dan beginnen we op een christelijke tijd met het verhoor. Heerlijk om er nog even in te kunnen kruipen."

"Wie hebben we?" vroeg Frølich verward.

"Een stelletje zware jongens", zei Gunnarstranda. "Een tip. Is misschien niet zo veel waard, maar geeft wel een goed beeld van de gebeurtenissen." Hij wees naar de openstaande opslagcontainer. "Die jongens waren bezig met een kraak. Toen is de nachtwaker met zijn auto aan komen rijden." Hij wees naar een kleine Ford stationwagen die een paar meter verderop stond. Het logo van het beveiligingsbedrijf was op de zijkant van de laadruimte gedrukt. "De nachtwaker heeft iets gezien, stopte en is uitgestapt om het te controleren." Gunnarstranda wees naar een voorwerp dat naast de geopende container lag. "Zijn zaklantaarn, een maglight, ligt daarginds. Hij heeft die kerels betrapt en er is een gevecht ontstaan. Een van hen had een handbalknuppel en knál. De nachtwaker ging tegen de vlakte. Jammer voor het drietal dat hij nu dood is."

"En we weten wie het heeft gedaan?" vroeg Frank Frølich gapend.

Gunnarstranda knikte. "Zoals gezegd, een tip, en het zou mij niet verbazen als het zou kloppen." Gunnarstranda pakte een papiertje uit zijn jaszak en las hardop: "Jim Rognstad, Vidar Ballo en ..." Gunnarstranda hield het papiertje in het licht. "Af en toe kan ik zelf niet lezen wat ik heb geschreven ... Jim Rognstad, Vidar Ballo en ... kun jij de naam van die derde vent lezen?" vroeg hij en hij zette zijn bril beter op zijn neus.

Frank Frølich las, eerst voor zichzelf, toen hardop: "Er staat Jonny Faremo."

2

Frank Frølich had de hele morgen een akelig voorgevoel gehad en besloot naar de rechtbank te gaan om de uitspraak te horen. Toen hij echter op een draf de trappen tussen het gerechtsgebouw en Gabler afliep, begon hij al bedenkingen te krijgen. Daarom besloot hij te wachten en hij bleef staan op het trottoir in de Kristian Augusts gate. Al snel verzamelde zich een groepje mensen voor de ingang van het gerechtsgebouw. Even later ging de deur open. Elisabeth kwam naar buiten. Hij volgde haar met zijn ogen. Ze liep alleen weg, met kleine, vlugge passen, zonder om zich heen te kijken. Hij bleef haar smalle rug volgen tot ze om de hoek uit het zicht verdween.

Zogauw Gunnarstranda door de brede deuren naar buiten kwam, maakte Frølich zijn aanwezigheid kenbaar door de tramrails op te stappen en de straat over te steken. Gunnarstranda maakte zich los van het groepje op de trap, liep snel de treden af naar het trottoir om ook de tramrails over te steken. Frølich sloot zich bij hem aan.

Gunnarstranda liep verder over het trottoir, zwijgend, met haastige stappen.

Frølich schraapte zijn keel: "Hoe ging het?"

"Hoe ging wat?"

"Het gerechtelijk vooronderzoek."

"Kloten."

"Wat wil dat zeggen?"

Gunnarstranda bleef staan, liet zijn bril over zijn neus naar beneden glijden en keek venijnig over de rand heen. "Vraag je je af of haar broer in voorlopige hechtenis zit? Of ze allemaal in voorlopige hechtenis zitten? Of ben je nieuwsgierig naar je eigen vooruitzichten?"

"Vertel nu maar hoe het ging."

"*Elvis has left the building.*"

"Wat?"

"Jonny Faremo stak zijn vinger naar mij op en wandelde als een vrij man naar buiten. Omdat zijn zus, die juffrouw op wie jij zo verliefd bent, beweert dat zij en hij samen met die anderen in hun appartement waren op het tijdstip waarop Arnfinn Haga werd vermoord." Het laatste woord schreeuwde hij bijna om het geluid van het verkeer dat langs denderde te overstemmen.

Frølich wachtte tot het lawaai wat minder werd. "Ze zegt dat ze samen met haar broer en die twee anderen in hun appartement was, nadat ze bij mij was geweest?"

"Ja."

"Ze sluipt mijn flat uit als ik lig te slapen, wandelt midden in de nacht naar haar eigen huis, waar haar broer en Rognstad en die Ballo zijn, en dan blijven ze tot 's morgens vroeg gezellig bij elkaar zitten?"

"Praten jullie niet met elkaar, Frølich?"

Frank Frølich wist niet wat hij moest zeggen.

Gunnarstranda vervolgde: "Jonny Faremo, Jim Rognstad en Vidar Ballo en jouw ... geliefde ... hebben in hun appartement zitten pokeren. Ze heeft jou ook genoemd."

Frank Frølichs gezicht verstarde. "Mij?"

"Ze vertelde in pikante details hoe ze de avond samen met jou had doorgebracht, vóórdat het pokerspel begon."

Frank Frølich hoorde in zijn hoofd nog steeds de echo van het zielige 'mij?'.

De stilte duurde voort. Mensen liepen aan alle kanten voorbij. Een taxi passeerde langzaam. De chauffeur keek hen vragend aan.

Frank Frølich zei: "Je gelooft dat verhaal over dat pokeren toch niet, hè"

"Natuurlijk niet."

"Waarom ben ik niet als getuige opgeroepen?"

"Kun jij zeggen hoe laat ze 's nachts is vertrokken?" Gunnarstranda's toon klonk honend.

"Luister eens", zei Frank Frølich geïrriteerd. "Dit bevalt mij net zomin als jou."

"Dat kan ik nauwelijks geloven."

"Maar ik kan me niet voorstellen dat de rechter haar verklaring heeft geaccepteerd. Het klinkt toch hoogst onwaarschijnlijk."

"Zou jij die verklaring kunnen tegenspreken?"

"Nee."

"Waarom had ik jou dan als getuige moeten oproepen? Ik heb geen idee of de rechter haar geloofde. Het punt is dat haar verklaring de eis tot voorlopige hechtenis op grond van verdenking ondergraaft. En dus wordt de vrijspraak een duidelijke opdracht aan mijn adres: verzamel meer bewijzen tegen de bende van Faremo en ondermijn Elisabeth Faremo's verklaring vóór de volgende rechtszaak."

"Om welke tijdstippen die nacht gaat het?"

Gunnarstranda haalde diep adem.

"Wat is er?"

"Kom nou, Frølich."

"Hè?"

"Jíj hebt een verhouding met die vrouw! Jíj bent met haar naar bed geweest. En dan vraag je als de eerste de beste ezel mij naar tijdstippen? Ik ken je niet terug. Neem even rust. Neem vakantie, neem vrije dagen op. Je hebt, *excusez le mot*, geneukt met de zus van een cynische schoft. Hoe lang? Weken? Het kan best echte liefde zijn, maar je bent verdomme politieman. Het kan ook een set-up zijn geweest. En als jij het niet wilt zien, dan is het nog altijd mijn taak om die mogelijkheid in ogenschouw te nemen. Straks is het hele politiekorps op de hoogte. En dan word je geschorst. En de reden van die schorsing kun je zelf wel bedenken, hè? Met zo'n schorsing is niemand gediend, jij niet, ik niet en het korps niet. Daarom moet je zorgen dat je weg bent, voor de kudde olifanten de hoek om komt denderen. Als je niet weg bent, word je onder de voet gelopen. En je bent sowieso wel aan vakantie toe. Je lijkt verdorie wel een schaduw van jezelf!"

Frank Frølich keek de ander recht in de ogen. "Waar heb je het over? Een set-up?"

"Die tante moet vanaf het eerste moment volgens plan te werk zijn gegaan."

"Hoezo?"

"Je hebt tegen mij gezegd dat jij zorgde dat ze buiten schot bleef, in die winkel van Badir, toen de politie tot actie overging."

"Niemand wist iets van die actie. Dat ze die winkel binnenging, was een vergissing. Toeval."

"Nou ja, laten we zeggen dat ze toevallig die winkel binnenging. Maar dan, terwijl er schoten vallen en die idioten gearresteerd worden, begint zij haar rugzak vol sigaretten te stoppen? Dat moet ze hebben gedaan om jouw aandacht te trekken."

"Ik heb geen idee waarom ze dat deed."

"Denk eens na: ze is nog nooit ergens voor gepakt. Maar als de kogels haar om de oren vliegen en ze in een winkel op de vloer ligt met een politieman bovenop zich, gaat ze ineens iets jatten. Vind je dat niet vreemd?"

Frank Frølich kreeg het warm. "Misschien wel een beetje vreemd, ik weet het eigenlijk niet."

"Maar denk toch eens na. Je zit er tot aan je nek in!"

"Als dit dan allemaal vooropgezet en gepland is, dan begrijp ik niet waarom! Is ze echt maandenlang bezig om zichzelf te verkopen en maakt ze de wildste plannen om mij te versieren, alleen om haar broer een alibi te geven voor de moord op een nachtwaker op de kade? Arnfinn Haga? Een student van 22 die naast zijn studie een baantje heeft als nachtwaker. Jij ziet toch ook wel in dat een dergelijke complottheorie volkomen uit de lucht is gegrepen!"

"Jij denkt dus dat ze verliefd op je is, en dat die toestand met haar broer gewoon een toevalligheid is?"

"Ja, eigenlijk wel."

"Frølich. Hoe lang werken wij nu al samen?"

"Veel te lang."

"Ja, zeker, maar we hebben ons door heel wat zaken weten te manoeuvreren. En hoewel geen enkele zaak op een andere lijkt, stinkt deze toch echt aan alle kanten."

"Oké!" zei Frølich bits. "Maar het is wél mogelijk!"

"Wat is mogelijk?"

"Het is best mogelijk dat ze eerlijke bedoelingen had!"

"Frølich! Wees toch niet zo naïef! Er is iets met die juffrouw aan de hand. Hoe je de dingen in deze zaak ook wendt of keert, de enige conclusie is dat je in de luren bent gelegd."

Gunnarstranda kwam in beweging. Hij liep met snelle passen over het trottoir. Frølich volgde hem en zei: "Oké, laten we zeggen dat jij gelijk hebt. Ze had een plan in gedachten. Als jij zo zeker van je zaak bent, vertel me dan maar eens wat ze van zins was. Wat voor plan heeft ze daar op de vloer van die winkel verzonnen? Als het niets te maken heeft met de moord op die nachtwaker, wat dan wel? Was het de bedoeling om mij te pakken te nemen? Dan moet er toch iets beters te verzinnen zijn, dan hoef je geen mensen te vermoorden. Dat moet je toegeven. Het enige wat ze heeft bereikt is dat ze mij in verlegenheid heeft weten te brengen tegenover een aantal collega's op het werk die nu twijfelen aan mijn beoordelingsvermogen, en wat is daar de zin van? Nou? Kun jij me dat vertellen?"

"Nee."

"Waarover loop je dan te zeuren?"

Gunnarstranda bleef weer staan. Hij keek de ander met een ijskoude blik aan. "Ik loop niet te zeuren. Dat doe ik nooit. Jij bent degene die mij achterna loopt. Jij loopt te vragen en te zeuren. We weten allebei dat de hoofdverdachte uit voorlopige hechtenis is ontslagen en dat jouw naam werd gebruikt in het proces dat tot die uitspraak heeft geleid. Dat betekent, als ik het je dan met de paplepel moet ingeven, dat jij niet door kunt gaan met dit onderzoek. De moord op Arnfinn Haga wordt van nu af aan door mij gerechercheerd, zonder jouw hulp. Als ik jou was, zou ik twee dingen doen: ik zou eerst een week vakantie nemen, om te voorkomen dat er maatregelen worden getroffen die je carrière geen goed doen. Daarna zou ik een praatje gaan maken met dat meisje. Dat ben je aan jezelf en je toekomst verschuldigd, en niet in het minst aan haar, als zij inderdaad alleen eerlijke bedoelingen had. En nu moet je mij verontschuldigen. Ik heb werk te doen."

Frank Frølich bleef hem staan nakijken. De open jas bolde als een cape in Gunnarstranda's kielzog.

Vakantie? Schorsing? De woorden klonken na in zijn hoofd. Het suisde in zijn oren. Hij pakte zijn mobiele telefoon uit zijn zak.

Hij toetste het nummer van Elisabeth Faremo. Geen antwoord.

Hij bleef naar zijn telefoon staan kijken. Dood. Omdat ze niet opnam. Dat was nog nooit gebeurd. Hij probeerde het nog een keer. Weer geen antwoord. Hij probeerde het voor de derde keer. Toen was de telefoon uitgezet.

3

Drie uur later had hij zichzelf een week vakantie gegeven en zat hij in zijn auto op weg naar Ekebergåsen. Hij reed de parkeerplaats op die was aangelegd op het dak van de daaronder gelegen terraswoningen. Langs de zijkant van het complex liep een trap naar beneden, elke verdieping had een eigen bordes. Op het bordes kwamen twee deuren uit. Hij vond de deur van Elisabeth en Jonny Faremo en belde aan. Er gebeurde niets. Hij luisterde. Geen schuifelende geluiden achter de deur. Alles was dood, donker en stil. Hij hoorde alleen de motor van een hijskraan die het gewone geruis van het stadsverkeer wist te overstemmen. De ijzige lucht die als een koude huid zijn lichaam omhulde, drong plotseling door zijn kleren heen, de rillingen liepen over zijn lijf.

Hij belde nog een keer aan. De huid van zijn wijsvinger werd bleek toen hij de bel indrukte.

Hij stampte met zijn voeten om warm te blijven, liep opzij op zoek naar een raam om naar binnen te kijken.

"Zoekt u iemand?"

Een oudere man met een kromme rug, een stok en een sportpet stond op het bordes naar hem te kijken.

"Faremo", zei Frølich.

De man haalde een sleutelbos uit zijn zak en zocht naar de goede sleutel. "Hij of madame?"

"Eigenlijk allebei."

De man stak de sleutel in het slot van de deur van het naastgelegen appartement. "Ze is een halfuur geleden vertrokken. Waarschijnlijk is ze met vakantie. Ze had een rugzak en een tas bij zich. Jonny heb ik al dagenlang niet gezien." De man opende de deur van zijn appartement.

"Is ze met een taxi vertrokken?"

"Nee, ze is die kant opgelopen." De man wees met zijn stok. "Ik denk dat ze de bus heeft genomen."

"Hebt u gezien dat ze in de bus is gestapt?"

"Nee. Maar waarom bent u zo nieuwsgierig?"

Frank stond op het punt zich te legitimeren, maar bedacht zich. "We hadden een afspraak", zei hij en hij keek op zijn horloge. "Nogal belangrijk. En dat was een halfuur geleden."

"Juist", zei de man en hij wilde zijn eigen huis binnengaan.

Frank bleef staan.

De man mompelde: "Ja ja, juist ja", toen deed hij eindelijk de deur achter zich dicht.

Frank liep langzaam de trap weer op, terug naar zijn auto. Toen hij wilde instappen, reed een zilvergrijze Saab 95 de parkeerplaats op en parkeerde op een van de gereserveerde plaatsen. Hij stak de sleutel weer in zijn zak. Hij bleef stil naar de andere auto staan kijken. De chauffeur nam de tijd. Eindelijk ging het portier open. Een man stapte uit: blank, lengte ongeveer een meter negentig en krachtig gebouwd, hij was goed getraind óf hij had zijn lichaam met behulp van steroïden opgepompt. Hij droeg een groene soldatenbroek, bergschoenen van Goretex, een kort leren jack, bruine leren handschoenen, een zonnebril en een zwarte cap. Frank had hem nog nooit in levenden lijve gezien, maar hij wist onmiddellijk wie het was. Hij liep hem tegemoet.

Ze waren allebei even lang, maar Frank zou het met gewichtheffen beslist afleggen tegen deze kloon van een marinier. Toen Faremo zijn zonnebril af zette, herkende hij onmiddellijk Elisabeths trekken: haar neus, voorhoofd en ogen.

Hij zei: "Ik ben op zoek naar je zus." Dom, dacht hij. Ik had me moeten voorstellen, me koel moeten gedragen, beleefd, niet als een verwend, klein kind.

De man trok langzaam zijn handschoenen uit en stak zijn hand uit. "Jonny."

"Frank."

"Dus jij bent een vriend van Elisabeth?"

"Ja. Vanmorgen stond jij voor de rechtbank en werd je ontslagen uit voorlopige hechtenis omdat je zus het over een man had die Frank heette. Kun je je dat nog herinneren?"

Faremo grijnsde. "Elisabeth en ik hebben het er een paar keer over gehad dat je bij de politie bent."

Frank liet de woorden langzaam bezinken: *Elisabeth en ik hebben het er een paar keer over gehad* ...

Faremo ging verder: "Ze heeft steeds gezegd dat je géén klootzak was, dat jij ..." Jonny Faremo glimlachte kil en ironisch, als voorbereiding op de schimpscheut: "... dat jij anders was."

Frank beheerste zich en liet zich niet meeslepen. "Weet je waar ze nu is?"

"Nee."

"Een buurman beweert dat ze een halfuur geleden is vertrokken met een rugzak en nog wat andere bagage."

"Dat zal dan wel."

"Maar jij zou toch wel weten als ze ergens heen was gegaan."

"Hoezo?"

Omdat zij jouw alibi is, asshole! Hij zei: "Je weet het dus niet?"

"Je moet die gestapo-stijl achterwege laten, als je met iemand van haar familie praat."

"Neem me niet kwalijk, ik wilde je niet beledigen. Maar het is belangrijk voor mij om met haar in contact te komen."

"Nu?"

"Ja, nu. Is dat zo gek?"

"Een beetje."

"O, ja?"

"Ik heb van mijn zus begrepen dat zij het initiatief moest nemen in jullie relatie." Faremo sloeg met een handschoen in zijn handpalm. "Maar nu ik in de problemen zit, ben jij de bloedhond geworden en kom je naar haar toe."

Frank zei: "Als je haar ziet, vraag dan of ze me belt." Hij draaide zich om en liep weg. De harde sneeuw op het betonnen dak was glad. Hij viel bijna. Maar hij keek niet achterom. *Ze had haar broer in vertrouwen genomen.* Dat was het enige dat hij dacht: Joost mag weten waarvan Jonny Faremo op de hoogte was. Terwijl zij alles, als een betrapt kind, voor zich had gehouden, toen hij haar naar haar broer had gevraagd.

Toen hij de weg op reed, stond Faremo nog op dezelfde plek hem na te kijken.

Frank keek even op zijn horloge. Het was lunchtijd. Maar hij zou geen hap door zijn keel kunnen krijgen. Hij reed naar de kant en stopte, nog voor hij vijftig meter gereden had. Wat zou het beste zijn? Uitzoeken waar Elisabeth naartoe was gegaan of focussen op haar broer? Hoe moest hij uitvinden waar ze heen was gegaan? Hij wist nauwelijks iets van haar.

Hij sloeg zijn handen op het stuur. Misschien moest hij helemaal niets doen, dacht hij. Misschien moest hij naar huis gaan om te slapen? Hij had tenslotte vakantie.

Hij hoefde niet langer na te denken. Al snel reed Faremo's Saab voorbij. Frank draaide de contactsleutel om en reed hem achterna.

4

Het was al laat in de middag toen hij parkeerde langs een hek in de buurt van de tramhalte bij Forskningsparken. Daarvandaan slenterde hij naar het historisch-filosofisch instituut op het universiteitscomplex. De hele onderneming stuitte hem tegen de borst. Het stond hem tegen om op zoek te gaan naar een Elisabeth die hij niet kende, maar zijn aversie tegen haar verborgen kanten voelde minder belangrijk zo lang hij haar niet te pakken kon krijgen, haar niet kon vinden. Hij wilde haar zelf over het pokerspel, het alibi en alle andere dingen die hij niet begreep, horen vertellen. Daarom negeerde hij het akelige gevoel in zijn maag. Hij liep het Niels Treschows gebouw binnen en nam de lift naar boven. Hij wandelde op goed geluk door de gangen, liep trappen op en af en wandelde verder terwijl hij de namen op de deuren las. De deur van Reidun Vestli's kantoor stond op een kier. Hij klopte aan en duwde de deur open. Een jonge vrouw met blond haar en een opvallend krachtige kaaklijn keek op van een computerscherm. "Neem me niet kwalijk", zei Frank Frølich. "Ik ben op zoek naar Reidun Vestli."

"Ze is naar huis gegaan." De jonge vrouw keek op haar horloge. "Een paar uur geleden."

"Naar huis?"

"Ze voelde zich niet lekker. Ze werd ziek en ging naar huis." De krachtige kaak brak open in een grote, witte glimlach. "Ik ben een van haar masterstudenten, we hebben toestemming om haar kantoor te gebruiken. Ze is daar erg gemakkelijk in."

"Was het ernstig?"

"Ik weet het niet. Ik geloof het eigenlijk niet. Reidun is zelden ziek."

Reidun Vestli had haar spullen gepakt en was een paar uur geleden vertrokken. Elisabeth was ook een paar uur geleden met haar bagage vertrokken.

Frank zei: "Ik moet beslist met haar praten. We hadden een afspraak." Reidun Vestli's kantoor was netjes opgeruimd, het enige voorwerp in de kamer dat de keurige indruk verstoorde, was de doorgestikte jas van de studente die op een tafel in de hoek was gegooid. Zelfs de vrouw achter de computer zag eruit alsof ze in het kantoor thuishoorde.

"Je kunt proberen haar thuis te bellen, als het belangrijk is."

"Ja, dat is het. Heb jij toevallig haar nummer?"

De studente dacht na. "Reidun is een van de weinige professoren met een visitekaartje", en ze trok een la van het bureau open. "Ik weet dat er hier altijd een paar liggen. Kijk." Toen ze hem het kleine kaartje gaf, verscheen er opnieuw een glimlach op het krachtige gezicht.

*

In de lift naar beneden bekeek hij het kaartje goed. Reidun Vestli woonde in Lysejordet.

Zo gauw hij in de auto zat, belde hij haar thuis. De telefoon ging vijf keer over. Niemand nam hem op. Daarna verraadde een korte pauze dat het gesprek werd doorgeschakeld. Ze was dus niet thuis. De telefoon ging nog twee keer over voor ze opnam: "Met Reidun." Een heldere stem, zwak geruis op de achtergrond. Frank wist wat dat betekende: Reidun Vestli reed in een auto.

"Met Frank Frølich. Ik wil graag even met u praten."

Stilte.

"Het gaat over Elisabeth Faremo."

Het gesprek werd afgebroken.

Hij keek naar de display. Hij had tegen het gesprek opgezien. Maar Reidun Vestli vond het nog erger. Omdat ze zo panisch reageerde, belde hij gelijk nog een keer. De telefoon bleef overgaan. Daarna nam de voicemail het over.

Hij voelde zich kloten. Hij voelde zich verschrikkelijk kloten. De hele situatie was volkomen belachelijk. Tijdens de rit naar huis hoorde hij Gunnarstranda's stem in zijn hoofd: *een set-up! Het ligt er dik bovenop, Frølich!*

Hij had zelf de stap genomen om een aantal van zijn opgespaarde vakantiedagen op te nemen, omdat ... waarom eigenlijk? Omdat Elisabeth Faremo voor haar broer had getuigd? Of wilde hij zich verbergen, zichzelf de vernedering besparen?

Een jonge man was vermoord. Maar Elisabeth zóú de waarheid kunnen spreken. Waarom zou het eigenlijk niet waar kunnen zijn? Elisabeth was altijd 's nachts stilletjes zijn flat uit geslopen. Het volgende zou gebeurd kunnen zijn: Elisabeth was naar huis gegaan. Ze was nog een paar uur met haar broer opgebleven en toen stond plotseling de politie voor de deur. Alleen vanwege een tip. Het probleem was dat hij verder niets afwist van die tip. Wie had de tip gegeven en welk motief ging daarachter schuil?

Hij reed automatisch in de richting van zijn huis. Het was laat in de middag, spitsuur en donker. Hij had vrij van zijn werk. Niets te doen. Wat doet een Noor die niets te doen heeft? Hij neemt een borrel of twee, drie ... Frank Frølich verlegde zijn koers in de richting van het winkelcentrum in Manglerud.

5

Hij ging op kroegentocht. Hij begon met een paar pilsjes bij Lompa, de roos van Grønland, een bar die officieel geregistreerd staat als Olympen Restaurant. Het café zat halfvol. De meeste gasten waren vaste clientèle, buurtbewoners die naar Lompa kwamen om boven hun bierglas diepzinnige gesprekken te voeren. Frank Frølich zat alleen aan een tafeltje te kijken naar de mensen om hem heen. Schrale mannen, de meesten zó stijf van jarenlang drankgebruik dat ze op stelten leken te lopen als ze in de richting van het toilet verdwenen. Hij ging verder, op zoek naar een bar om aan te hangen. Hij kwam terecht op het Centraal Station van Oslo en liep naar Spor 2, in de hal van het oude Østbanestation. Het was er stampvol. Allemaal reizigers. Forenzen op weg naar huis, wachtend op de volgende trein. Mannen en vrouwen met koffers, uit Moss en Ski, die alvast met een halve liter bier in de stemming kwamen, vóór ze verder reisden met de boot naar Denemarken. Uit de luidsprekers klonk *He ain't heavy he's my brother* van The Hollies. Een groep vrouwen in trainingspak zong mee. Frank keek naar zichzelf in de spiegel en voelde zich een marsbewoner op Pluto. Hij dronk zijn derde en vierde halve liter, en zag dat twee bekenden uit het criminele circuit dope verkochten aan een paar tienermeisjes. Frank tilde zijn glas op. Hij had verdomme vakantie. Het ging hem niet aan. Maar oude bekenden van de politie waren net wilde nertsen. Ze merkten onmiddellijk Franks passiviteit, om die vervolgens fout te interpreteren. Frank dronk zijn bier op en liep verder, over de Karl Johansgate. Hij bleef aarzelend op de kruising met de Dronningsgate staan en keek naar de rij obscure barretjes. Uit de schaduw van de Domkerk kwam een andere bekende aan hinken: "Frank, zin in een biertje?"

Frank schudde het hoofd en liep terug naar de Jernbanetorget. Kun je nog lager zinken, als je een pilsje krijgt aangeboden van iemand die je al talloze malen hebt gearresteerd? Hij kwam tot de conclusie dat de veiligste plek voor een kroegentocht aan de westkant van het centrum was. Hij nam de eerste tram en hing aan de lussen toen de tram door de Prinsens gate zwalkte. Hij stapte uit bij Kontraskjæret, liep door naar Fridtjof Nansens plass en besloot om op de hoek te beginnen en systematisch alle kroegen rond het raadhuis af te werken. Het werd een zware klus, maar hij voelde niet dat hij dronken werd, hij moest alleen pissen. Een paar uur later waggelde hij Dagligstuen in Hotel Continental binnen. Hier, in een bar met een originele Munch wandschildering, een clientèle van mannen die in het weekend in hun nieuwe golfbroek op de baan staan en een groep muurbloempjes bestaande uit keurige vrouwen met een blaas vol port, kon ook een ongeschoren smeris met verlof incognito zijn, dacht hij, en hij liet zich op een bank midden in het café vallen. Hij bestelde whisky. Nadat hij er nog een had gedronken, gooide hij een bierglas om. Toen hij de troep probeerde te drogen met het tafelkleedje van de buren, werd hij vriendelijk verzocht de ruimte te verlaten. Het gaat de goede kant op, dacht hij. Als ik zo doorga, word ik nog voor het eind van de nacht opgepakt voor openbare dronkenschap. "Ik ben niet dronken", zei hij tegen het meisje dat de eervolle opdracht had gekregen. "Ik heb alleen last van een synchronisatieprobleem." Hij stond op, onder de indruk van het feit dat hij zo'n lang en ingewikkeld woord in één keer had kunnen uitspreken.

Hij wankelde naar buiten en kwam bijna in botsing met Emil Yttergjerde. Yttergjerde was zelf ook halverwege een ronde, en zijn gezicht vertoonde een rode, bijna paarse gloed. Terwijl ze naar elkaar stonden te kijken, moest hij zich vasthouden aan een lantaarnpaal. Ze waggelden samen de hoek om naar de Universitetsgate. Daar waren nog meer kroegen. Hij was nog steeds niet blut.

Het was laat op de avond, misschien wel nacht, in elk geval uren later, toen hij en Yttergjerde aan een tafeltje in Café Fiasco belandden. Nee. Hij kwam tot de conclusie dat het al nacht moest zijn. Hij nam een slok van zijn halve liter bier en deed zijn best om niet van zijn kruk af te glijden terwijl hij zich concentreerde op Yttergjerdes mond. De muziek denderde door de ruimte en Yttergjerde schreeuwde om zich verstaanbaar te maken.

"Ze kwam uit Argentinië", riep hij.

Frank Frølich zette zijn glas op tafel en wenste dat Yttergjerde zijn mond zou houden en niet zo hard zou schreeuwen.

"Maar daar kwam ik pas veel later achter", schreeuwde Yttergjerde.

"Waar achter?" schreeuwde Frølich terug.

"Die vrouw uit Argentinië. Ze was blut, snap je, en ik verschafte haar sigaretten en eten. Ik was behoorlijk laveloos toen ik in de bus stapte, het was vier uur 's nachts en ik zou naar Milaan. Ik stapte dus in de bus, en toen kwam zij binnen en ging naast me zitten. Ze had al haar geld uitgegeven aan huurauto's en dure hotels in Parijs en Rome. Ze moest ergens overnachten, want het duurde nog veertien dagen voor haar retourvlucht vanuit Parijs naar de andere kant van de Atlantische Oceaan vertrok."

Yttergjerde haalde diep adem en dronk uit zijn bierglas.

"Waar heb je het eigenlijk over?" vroeg Frank.

"Over mijn vakantie", zei Yttergjerde. "Je moet er wel een beetje bij blijven."

Frank tilde zijn hoofd op. Hij kon zichzelf niet horen denken. Nu was er even een pauze in de muziek. Maar niet lang. Iemand zette Springsteen op. Eén akkoord, één riff: *Born in the USA*.

Frank wilde iets zeggen. Alleen maar om zichzelf te bevestigen dat hij niet op instorten stond. Maar in plaats daarvan moest hij opnieuw strijd leveren om niet van de barkruk te vallen. Hij moest zich stevig vasthouden aan zijn glas en zei: "Ik geloof dat ik ervandoor moet."

Yttergjerde hoorde hem niet. Hij zette zijn glas neer, veegde met zijn handpalm zijn mond af en brulde door de muziek heen: "Over Zweden kon ik tegen haar niets zeggen, want die vrouw had iets met een Zweed gehad en die had haar tijdenlang in elkaar geslagen. Maar ze zanikte en zeurde tegen mij, ik denk dat het daarom spaak liep, ze vroeg de hele tijd of ik het naar mijn zin had, en ze beweerde dat ik er 's morgens verschrikkelijk agressief uitzag. Ik weet eigenlijk niet hoe ik er 's morgens uitzie, maar ik werd zat van het gezeur, spuugzat, ik wil maar zeggen dat ik nog nooit eerder had gehoord dat ik er agressief uitzie. In elk geval werd ik kwaad en ik zei op mijn beste Oxford-Engels dat ik niet boos was, dat zei ik, maar als je nu niet snel ophoudt met vragen of ik boos ben, dan word ik pas echt kwaad. Ik was misschien wel een beetje grof, ik weet dat ik niet al te genuanceerd overkom, niet in Oxford-Engels, maar in elk geval stormde zij de deur uit en dat was het laatste wat ik van haar heb gezien. Ook goed, misschien, ik bedoel, het was toch een hopeloze zaak, ik was op vakantie en verschafte haar vier dagen lang een bed en sigaretten, en zij deed wat ze kon om iets terug te doen. Geen gezond uitgangspunt voor een langdurige relatie."

Frank stond op. Het café danste voor zijn ogen. Hij was straalbezopen. Hij zei het hardop: "Ik ben straalbezopen."

"Wat ik maar wil zeggen", ging Yttergjerde onverdroten verder, "is dat de wereld vol vrouwen zit, Frank. Ik bedoel, mensen zoals ik, die gescheiden zijn, kunnen het rustig aan doen. Hoe zit dat met jou, jij bent nog nooit in die val getrapt? Ik heb een vriend, hij is in de dertig, hij zwemt in de vrouwen. Alleenstaande moeders, Frank, reisjes naar Denemarken, dansavonden, je hoeft toch niet depressief te worden vanwege die meid."

"Ik snap dat je het goed bedoelt", zei Frank Frølich. "Maar op dit moment heb ik alleen behoefte aan een taxi en een bed."

"Ja, zie dat je thuis komt, Frank. Slaap uit, heel lang, vergeet die vervloekte meid. De laatste keer dat ik er zo aan toe was, ben ik naar die hoerentent aan de Munkedamsvei gegaan, om de druk wat van de ketel te halen. Maar het meisje dat ik kreeg, was zo eentje die op het laatst toch niet wilde, ze was vast verloofd of getrouwd, en wat heeft het dan voor zin om de hoer uit te hangen. Als je het toch niets vindt? Nou? Ze was wel heel mooi, maar ze weigerde om iets te doen, ze wilde me alleen maar aftrekken, dus werd ik woedend, ik wil niet moeilijk doen, zei ik tegen die madam van het bordeel, maar ik moet toch maar even duizend kronen betalen, zei ik, dus moeten die meiden hun klanten wel weten te behandelen, zei ik, en toen kreeg ik een tegoedbon, wat zeg je daarvan Frank?" Yttergjerde hikte van het lachen. "Zo zou het ook met een huwelijk moeten gaan, dat je gewoon een tegoedbon krijgt!"

6

Toen de telefoon ging, probeerde hij heel stil te blijven liggen om de comateuze toestand van zijn lichaam niet te verstoren. Naar het licht te oordelen was het al laat in de middag. Hij had urenlang stijf als een plank op de bank gelegen, stram, zwaar en gevoelloos. Hij draaide zijn hoofd en keek naar de telefoon. De beweging bracht zijn hoofdpijn op gang, hij werd duizelig en misselijk. Zijn lever prikte als een spijkermat in zijn zij, van binnenuit. Mijn lever is een grote etterbuil, dacht hij, en de lucht is een spijker, nee, het telefoongerinkel is een boor en dendert als een drilboor door mijn voorhoofd. Hij kwam overeind, het duizelde hem. Hij stond overeind, duizelig, hield zich vast aan de deurpost en pakte de telefoonhoorn.

"Dus je bent thuis?"

"Wat dacht je dan?"

"Je weet maar nooit."

Frank Frølich liet zich weer op de bank zakken. Als ik doodga, dacht hij, heeft de engel die mij op komt halen vast de stem van Gunnarstranda. Ik ben tot die man verdoemd. De spijkeraanval op de leverpuist ging door. Hij kon niet nadenken. Hij zei: "Vanwaar dit telefoontje? Is er weinig te doen op het bureau, of mis je me gewoon?"

"Jonny Faremo is dood."

"Dood?"

"Ja. Dood. Verdronken."

Frank had nog nooit zo'n behoefte gehad aan een glas water. De woorden bleven steken in zijn keel, in zijn hoofd. Hij wist eruit te persen: "Waar?"

"Een stuk buiten de stad, in Askim. Hij is verdronken in de Glomma.

Hij is uit het water gehaald door mensen die werken bij de waterkrachtcentrale van Vamma. Het lichaam van Faremo was in een net vast blijven zitten."

"In een net?"

"Moet ik daaruit opmaken dat jij weet waar de waterkrachtcentrale van Vamma staat?"

Verdomme. Die toon. "Ik heb geen idee. Waar is de waterkrachtcentrale van Vamma?"

"Dat zei ik toch, in Askim. Vijftig kilometer ten oosten van Oslo."

"O."

"Die waterkrachtcentrales kunnen niet het risico lopen dat er boomstammen en andere rommel in de turbine terechtkomen. Daarom spannen ze netten om dat spul op te vangen. Vannacht is Faremo opgevangen."

"Een ongeluk?"

"Als het een ongeluk was, dan hadden er allerlei dingen bekend moeten zijn. Hier is helemaal niets bekend."

"Zelfmoord?"

"Hij is in elk geval verdronken."

"Wat denk jij?"

Gunnarstranda lachte zachtjes in de hoorn. "Wat ik denk? Ik kreeg tien minuten geleden een telefoontje van de landelijke recherche, omdat ik hem onlangs had gearresteerd omdat ik dacht dat hij verantwoordelijk was voor de moord op een nachtwaker op Loenga, omdat daar iemand bezig was een container met elektronica leeg te roven. Hij ging vrijuit omdat hij een alibi had dat zo dun als spinrag was, en twee dagen later ligt hij met zijn longen vol water te dobberen bij de stuwdam van een waterkrachtcentrale. Misschien was hij depressief en is hij zelf in het water gesprongen? Maar waarom zou hij depri zijn? Omdat jij een relatie met zijn zus had? En als hij depri was en met zijn auto is weggereden om zelfmoord te plegen, waar is die auto dan? En waar is de afscheidsbrief?"

"Hij rijdt rond in een zilvergrijze Saab 95."

"Hoe weet jij dat?"

Die toon, die argwaan. "Ik heb, zoals je zelf al aangaf, een zekere band met de familie."

"Als hij in de rivier is gegooid, heeft hij nauwelijks een kans gehad. Het is laat in de herfst. De stroming is sterk. Het water is maximaal een graad of vijf."

"Faremo was een krachtige vent. Een en al spierbal."

"Het lijk was behoorlijk gehavend. De dokter die de overlijdensverklaring heeft ondertekend, gaf als verklaring een plaatselijk fenomeen.

Net boven de waterkrachtcentrale bevindt zich een stroomversnelling met de naam Vrangfoss. Het is een smalle kloof, en juist daar maakt de rivier een bocht. Dat betekent dat het water, dat een paar honderd meter verder stroomopwaarts nog rustig door de brede Glomma stroomt, wordt samengeperst en tegelijk door die smalle kloof moet. Met andere woorden: een horizontale waterval, een soort inferno van water en stromingen, een fenomeen à la Saltstraumen. Als Faremo ten noorden van die stroomversnelling te water is geraakt, is zijn lichaam een hele tijd behoorlijk in het rond gesmeten tegen de rotsen, voor hij na een paar honderd meter weer verder dreef. De meeste botten in Faremo's lijf waren gewoonweg verpulverd."

Frank Frølich zag de man van één meter negentig voor zich, gekleed als een soldaat van de commandotroepen en met dezelfde blik in zijn ogen als zijn zus.

"Weten ze waar hij in het water is gevallen?"

"Gevallen, zei je?"

"Of geduwd. Weten ze waar het is gebeurd?"

"Die waterkrachtcentrale, Vamma, is de laatste van drie waterkracht-centrales op een rij. De eerste heet Solbergfoss, iets verderop ligt Kyk-kelsrud en helemaal onderaan ligt Vamma. Daar werd Faremo uit een net gevist. Je kunt het ook zelf wel bedenken. Hij werd bij de onderste stuwdam gevonden, dus is het ergens tussen Kykkelsrud en Vamma gebeurd. Maar, Frølich?"

"Ja?"

"Vraag je je niet af waarom ik bel?"

"Zover heb ik nog niet kunnen denken."

"Deze zaak is niet van mij, maar valt onder het politiedistrict van Follo, met hulp van de landelijke recherche. Jij moet erop rekenen dat je wordt gevraagd wat je het laatste etmaal hebt uitgespookt."

Eindelijk, nu kwam de aap uit de mouw. "Waarom?"

"Dat begrijp je wel."

"Nee, Gunnarstranda, dat begrijp ik niet!"

"Je hoeft niet zo'n toon aan te slaan. Jij en ik weten allebei dat Fare-mo door een ongeluk kan zijn gestorven. Hij kan ook ruzie met iemand hebben gehad, en die kan hem een duwtje hebben gegeven, misschien opzettelijk, misschien uit woede in het vuur van het gesprek. En jij bent al in een zogenaamd heftige discussie met Faremo geobserveerd, bij zijn eigen woning."

"Word ik in de gaten gehouden?"

"Nee. Maar ik recherheer een moord. Je hebt een heleboel vrienden hier, Frølich, maar niemand kan om de feiten heen. Jonny Faremo maakte tot vannacht deel uit van de groep die ik verdenk van de moord op Arnfinn Haga. We hebben mensen bij Faremo's huis staan. Jouw discussie met Faremo op de parkeerplaats werd keurig geprotocolleerd."

"Oké, maar geloof je mij als ik zeg dat ik niet degene kan zijn geweest die Faremo in de rivier heeft gegooid?"

"Doe eens een poging."

"Het klopt wat je zegt. Ik ben bij hun appartement geweest. Nadat Faremo en zijn bende vrijuit gingen, heb ik gedaan wat jij hebt gezegd. Ik heb een week vakantie opgenomen. Daarna ben ik daarheen gereden. Ik heb met Faremo gesproken. Maar nooit met stemverheffing, geen heftige discussie."

"En de volgende vraag is wat je daarna hebt gedaan."

Frank Frølich staarde met een lege blik naar de wand. Hij was er vannacht geweest, bij Faremo's appartement. Om de een of andere reden had hij een taxi daarheen genomen en aan de kant van de weg was hij over zijn nek gegaan. *Waarom ben ik daarheen gegaan? Wat wilde ik daar verdomme doen?*

"Ben je er nog?"

"Ja."

"Er zullen anderen zijn die je deze vraag zullen stellen, Frølich. Ik geef je alleen een kleine voorsprong."

*

Hij was niet langer misselijk, hij had alleen maar dorst. Hij stond moeizaam op en wankelde naar de keuken. Er stond niets in de koelkast, behalve twee blikjes bier. Nee. Hij deed de deur weer dicht en dronk water uit de kraan.

Hij wankelde naar de badkamer en stapte onder de douche. Hij zeepte zich helemaal in en dacht aan Elisabeth die voor haar broer en de beide anderen had getuigd. Hij zag haar gestalte voor zich, toen ze met snelle passen uit de rechtbank in de richting van Grensen verdween, zonder ook maar om zich heen te kijken. *Waarom heb ik haar niet tegengehouden, niet met haar gepraat?*

Hij spoelde zijn lichaam met warm water af terwijl haar beeld door zijn hoofd speelde. Hij zag haar voor zich toen ze gehaast naar huis liep, zo snel ze kon. Hij zag haar tengere figuur nerveus door het appartement lopen – ze opende laden, smeet ze weer dicht, stopte kleren en andere dingen in de rugzak en in een tas. Hij zag haar voor zich met een telefoon aan haar oor. *Ze is ervandoor gegaan, maar waarheen, en waarom?*

Zijn gedachten maalden langzaam door, veel te langzaam. Toen hij bij haar thuis kwam, was ze verdwenen. Daarna kwam haar broer. *Is ze gevlucht voor haar broer? En zo ja: waarom?* Ze had hem een alibi ver-schaft voor de moord.

Hij herinnerde zich zijn eigen trillende vingers toen hij het nummer van Reidun Vestli intoetste: het duidelijke geluid van het doorschake-len, het geruis van een mobiele telefoon. Het gesprek dat werd afge-broken zogauw hij zich had voorgesteld.

Opeens was het belangrijk om Elisabeth te bellen. *Alles wat er gebeurd is, berust op een dom misverstand. Als ik nu bel, neemt ze de telefoon op en heeft ze voor alles een geloofwaardige verklaring.* Hij draaide de kraan dicht en liep de kamer in zonder zich af te drogen. Zijn voeten lieten plasjes water achter op het linoleum. Hij pakte zijn mobiele telefoon en belde Elisabeth. Maar haar telefoon stond uit. Hij belde Reidun Vestli. Geen antwoord. Hij stond naakt naar zijn eigen spiegelbeeld te kijken. Hij had nog nooit zoiets treurigs gezien.

Op dat moment werd er aan de deur gebeld. Hij liep naar de slaap-kamer, trok een schone broek en een T-shirt aan en opende daarna de deur.

Er stond een man op de mat. Frank had hem nog nooit gezien; mager, één tachtig lang, lichtbruin haar en bruine ogen.

De man zei: "Frank Frølich?"

"Klopt."

"Sten Inge Lystad, landelijke recherche."

Het gezicht van de man was getekend door een schuine mond die hem een scheef uiterlijk gaf. De schuine glimlach deelde het gezicht in tweeën op een bijzondere, maar innemende manier. Lystad had een gezicht dat je niet snel vergat. Frank zocht in zijn geheugen. Lystad ... de naam klonk bekend, maar zijn gezicht was dat niet.

"Ik ben hier in verband met Jonny Faremo."

Frank Frølich knikte. "Tragisch."

"Dus je weet het al?"

Hij knikte nogmaals.

"Wie heeft je van het nieuws op de hoogte gebracht?"

"Ik werk, zoals je vast wel weet, bij de politie. We zijn collega's."

"Maar wie heeft je op de hoogte gebracht?"

"Gunnarstranda."

Lystad glimlachte verlegen.

Dit bevalt hem niet, dacht Frank. Het gesprek gaat niet zoals hij had verwacht.

De stilte die volgde gaf aan dat Lystad verwachtte dat hij binnen werd gevraagd, maar Frank Frølich wilde niemand in zijn huis hebben en keek daarom Lystad zwijgend aan.

"Ben je onlangs nog bij Faremo thuis geweest?"

Positief: hij gaat recht op zijn doel af. Negatief: hij houdt afstand, is kil.
"Je bedoelt bij Jonny Faremo?"

"Ik bedoel bij Jonny Faremo."

"Ik ben er geweest, dat wil zeggen: buiten. Ik heb aangebeld, het is een paar dagen geleden, dezelfde dag dat hij uit voorlopige hechtenis werd ontslagen. Ik had een afspraak met zijn zus, Elisabeth. Ik weet niet of je op de hoogte bent van de voorgeschiedenis?"

"Ik wil graag zo min mogelijk weten, behalve wat er tussen jou en Jonny Faremo is gebeurd toen je hem de laatste keer zag."

"Oké", zei Frank Frølich. *Lik me reet!*

"Was zijn zus thuis toen je aanbelde?"

"Elisabeth? Betekent die vraag dat je toch geïnteresseerd bent in andere zaken dan in mijn relatie met haar broer?"

Er trok een sluier over Lystads gezicht.

Het bevalt hem niet zoals dit gesprek zich ontwikkelt: positief.

"Luister eens, Frølich."

"Nee. Luister jij eens. Ik ben al jarenlang politieman. Ik begrijp dat dit een klote-opdracht voor je is. En ik ben ook de eerste die begrijpt dat je het niet leuk vindt. Maar je hoeft mensen niet in de ballen te schoppen, alleen omdat je ze raken kunt. Je zegt dat de voorgeschiedenis jouw zaak niet is. Maar het is wel degelijk mijn zaak. Ik heb heel wat vakantiedagen opgenomen omwille van die voorgeschiedenis. Het is ook de reden dat jij en ik hier samen staan te praten. En als je zegt dat de voorgeschiedenis je niet aangaat, dan moet je er ook niet over beginnen. Het is het een of het ander."

Lystad zei niets en Frølich ging door: "Mijn versie is dat ik een verhouding had met een vrouw met foute relaties. De broer van diezelfde vrouw is nu helaas dood. Maar je moet één ding duidelijk weten: ik ben nooit geïnteresseerd geweest in Jonny Faremo, noch toen ik hem twee dagen geleden ontmoette, noch op enig ander tijdstip. Toen ik bij hun appartement was, nadat Faremo was vrijgelaten uit voorlopige hechtenis, was dat de eerste keer dat ik die man ontmoette. Ik had hem nooit eerder gezien. Maar ik was daar om haar te ontmoeten, met haar te praten, en dat deed ik omdat er iets gebeurd was in onze relatie: zij noemde namelijk mijn naam in haar verklaring toen ze haar broer een alibi gaf tijdens het gerechtelijk vooronderzoek."

Lystad knikte ernstig. "Ga door", zei hij.

"Toen ik daar aankwam, parkeerde ik op de parkeerplaats voor bezoekers. Daarvandaan loopt een trap naar beneden, naar de appartementen. Ik liep naar beneden en belde aan. Ik ga ervan uit dat jouw getuige een oudere man is, de buurman, met wie ik heb gepraat toen niemand de deur opende. Ik heb een paar woorden met hem gewisseld.

Toen ging ik terug naar mijn auto en wilde wegrijden, tot Jonny Faremo ineens opdook. Hij kwam aangereden in een zilvergrijze Saab. Ik had de man nog nooit gezien, maar ik begreep wie hij was, en ik sprak hem aan om te vragen waar zijn zus was. Dat wist hij niet. Hij beweerde in elk geval dat hij het niet wist. Toen stapte ik in mijn auto en reed weg."

"Waarheen?"

"Tweehonderd meter verderop aan de Ekebergveien."

"Waarom bleef je daar staan?"

"Om na te denken."

"Wat gebeurde er toen?"

"Jonny Faremo kwam de helling af gereden."

Lystad keek hem vol spanning aan.

Frank Frølich liet hem wachten.

"Wat gebeurde er toen?"

"Ik ben met mijn auto achter hem aan gereden."

Nu was het Lystads beurt om te wachten.

"Het was rond lunchtijd, halftwee."

"Maar wat gebeurde er?"

"Hij moet me hebben gezien. Ik raakte hem na tien minuten kwijt. Ergens tussen Gamlebyen en het Centraal Station. Het was sowieso een belachelijk plan, dus ik vond het eigenlijk niet erg dat hij verdween."

"Wat heb je toen gedaan?"

"Ik ben naar huis gegaan om te eten."

"En toen?"

"Toen ben ik naar Blindern gereden en heb een vrouw gezocht die daar werkt, Reidun Vestli."

"Waarom?"

"Zij kent Elisabeth goed." Frank Frølich zocht naar woorden voor hij verder ging: "Ze hebben een verhouding, of hebben die in elk geval gehad. Ik nam aan dat die vrouw me misschien kon vertellen waar Elisabeth is."

"Kon ze dat?"

"Ik heb haar niet gezien. Ze had zich ziek gemeld."

"Wat heb je toen gedaan?"

"Ik heb geprobeerd de vrouw thuis te bellen, maar kreeg alleen een antwoordapparaat. Daarna ben ik naar huis gegaan."

Ze bleven weer naar elkaar staan kijken. Lystad schraapte zijn keel. "Is er iemand die kan bevestigen dat je in Blindern bent geweest?"

"Daar ga ik vanuit."

"Daar ga je vanuit?"

"Er zat een studente in haar kamer. Ik was naar het kantoor van Reidun Vestli gegaan. Een masterstudente, ze gebruikte Reidun Vestli's kantoor en vertelde dat Vestli zich ziek had gemeld."

"En wat deed je toen je thuiskwam?"

"Ik heb naar een film gekeken, voor me uit zitten staren, een paar biertjes gedronken."

"En de volgende dag?"

"Niets. Voor me uit zitten staren. Daar kreeg ik genoeg van en 's avonds ben ik de stad in gegaan."

"Is er iemand die dat kan bevestigen?"

"Ja."

"Hoe laat was je vannacht weer thuis?"

"Dat weet ik niet."

"Hoe laat was je eergisteren in Blindern?"

"Weet ik niet precies. In de namiddag."

"Tja, Frølich ..."

Diezelfde glimlach, een beetje neerbuigend, vol medeleven.

"Ik zal het uitzoeken en dan krijg je bericht."

"Ben je vannacht in de Ekebergveien geweest?"

"Dat zou kunnen, ik heb geen idee."

"Wat moet ik met zo'n antwoord?"

"Ik bedoel er niets mee."

"Je bent vannacht in de Ekebergveien gezien."

"Dan zal ik er wel geweest zijn."

Lystad wachtte op het vervolg.

Frank Frølich haalde diep adem. "Ik was straalbezopen. Het was niet de bedoeling. Maar ik werd sentimenteel. Het laatste dat ik me kan herinneren, was dat ik zat te praten met een collega in Café Fiasco. Dat ligt bij het Centraal Station, een halve liter bier is daar niet duur. Ik ontmoette dus een collega, Emil Yttergjerde. We bleven zitten drinken en praten over van alles en nog wat. Ergens die nacht ben ik in een taxi gestapt. De taxi's staan daar, zoals je weet, vlakbij geparkeerd, tussen Spektrum en hotel Radisson. Ik kan me niet veel van de rit herinneren, maar ik reed niet helemaal naar huis, omdat ik me ziek voelde. Ik ben na Gamlebyen uitgestapt omdat ik teveel had gedronken en ik moest overgeven. Om wat op te frissen begon ik te lopen. Ik heb de hele nacht kriskras door de straten gelopen. Om acht uur vanmorgen ben ik in mijn bed gekropen. Toen had ik urenlang rond gelopen, ook door de Ekebergveien."

"Heb je vannacht geprobeerd in contact te komen met Faremo of met zijn zus?"

"Nee."

"Dat weet je zeker?"

"Ja."

"Een van de buren van Faremo meent dat hij een stevig gebouwde man bij hun deur heeft zien sluipen."

"Ik sluip nooit."

"Hoe laat kwam je thuis?"

"Dat zei ik al, om acht uur. Ik ben direct naar bed gegaan."

Lystad stak zijn handen in zijn zakken en glimlachte scheef. "We moeten later nog eens op dit verhaal terugkomen, Frølich."

"Ik had niets anders verwacht."

De stilte bleef een paar seconden hangen. Er klonk een zoemend geluid uit de liftschacht. De lift stopte. De deur ging open. Een kromgebogen vrouw kwam naar buiten. Ze keek naar hen. "Goedendag", zei Frank Frølich.

De vrouw keek hem aan, daarna naar Lystad, toen draaide ze hen de rug toe en belde aan bij de buren.

Lystad zei: "Je hebt zijn zus niet meer gezien na haar verdwijning?"

"Nee."

"Als je haar ziet, vraag haar dan contact met ons op te nemen."

Frank Frølich knikte. De antipathie die hij voor Lystad had gevoeld, was bezig te verdwijnen.

Toen hij de deur had gesloten, bleef hij voor zich uit staan staren, eerst naar de deur, toen naar de vloer. Zijn gedachten stonden stil. Ten slotte liep hij naar de koelkast. Zijn lever kreeg iets om zich mee bezig te houden, maar niet veel. Een klein beetje.

7

De volgende morgen was het koud, maar het vroor niet. Voor de laatste gele bladeren was het een dag om zich in al hun pracht tentoon te stellen, in een ultieme poging het grijsgroene landschap in kleuren te hullen. Het huis van Reidun Vestli lag op de westelijke helling langs de Lysakerelva, ongeveer halverwege Røa en de spoorbrug van de Kolsåsbaan – een modern welstandsreservaat. Tussen de vrijstaande woningen stonden rijtjeshuizen, elk huis had zijn eigen gazonnetje, elke oprit zijn eigen BMW. Frank Frølich passeerde een man die in een keurige pantalon met rubberlaarzen aan met een kleine hogedrukspuit zijn auto stond te wassen. Hij passeerde nog twee opritten, nog twee BMW's en nog een man met een keurige pantalon en rubberlaarzen die zijn auto een hogedrukdouche gaf. Een kloon, dacht hij, of misschien gewoon een déjà vu. Hoe dan ook, geen van beiden had hem gezien. Niemand ziet iets, niemand herinnert zich iets. Alleen tijdens een politieverhoor zien en herinneren ze zich meer dan je je voor kunt stellen.

Haar naambordje was van messing. Hij ging voor de deur staan en belde aan. Niets te horen. Precies boven het messingplaatje hing een bronzen leeuwenkop met een deurklopper in zijn bek. Hij sloeg met de deurhamer. Een enkele slag. De deur ging open.

Hij herkende de vrouw in de deuropening nauwelijks. In de collegezaal had ze een sterke indruk gemaakt. Die keer had ze in het rijtjeshuisconcept gepast, had ze zich naadloos tussen deze façades gevoegd, met haar make-up in doordachte aardkleuren – bruine en donkerrode schakeringen die goed bij haar huid pasten – het haar met een gloed van henna en haar bruine ogen. De Reidun Vestli die nu in de deuropening stond, was een schaduw van zichzelf. Haar gezicht was getekend door slaapgebrek, op haar onderlip zaten ongezonde koffievlekken. Ze droeg een onelegant trainingspak dat de indruk van verval nog versterkte. Door de deur trok een muffe rookgeur naar buiten. "Ben jij het", zei ze schor. "Ik weet wie je bent."

Hij schraapte zijn keel. "Mag ik binnenkomen?"

"Waarom?"

Frank Frølich gaf geen antwoord.

Eindelijk nam ze een beslissing en deed ze een stap opzij.

In de kamer hing een geur van rook en volle asbakken. Reidun Vestli bleef voor een grote salontafel staan die vol losse vellen papier en oude kranten lag. Aan de wanden hingen een paar schilderijen zonder lijst. Frank Frølich veronderstelde dat een van de schilderijen van Kjell Nupen was, een andere, met een donkerder motief, van Ørnulf Opdal. Het laatste schilderij kon hij niet thuisbrengen. Beide wanden maakten een keurige, schone indruk en deden denken aan haar onberispelijke kantoor. Ze rezen op als trotse zuilen, als een overblijfsel van gewezen grootsheid in een vervallen ruïne. Op de vloer lagen lege wijnflessen en chipszakken, een halfopen pizzadoos en lege sigarettenpakjes. Een kleine muziekinstallatie stond scheef op een wirwar van losse draden naast een provisorisch, onopgemaakt bed dat op een divan leek. Een groot aantal cd-hoesjes lag verspreid op de vloer. Een stoffige, verroeste, vettige waterkoker stond op de vensterbank, omringd door een paar dode vliegen.

Hier had Elisabeth beschutting gezocht! Hij paste op dat hij niet op de cd-hoesjes trapte. *Naar deze vrouw, met haar metaalkleurige tanden na de rode wijn van gisteren, die rook naar slaapgebrek, nicotine, koffie en stof, had ze verlangd.*

De vrouw stak een nieuwe sigaret aan met de peuk van de vorige. Haar handen trilden. In die houding, geconcentreerd naar voren geleund, onthulde ze de vetreserves op haar heupen en dijen, een net van rimpels tussen wangen en kin, een hoofd omlijst door levenloos, ongewassen haar dat op zijn beurt weer werd omlijst door blauwe sigarettenrook. In dit huis was ze de kroon op het werk. De gematerialiseerde essentie van vuilnis, radiogeluid, rommel en een aura van vrijgevochten onverschilligheid. Haar hese stem zei: "Wat wil je?"

"Ik heb een paar dagen geleden gebeld. Maar je brak het gesprek af en zette daarna je telefoon uit."

"Kom je hierheen om dat vast te stellen?"

"Je was onderweg in de auto."

"Je bent echt een detective, niet vreemd dat je bij de politie werkt."

"Je was plotseling ziek geworden."

"De detective heeft gelijk. Ik ben nog steeds ziek."

"Het gebeurde op het moment waarop Elisabeth besloot te verdwijnen."

"O? Is ze verdwenen?"

"Dat weet je heel goed."

"Je fantasie gaat met je op de loop. Je moet je bij de simpele feiten houden, Sherlock."

"Geef me die dan."

"Wat wil je weten?"

"Alles."

"Alles?" Ze liep naar hem toe en vertrok haar lippen in een giftige grimas.

Frank Frølich voelde plotseling een irritatie over alles waar zij voor stond, haar snobistische arrogantie, academische achtergrond, de rotzooi in deze kamer, de geheimen die ze in dit hol had verzameld. "Alles", herhaalde hij met dikke stem.

Reidun Vestli kwam nog dichterbij. "Kun je dat wel verdragen?"

"Wat?"

"De waarheid."

"Vast wel, zolang je me niet met allerlei gezeik lastigvalt."

Zijn ogen dwaalden over een stapel boeken tegen de wand. Zijn blik bleef hangen toen hij titels als *The Story of O* en *The Sexual Life of Catherine M* las, erotiek – in academische kringen wordt de term erotiek gebruikt voor wat in het dagelijkse leven pornografie heet.

"Ben jij in staat om te begrijpen dat iemand een dieper inzicht kan ontwikkelen in ..." Reidun Vestli zweeg toen Frank Frølich het bovenste boek van de stapel pakte.

"In wat?"

Ze keek naar het boek dat hij in zijn handen had. "Allemachtig, doe niet zo banaal."

Ze keken elkaar even aan en zij draaide zich om. "Je stelt me teleur", zei ze.

"Banaal?" vroeg hij.

"Jij bent zó voorspelbaar en saai." Ze stak de sigaret tussen haar droge lippen en inhaleerde diep. Haar vingers trilden nog steeds. "Ik dacht dat je wel een spannend figuur was", zei ze. "Volgens Elisabeth ben je dat."

"Misschien heeft ze het mis", zei hij, "misschien ben ik heel erg voorspelbaar en saai, maar ik ben hier niet om over mezelf te praten. Ik wil dat jij me vertelt waar ze is."

"Ik heb geen idee waar je het over hebt."

"Nu stel jij mij teleur", zei hij en hij schoof met zijn voet een boek aan de kant. "Ik heb begrepen dat Elisabeth studeert. Zijn dit de dingen waarin ze zich verdiept?"

"Weet je dat niet? Ik had gedacht dat je toch wel iets wist, je bent tenslotte detective."

"Ik wil haar gewoon vinden."

"Waarom?"

"Dat gaat jou niets aan."

"Wat ga je doen als je haar vindt?"

"Dat gaat je ook niets aan."

"Nou ja, ik weet hoe mannen en vrouwen hun tijd doorbrengen. Ik hoef jouw versie ook niet te horen." Ze grijnsde spottend. "Niet gek dat je jaloers bent, arme stumper, je weet helemaal niets van haar gedachten. Heeft ze er nooit iets over verteld?"

"Waarover? Over jou?"

Reidun Vestli glimlachte. "Niet over mij", fluisterde ze, "geen woord over mij, terwijl ik van jou het meeste weet. Dus ze heeft je niet verteld wat zij en ik gemeen hebben, word je nu een beetje jaloers?"

Jaloers. Ben ik dat? Als deze allesoverheersende afkeer een gevoel van jaloezie is, wat heeft die jaloezie dan opgewekt? Elisabeth en Reiduns verstandhouding, lichamelijk of intellectueel, misschien ook allebei – of de angst om te worden buitengesloten van wat die twee samen hebben?

"Waar moet ik jaloers op zijn?"

"Bijvoorbeeld op onze gezamenlijke verwondering."

Hij herhaalde het woord spottend: "Verwondering?"

"Ja", ging ze verder, "Elisabeth is bijvoorbeeld helemaal bezeten van taal. Ze heeft zelfs een eigen theorie over de macht van woorden waar geen plaats is voor gevoelens, hoe woorden kunnen aanvullen en extra dimensies kunnen bieden als het gevoel, het lichamelijke, stopt."

Frank Frølich keek naar haar mond. Reidun Vestli hield ervan om dit soort dingen te zeggen. Ze wilde graag overbrengen dat zij een contact met Elisabeth had dat hij nooit had gehad. Het woord 'lichamelijk' had ze vol walging uitgesproken. *Je bent gewoon een oude pot die er niet tegen kan dat ik ben binnengedrongen in de vrouw die jij begeert, dat ik haar heb bevredigd, je kunt er niet tegen dat een man in staat is om haar te geven wat je zelf niet kunt.* Hij fluisterde: "Je moet kunnen accepteren ..."

"Dat jullie met elkaar naar bed gaan?" onderbrak Reidun Vestli hem met een boosaardige glimlach. "Wat denk je eigenlijk van mij, of van haar? Denk je dat ik me inlaat met iemand anders als er geen gevoel aan te pas komt? Denk je dat jij bijzonder of uniek bent omdat je een pik hebt?"

De agressie in haar woorden maakte hem gevoelloos. "Dat vulgaire, dat past niet bij je", wist hij uit te brengen.

"Ik ben niet vulgair, ik verdedig me tegen jou. Jij denkt dat je gewoon hierheen kunt komen, in mijn huis kunt binnendringen, omdat je er pathetisch naar verlangt de vrouw van wie ik hou te bezitten en te domineren, dat je hier gewoon kunt binnendringen en kunt beweren dat jouw geslachtsdeel je specifieke verzachtende trekken of eigenschappen verschaft, waardoor je in mijn ogen bijzonder zou zijn. Je weet niets van Elisabeth, je weet niet wie ze is. Je weet helemaal niets van de gedachten of dromen die zij en ik hebben gedeeld. Hebben jij en Elisabeth ooit samen gesproken? Hebben jullie ooit ergens over gediscussieerd? Hebben jij en Elisabeth ooit de aandacht niet op je onderlijf gericht en geprobeerd te ontdekken of jullie elkaar mentaal ook iets te bieden hebben?"

Het was zijn beurt haar woorden te beschimpen. "Mentaal ook iets te bieden? Bla, bla, bla ..."

Ze haalde diep adem. "Ik begrijp eerlijk gezegd niet wat ze in je ziet. Behalve dat je naïef bent, ben je ook niet erg aantrekkelijk." Ze keek opzij en zei, een beetje onbedachtzaam: "Is het niet in je opgekomen dat ze probeert je te ontlopen?"

"Dat idee is sowieso irrationeel."

Ze keek hem even schuin aan. "Ben je bang dat ik iets weet wat jij niet weet?"

Haar gezichtsuitdrukking, de boosaardige vreugde die op de vraag volgde, dwong hem om te slikken.

Ze merkte het en lachte. Een heldere, daverende lach, een boosaardige lach. "Ach mannetje, wie denk je dat ik ben? Ik hou van haar, en zij houdt van mij. Behalve het bed delen wij nog meer, iets dat met ziel, gedachten en zelfrespect te maken heeft!"

Frank Frølich zweette. Dat intense wezen dat hem met haar woorden knock-out sloeg, de benauwde atmosfeer in deze slecht geventileerde kamer, het onopgemaakte bed waar zij en Elisabeth elkaar hadden liefgehad. "Het lijkt of de grote liefde tussen jullie is bekoeld", zei hij weloverwogen. "Is er misschien een andere reden dat je ziek bent?"

Reidun Vestli stak een nieuwe sigaret op, vouwde haar armen voor haar borst en rookte met trillende handen.

"Zeg wat je wilt, of maak dat je weg komt."

"Heb ik misschien een teer punt geraakt?"

"Zoals gezegd, maak dat je weg komt, als je niet ..."

"Ik wil weten waar ze is."

"Ik heb geen idee waar ze is!"

"Ik denk dat je liegt."

"Jouw woord tegen het mijne."

Hij stond op. "Elisabeth is er alleen maar mee geholpen als je de waarheid vertelt!"

"Is dat een dreigement?"

"Absoluut niet. Op mijn armzalige, mannelijke manier maak ik me gewoon bezorgd om haar. Ik zoek haar omdat ik het beste met haar voorheb. Ik respecteer haar keuze, of ze nu bij jou wil zijn, alleen of bij wie dan ook. Maar ik weet toevallig dat ze zich verborgen houdt, en omdat ik bij de politie werk, weet ik dat ze er niet verstandig aan doet zich op die manier te verstoppen. Er is immers een moord gepleegd. Of ze nu wil of niet, ze speelt een rol in die zaak. Het is best mogelijk dat jij haar lichamelijk en mentaal kunt bevredigen, en het is ook best mogelijk dat jouw hoogdravende intellectuele liefde meer waard is dan de mijne. Maar ik weet één ding waar jij met al je gepraat ook niet onderuit kunt: ze is er niet bij gebaat als ze zich blijft verbergen."

"Jij weet ook niet alles."

"Als ze zich verborgen houdt, neem ik aan dat ze ergens bang voor is. En wat dat betreft denk ik dat ze het fout heeft."

"Je begrijpt dus niet dat jij degene bent voor wie ze zich verborgen houdt?"

"Ik geloof dat Elisabeth pas vlak nadat ze voor haar broer en zijn bende bij de rechtbank had getuigd op het idee kwam om weg te gaan. Ik geloof dat ze contact met jou heeft opgenomen omdat ze hulp zocht om onder te duiken. Ik geloof dat jij pas zogenaamd ziek werd toen zij contact met je opnam. En ik geloof dat jullie samen in een auto zaten toen ik een paar dagen geleden belde. Ik ben ervan overtuigd dat jij weet waar ze is."

Reidun Vestli hief langzaam haar hoofd op. De blik die ze hem zond was roodomrand, maar tegelijk bedachtzaam.

Frank wist niet zeker of hij het zou zeggen, maar besloot het toch te doen. Hij zei: "Elisabeths broer is dood, hoogstwaarschijnlijk ver-moord."

Er trok een floers over haar ogen, nog steeds bedachtzaam, bijna berekenend.

"Het is belangrijk dat je vertelt waar ze is!"

"Denk je dat ik dom ben?" siste Reidun Vestli. "Denk je dat je hier kunt komen met geen enkele andere autoriteit dan dat stevige lichaam van je en dat je mij bevelen kunt geven? Wil je nu gaan? Maak dat je weg komt! Eruit!" Ze duwde hem naar de deur. "Eruit!" herhaalde ze.

Hij zuchtte diep en gehoorzaamde. Ze sloeg de deur met een klap achter hem dicht. Hij bleef op de trap staan, hoorde haar voetstappen in huis verdwijnen. De reactie van Reidun Vestli vertelde hem dat hij gelijk had. Maar wat dan nog, hij was geen stap verder gekomen.

Hij bleef staan luisteren. Eerst stilte. Daarna het geluid van een stem.

Reidun Vestli praatte met iemand aan de telefoon. Wie? Waarschijnlijk Elisabeth.

Hij bleef naar de deur staan kijken, maar kwam toen tot bezinning, draaide zich om en liep langzaam terug, langs de gekloonde autowassers, de BMW's, de palen naast de opritten en de spireahagen. Als hij het had geweten, had hij zich dit bezoek kunnen besparen. Aan de andere kant had hij ook een aantal dingen bevestigd gekregen. Ze wist het. Daar was hij van overtuigd.

8

's Avonds zat hij met een koud pilsje voor de tv, maar hij was er met zijn aandacht niet bij. Hij zapte verder. Een man en een vrouw lagen onder een dekbed in elkaars oor te fluisteren. Reality-tv.

Hij zapte nog een keer. Een luipaard rende in slow motion. Het dier was een ontlading van spierkracht en concentratie. Het leek of de blik van de luipaard en zijn lijf elk een eigen leven leidden. Twee levens die samensmolten tot een motor die uit zichzelf liep. Een lichaam dat scharnierde in het heupgewricht. De luipaard wierp zich op een Thompson gazelle, drukte het arme dier tegen de grond en doodde het met een beet in de halsstreek. Daarna bleef de luipaard op zijn prooi liggen, buiten adem. De tv-stem legde uit dat dit een kritiek moment was voor de luipaard. Hij was te moe om te eten, maar als hij niet snel zou beginnen, zou er een leeuw of een hyena komen om zijn buit te stelen. Nauwelijks had de reporter het laatste woord gezegd, of een onwaarschijnlijk lelijk en kromgebogen schepsel brulde de luipaard aan de kant. De hyena schrokte het vlees naar binnen terwijl de arme, uitgeputte luipaard op een afstand zat te kijken hoe zijn maaltijd als sneeuw voor de zon verdween. Er kwamen meer hyena's op af. Ze grepen met hun grote bek in de ingewanden van de gazelle, keken op en ontblootten hun bloedige tanden.

Hij zette de tv uit.

Aarzelend pakte hij de telefoon. Hij toetste Gunnarstranda's nummer in en voelde zich om de een of andere merkwaardige reden schuldig. Het was nog geen tien uur. Waarschijnlijk zat de man nog op kantoor. Maar nee, Gunnarstranda's roestige stem drong bij hem binnen: "Hou het kort, alstublieft."

"Ik heb met Reidun Vestli gesproken", zei Frank Frølich en hij had meteen al spijt dat hij had gebeld.

"En wie is Reidun Vestli?"

"Elisabeth Faremo's minnares."

Stilte aan de andere kant.

"Ik denk dat zij weet waar Elisabeth Faremo is."

"O, ja?"

"Het is maar een tip, je moet misschien eens met haar gaan praten."

"Bedankt."

Frank had geen idee wat hij moest zeggen.

Gunnarstranda schraapte zijn keel. "Ik ga ervan uit dat jij als privé-persoon met haar hebt gesproken?"

"Natuurlijk."

"Ik adviseer je om daarmee op te houden. Je hebt vakantie, Frølich. Blijf uit de buurt, ga op reis."

Daarna werd de verbinding verbroken.

Hij bleef met de hoorn in zijn handen zitten. Hij had zich nog nooit zo dom gevoeld. Gunnarstranda's stem had kil geklonken. Dat paste bij hem, maar het probleem was dat hij die kilte nog nooit had gevoeld, niet op deze manier.

9

In de loop van de nacht waren alle wolken opgelost, had de kou weer
toegeslagen en was het doek gespannen voor een ijsblauwe morgen aan
het eind van november. De lucht was scherp als een scheermes. De
vorst had de nachtdauw als ijs op het asfalt gelijmd. Hij stapte in zijn
auto, reed de stad uit en zette koers naar het oosten. De doorzichtige
vorst dampte boven de zwartgeploegde landerijen toen hij in de buurt
van Hobøl en Elvestad kwam. Boven de bosrand in de verte leek de zon
op de gloeiende kruin van de schepper die zijn hoofd boven de heuvel-
kam uit stak om zo wat meer licht te laten schijnen over het volk in het
noorden. De stralen waren al gauw zo fel dat Frank Frølich de zonne-
kleppen naar beneden moest doen.

Bij Fossum betaalde hij tol en stopte daarna bij het Shellstation bij
Fossum bru. Hij vulde de tank. De Glomma stroomde stil en machtig
onder de brug door. Hij dacht aan Jonny Faremo. Hij dacht aan zwemmen in ijswater, tegen de stroom in.

Nadat hij had betaald, stapte hij in zijn auto en bestudeerde hij de
kaart. Hij bevond zich ten zuiden van de waterkrachtcentrale Solbergfoss, maar nog ten noorden van de centrale Kykkelsrud.

Hij dacht even na, startte de motor en reed het weggetje achter het
benzinestation in. De smalle, bochtige zijweg voerde naar een voetgangersbrug, een eind verderop. Hij parkeerde, stapte uit en leunde over
het muurtje dat langs de rivier was gebouwd. Het water draaide in
langzame kringen door de rivier.

Hij staarde naar de draaikolken in het bruinzwarte water. Als hij erin
viel, zou hij binnen een paar seconden een heel eind weg zijn. Het
koude water zou zijn lichaam verstijven, zijn natte kleren maakten het

moeilijk om te bewegen. Ze zouden steeds zwaarder worden en mee-helpen om hem onder water te trekken. De gladde rotsen langs de oever van de rivier leken onherbergzaam. Het was haast onmogelijk om op de kant te klauteren. De sterke stroming en de kou zouden hem snel in hun greep krijgen. Hoe lang zou hij het uithouden?

Hij wandelde verder over het pad langs de rivier. Langs de helling lie-pen paden tussen de oude oorlogsbunkers omhoog. De picknickplaats aan de overkant lag niet goed tegen inkijk beschermd, maar ook daar kon je je redelijk probleemloos van een lichaam ontdoen. Toch was het niet waarschijnlijk dat Jonny Faremo hier in de rivier was gegooid: ver-der stroomafwaarts was de rivier bij de waterkrachtcentrale Kykkelsrud versperd en Faremo was gevonden in een net ten zuiden van die water-krachtcentrale.

Misschien was het verstandig om daar te beginnen, bij Kykkelsrud.

Frank Frølich stak de voetgangersbrug over. Aan de andere kant was een gedenkteken geplaatst. *De strijd bij Fossum bru.* Hier waren de Duitsers op strijdlustige Noren gestoten toen ze zich in april 1940 een weg baanden naar Oslo. De gevallen Noren stonden met naam en toe-naam vermeld.

Frank Frølich wandelde terug naar zijn auto en reed verder, over Fos-sum bru, de helling op naar Askim. Hij passeerde een paar automati-sche radarcontroles, maar zijn snelheid was zo laag dat ze niet hoefden te flitsen.

Een bord gaf de afrit naar de volgende waterkrachtcentrale aan. Frø-lich sloeg af. Er werd hier een nieuwe autoweg aangelegd, hij passeerde een paar bouwplaatsen met draaiende machines. Bij de afrit naar de gemeentelijke waterkrachtcentrale gaf hij gas en reed hij naar links, in de richting van de centrale. De auto rolde de berg af, hij reed dus weer in de richting van de rivier.

Hij passeerde een paar vrijstaande houten huizen, in traditionele stijl gebouwd. Het waren waarschijnlijk arbeiderswoningen die bij de waterkrachtcentrale hoorden. Weer een splitsing. Even later een bord: *Hafslund Energi.* Het was een modern, stenen gebouw, met grote ramen. Daarachter, aan de andere kant van het bassin, werd de rivier breder. Frank Frølich liet de auto verder rollen naar de eigenlijke cen-trale en de stuwdam.

Op een paar omheinde keten aan de linkerkant van de weg hing een afgebladderd, maar nog steeds blauw parkeerbord. Op de parkeerplaats stond een betrekkelijk nieuwe Skoda Octavia stationwagen. De auto kwam hem bekend voor en dat beviel hem maar matig. Hij parkeerde naast de Skoda.

Hij had eigenlijk geen zin om Gunnarstranda nu tegen te komen, hij had geen goede verklaring waarom hij hier was. Maar moest dat? Moest alles wat hij ondernam bestaan uit gehoorzame stappen na verstandige raadgevingen? Hij keek om zich heen. Gunnarstranda was nergens te zien. Hij zag geen mens en er was geen enkele activiteit te bespeuren rond de woningen die verspreid op de berghelling stonden. Zelfs het kantoorgebouw van Hafslund Energi maakte een doodse indruk.

Door de vorst was het asfalt glibberig en glad. Hij strompelde voorzichtig de helling af naar de dam. Hij passeerde drie grote, afgedankte turbines die op het berijpte gras waren gezet, en liep verder naar de waterkrachtcentrale. Aan de rechterkant lag het ingedamde bassin, zwart als een enorme toverspiegel. Vlak bij de oever lag een klein eilandje. De bomen op de hellingen en voor de centrale weerspiegelden in het zwarte water. De watertoevoer was minimaal en de constructie van de dam was goed te zien. Aan de linkerkant lag een vijftig meter lang betonnen geraamte, een sluis. Er zat geen water in. Het was een heel eind tot de bodem. Frank voelde zich even duizelig toen hij over de rand naar beneden keek. Tussen de dam en de sluismuur waren twee grote roosters ingemetseld. Een klamme geur van dood water en dichtgeslempte modderbodem steeg uit de kloof op. Hij liep de dam op en passeerde het punt waar het water werd doorgelaten. De onderlaag trilde zwak, als een hevig morrende pols. Er stroomde water onder hem door. Rechts, tegen de muur, ontstonden trage kolken en stromingen. Hier was water aan het werk. Verderop was de eigenlijke waterval gesperd met een stenen wand bestaande uit drie grote sluispoorten.

Toen hij naar de loop van de rivier, een paar honderd meter verderop, staarde, voelde hij als het ware de druk van het water tegen de wand. Op dat moment snoof hij de zoete geur op van een zojuist aangestoken Petterøe sigaret. Zonder zijn hoofd om te draaien, zei hij: "Gunnarstranda. Nóg niet gestopt met roken?"

"Ik rook al veertig jaar", zei Gunnarstranda en hij ging naast hem staan. Gunnarstranda had zijn handen in zijn jaszakken gestoken, zijn wangen zogen vol begeerte de rook in de mondholte en verder naar zijn longen.

"Maar je zou toch stoppen. Je bent ziek."

"Ik was van plan te stoppen. Maar toen moest ik van de dokter kauwgom met nicotine kauwen. Wat zeg je daarvan? Dat is ook nicotine. Wat is dan het verschil? Dan kan ik net zo goed doorgaan met roken."

Frank glimlachte voor zich uit.

"Waar lach je om?" vroeg Gunnarstranda korzelig.

"Er schoot mij een mop te binnen van een vent die erop gebrand was om te stoppen met roken. Hij kwam een vriend tegen die het was gelukt. 'Hoe is het jou gelukt om te stoppen met roken?' vroeg hij. 'Tja', zei die ander, 'stoppen met roken is het gemakkelijkste dat er is. Je koopt gewoon een pakje sigaretten, maar elke keer dat je een sigaret wilt opsteken, stop je hem eerst in je reet.'

'In je reet?' vroeg zijn kameraad.

'Ja, in je reet. Beter kun je niet tegen jezelf zeggen dat roken een smerige zaak is. Die sigaret die je in je reet hebt gehad, wil je niet meer in je mond stoppen', zei de man.

Een paar maanden later kwamen ze elkaar weer tegen. 'En', vraagt de vriend, 'hoe is het gegaan? Ben je gestopt met roken?'

"Ja, hoor', zei de eerste. 'Stoppen met roken was geen probleem. Maar eigenlijk heeft het niet geholpen.'

'Niet geholpen?'

'Het probleem is dat ik nu niet kan ophouden met sigaretten in mijn reet te stoppen!'"

Frank Frølich sloeg op zijn knieën van het lachen.

Gunnarstranda keek hem net zo humeurig aan. "Ik dacht nog wel dat die praatjes over jou maar onzin waren", zei hij.

Frank Frølich zette weer een ernstig gezicht op. "Ik keek al naar je uit", zei hij, "ik zag je auto staan."

"Je begint me te irriteren", zei Gunnarstranda.

"O?"

"Je hebt vakantie en dan kom je hierheen. Al je doorgaat met mij voor de voeten te lopen, ben ik op een gegeven moment genoodzaakt om dat te rapporteren."

"En dan?"

"Misschien heb je dan geen oog voor je eigen stommiteiten, maar alle anderen hebben dat wel."

"Rustig maar", zei Frølich. "Je hoeft geen rapport te maken. Denk je dat Faremo hier in het water werd gegooid?"

"Nee, er staat te weinig water in de rivier." Gunnarstranda knikte naar de naakte rotsblokken in de rivierbedding beneden. "De waterval staat bijna droog. Het moet verder stroomafwaarts zijn gebeurd."

Gunnarstranda wees. "Bijvoorbeeld daarginds, op dat punt. Perfecte plaats delict. Er loopt van daaruit een pad naar de rivier. Maar dat pad is helaas met een slagboom afgesloten. Met een hangslot."

"Iemand met een extra sleutel?"

"Kan haast niet. Ik heb met een man gesproken", hij knikte met zijn hoofd naar het turbinegebouw, "hij vertelde dat hij daar op de helling woont. Hij zegt dat hij het zou hebben gemerkt als iemand het pad op was gereden."

Ze bleven zwijgend over het brede rivierdal staan uitkijken.

"Deze centrale wordt niet gebruikt", zei Gunnarstranda ten slotte. "Ik heb binnen een uitgebreide uitleg gekregen over waterkracht en de geschiedenis ervan. De Vamma waterkrachtcentrale verder stroomafwaarts en Solbergfoss verder naar het noorden produceren elektriciteit. Deze centrale wordt alleen gebruikt als de watertoevoer in de Glomma enorm groot is."

"Wat denk jij van Faremo? Is hij geduwd? Of is hij uitgegleden op een gladde steen?"

"Moeilijk te zeggen."

"Ze hoeven niet per se naar de rivier gereden te zijn. Het kan één persoon zijn geweest, of twee, die een wandeling maakten."

"Kan zijn. En als iemand zoiets heeft gezien, hoor ik dat snel genoeg."

Frank Frølich begreep uit het antwoord dat het onderwerp niet taboe was. Hij zei: "Het is toch gek dat Faremo juist nu is doodgegaan?"

"Niet iedereen kan kiezen wanneer hij doodgaat, Frølich."

"Ik heb op de kaart gekeken. In de buurt van Askim loopt er een slingerweggetje naar de rivier. Logisch gezien kan de moordenaar die weg op gereden zijn, zo dicht mogelijk naar de rivier toe en een plaats hebben gezocht om Faremo te droppen. Hij hoeft niet bekend te zijn in de omgeving."

"Waarom niet?"

"Dan had hij geweten dat de Vamma centrale verder stroomafwaarts ligt. En dan had hij ook geweten dat er in de rivier een net hangt dat het water zeeft en dingen oppikt. Als hij door was gereden en Faremo aan de zuidkant van Vamma in de rivier had gegooid, dan was het lijk pas bij Sarpsborg opgedoken. Er liggen tientallen kilometers tussen Vamma en het net bij de Sarpefossen."

"Klinkt logisch, afgezien van één ding."

"Wat dan?"

"Jij praat alsof Faremo al dood was. Maar hij had water in zijn longen. Hij is verdronken. Als het moord was, en de moord niet van tevoren was gepland, kan Faremo in de rivier zijn beland ten gevolge van een ruzie, een gevecht, en dát is in dit geval het meest waarschijnlijk. Dus zal het grootste deel van het onderzoek bestaan uit het opsporen van mensen die nog iets met Faremo te verhapstukken hadden."

Frank Frølich deed of hij de verborgen verwijzing naar hem zelf niet hoorde en zei: "Dan wordt het een zaak met veel speurwerk. Ga jij iedereen ondervragen?"

"Ik heb toch gezegd dat de zaak Jonny Faremo bij de landelijke recherche ligt."

"Ik had het genoegen om een praatje met hen te maken. Een jonge vent, Lystad."

"Hij is goed."

"Wat is zijn conclusie, moord of ongeluk?"

"Geen idee." Gunnarstranda nam zijn sigaret uit zijn mond en keek er nors naar. "Weet je dat ik door dat gekloot van jou en die juffrouw Faremo veel meer rook dan goed voor me is?"

"En wat doe jij hier?"

"Het is zondag", zei Gunnarstranda. "Ik ben vrij."

Frølich grijnsde. "Je bent hier zonder enige jurisdictie, en je dreigt mij te rapporteren?"

"Het is in elk geval geen goed idee dat jij hier rondneust en mensen ondervraagt. Dan kun je beter mij bellen. Ik word steeds op de hoogte gehouden."

"Het gaat om een stuk rivier van een kilometer lengte", zei Frølich stoïcijns. "En Faremo is hier vast met een auto naartoe gekomen. Als hij niet daarginds van die punt is gevallen, moeten Faremo en de moordenaar de weg in gereden zijn die vlak voor Askim naar rechts gaat. Op mijn kaart staan twee smalle weggetjes, of karrensporen die naar de rivier gaan. Ik durf tien tegen één te wedden dat er getuigen te vinden zijn, iémand moet in elk geval de auto hebben gezien."

Ze wandelden langzaam terug. Gunnarstranda schraapte zijn keel en zei: "Voor de goede orde, Frølich ..."

"Ja?"

"Kun jij misschien een overzicht maken? Over de laatste dagen, wat je hebt gedaan en wie dat kan bevestigen, enzovoorts?"

"Ze zijn dus nog niet overtuigd dat ik niets met de zaak te maken heb?"

"Met welke van de zaken?"

Ze keken elkaar een tijdje aan. Frølich had nog nooit kunnen inschatten wat er in het hoofd van de andere man omging. Hij had ook geen zin om het nu te proberen.

"Het is allemaal maar een vreemd verhaal, Frølich. Er is maar één tip die Jonny Faremo in verband brengt met de moord op de nachtwaker aan Loenga, en die tip is, om het maar zo te zeggen, niet veel waard."

Frank Frølich keek naar de lucht. De dag was nog maar een paar uur oud. Toch was de zon achter de heuvelrug al begonnen aan een kleurrijke afscheidsshow. Vermiljoenrode wolkentongen likten tussen de okergele glitter rond de azuurblauwe aura die de bomen omgaf. Hij vroeg: "Hoe weinig stelt die tip eigenlijk voor?"

Gunnarstranda nam de tijd voor zijn antwoord. "Particuliere initiatieven van jou zullen alleen maar verkeerd worden opgevat. Als je je niet rustig houdt, word je geschorst."

"Vertel eens over die tip", herhaalde Frølich hardnekkig.

"Een vrouw, 29 jaar, freelance mannequin die vooral als serveerster werkt in een zogenaamde gogo-bar."

"Prostituee?"

"Weet ik niet. Ze noemt zich mannequin, model, en ze staat wel eens in de *Aftenposten* in reclames voor ondergoed en dat soort dingen. Bovendien is ze het vriendinnetje van een van de bendeleden die we hebben opgepakt."

"Het vriendinnetje van wie?"

Gunnarstranda aarzelde.

"Van wie?" herhaalde Frølich.

"Jonny Faremo."

"Hoe heet ze?"

"Vergeet het, Frølich."

"Ik wil alleen maar weten hoe ze heet. Het is toch belachelijk dat je daar je mond over houdt."

"Merethe Sandmo."

"Heeft ze verder niets met deze zaak te maken?"

"Geen idee. Dit is een zaak van de landelijke recherche, niet van mij."

"Waarom zou de vriendin van Faremo haar vent verlinken?"

"Geen idee. Ze hadden een nogal turbulente relatie. De tip riekt naar wraak, waardoor haar verklaring niet al te veel waard is. Er hoeft dus niet veel te gebeuren of de link tussen deze jongens en de vermoorde nachtwaker aan Loenga gaat in rook op. Als dat gebeurt, moeten we weer heel ergens anders gaan zoeken naar iemand die nog een appeltje te schillen heeft met Faremo. En een van de mensen die aantoonbaar nog iets met hem te vereffenen heeft, ben jij."

"Die vrouw die je net noemde, heeft die jongens verlinkt, zij kan hem net zo goed een duw in de rug hebben gegeven." Frank Frølich bleef naar de lucht staan kijken.

"Trouwens ..." zei hij ten slotte.

"Trouwens, wat?"

"Denk jij dat ik niet helemaal goed bij mijn hoofd ben?"

"Ik geloof niet dat jij niet goed bij je hoofd bent, nee. Maar ik denk nooit zoveel van mensen die bij een onderzoek betrokken zijn. En dat weet jij heel goed."

"Betekent dat dat je mij zou oppakken als er genoeg aanwijzingen waren voor een dergelijke hypothese?"

Gunnarstranda glimlachte vreugdeloos. "Zou je me dat verwijten?"

Frølich zuchtte. "Waarschijnlijk niet."

"Waarom wil je dat ik met die wetenschappelijk onderzoeker, Reidun Vestli, ga praten?" vroeg Gunnarstranda op een mildere toon.

"Omdat Elisabeth Faremo om de een of andere reden is ondergedoken. Ze verstopt zich. Ze moet in paniek zijn geraakt. In elk geval pakte ze haar rugzak op dezelfde dag dat haar broer en zijn vrienden uit voorlopige hechtenis werden ontslagen. Ik heb geen idee waar ze naartoe is gegaan en waarom ze is verdwenen. Maar haar broer is dood, dus is het misschien wel verstandig dat ze weg is – hoewel het ook wel vreemd is dat ze niet weer boven water komt nu haar broer dood is. Reidun Vestli heeft zich ziek gemeld op het moment dat Elisabeth haar rugzak pakte en ervandoor ging. En Reidun Vestli was niet thuis toen ik haar een paar uur later belde. Ze was onderweg in een auto en toen ik haar eindelijk te pakken kreeg, kreeg ik sterk de indruk dat zij weet waar Elisabeth is. Ik geloof dat die twee samenwerken."

"Misschien ben jij de reden dat Elisabeth Faremo ervandoor is?"

Nu was het Frølichs beurt om diep te zuchten. "Haar broer is dood. Ze verbergt zich nog steeds."

De stilte bleef tussen hen in hangen. Gunnarstranda verbrak hem: "Waarom zou Elisabeth Faremo een bondgenootschap sluiten met Reidun Vestli?"

"Zij en Elisabeth hebben, of hadden, een relatie. Die Reidun Vestli ziet mij als een mannelijke wreker uit de heterofiele wereld. En ik geloof niet dat die vrouw inziet dat er problemen ontstaan als Elisabeth spoorloos blijft, terwijl ze getuige is in een zaak en bovendien haar broer gestorven is. Die vrouw kan haar relatie met Elisabeth niet koppelen met de werkelijkheid. Ik denk dat zij op dit moment Elisabeths gehoorzame bondgenoot is."

"Welk belang heb jij erbij als ik met Vestli ga praten?"

"Ik?" Frank Frølich haalde zijn schouders op. "Ik kan, zoals je zelf zegt, geen kant op. Ik ben erg benieuwd wat Reidun Vestli te vertellen heeft als jij met je legitimatie wappert en op scherpe toon vragen stelt."

10

Toen Gunnarstranda in zijn auto was gestapt en weggereden, bleef Frank Frølich een tijdje voor zich uit staan kijken. Hij dacht aan lichamelijk contact op donkere herfstavonden, wanneer autolichten met moeite door de mist weten te dringen en vorstnevel een fractie van een seconde als een ronde regenboog blijft trillen in het licht van een toevallige straatlantaarn. Hij dacht aan handen in gebreide vingerhandschoenen, handen die hem meenamen.

Hij rukte zich los en liep terug naar zijn auto. Hij reed door tot aan de afrit vlak voor Askim. Hij sloeg af, reed over het bochtige pad en zocht naar het karrenspoor dat naar de rivier leidde. Hij keek uit naar een plek waar je logischerwijs een auto zou parkeren, maar gaf het ten slotte op en zette de auto naast het pad, vlak voor de bosrand. Aan de rechterkant van de weg lag een groot stuk bouwland waar strostoppels in sierlijke rijen boven de rijp uitstaken. De akker eindigde bij een donkere wal langs de rivier. Hij wandelde er langzaam overheen, de bevroren strostoppels kraakten onder zijn schoenzolen. Hij naderde de bomenrand en bleef bij een berkenboom staan. De takken hingen vol kleine ijspegels, elk sprietje leek een zorgvuldig uitgedachte decoratie. Hij keek naar beneden en veegde met zijn voet langs een frambozentak. De ijspegels schaafden er met een droog, raspend geluid vanaf. Het ijs dat de naaldbomen bedekte, veranderde de heuvelrug in een mat, lichtgroen oppervlak. Op de bosgrond waren droge graspollen, dode varens en takjes van vossenbessen ook met ijs bedekt. Elk blaadje van de vossenbessen was omkranst door kleine, druppelvormige ijskristallen. Een berk, aangevallen door de zon, had zijn ijskleed losgelaten. Het lag als korrelige sneeuw op de grond.

Hij liep verder, over bosbessenstruiken en mos, in de richting van de rivier. Al snel hoorde hij het water. Het geluid werd steeds sterker, ging over in een oorverdovend geraas. Hij kwam bij een steile helling en keek neer in het schuimende water. Dit moest de horizontale waterval zijn waar Gunnarstranda het over had gehad. Het water in de kloof kolkte in een groenbruine, grijze schuimende massa, sloeg met enorme kracht tegen de rotswanden, werd teruggegooid en raasde verder. Verderop leek de zware, rollende watermassa op de rug van een gevaarlijk dier dat trage, wispelturige kolken ontblootte die wegdreven en lui maalden langs de rivieroever met stenen en uitstekende takken die door modderige, met ijs ingekapselde wortels werden vastgehouden. Frank zag in dat een lichaam kansloos zou zijn in dit inferno. Hij werd duizelig en nam plaats op de wortels van een omgevallen boom. De rotsen die de continu stromende waterslang afschermden, waren met ijs bedekt. Het ijs leek gevaarlijk glad. Met een beetje pech kon iedereen hier uitglijden. Maar dan bleef de vraag wat je op een koude novemberdag op deze spekgladde rivieroever te zoeken had.

In de schemer zat hij op de boomstam te bedenken dat Elisabeth ergens misschien wel aan hem zat te denken, als ze tenminste niet druk bezig was met iets anders. Hij pakte nog een keer zijn mobiele telefoon en toetste haar nummer. De signalen verdwenen in het niets. Geen beltoon, helemaal niets. Stumper, dacht hij vol verachting over zichzelf. Het begon donker te worden. Frank Frølich stond op en liep terug naar zijn auto.

11

Toen Gunnarstranda Oslo binnen reed, sloeg hij als gewoonlijk bij het Centraal Station af en reed hij via Bispelokket, de brug over Grønland en de Maridalsvei naar Tåsen. Toen hij in de Hausmannsgate stond te wachten op groen licht, zag hij ineens een bekende gedaante in de deuropening van Café Sara verschijnen. Vidar Ballo hield de deur open voor een jonge vrouw. Ook zij kwam hem bekend voor: Merethe Sandmo, de tipgeefster.

Gunnarstranda parkeerde zijn auto half op het trottoir. Hij bleef zitten en volgde hen met zijn ogen. Ze staken de Hausmannsgate over en liepen verder naar de Ankerbru. Ze liepen naast elkaar. Het leek een harmonisch stel, de arrestant en de vrouw die hem had verraden. Gunnarstranda vroeg zich af wat het betekende dat Merethe Sandmo en Vidar Ballo de indruk wekten van een liefdespaartje op een wandeling door de stad.

Gunnarstranda stapte uit de auto en liep met snelle passen de Ankerbru over. Het tweetal hoorde zijn voetstappen en draaide zich om. Ze bleven staan. Ballo zette de grote reistas, die hij over zijn schouder had gedragen, op de grond.

"Op reis?" vroeg de politieman buiten adem.

"Wat wil je?" zei Vidar Ballo.

Gunnarstranda keek naar Merethe Sandmo. Ze was iets langer dan hij, slank, bijna mager. Haar mooie, kastanjebruine haar hing tot halverwege haar rug. Gunnarstranda had zich altijd afgevraagd waarom dat soort vervelende, criminele schoften voor bepaalde bimbo's zo aantrekkelijk was. Merethe Sandmo was een vrouw die probeerde haar sensualiteit te benadrukken door haar kleding, hoge hakken en zorgvuldig aangebrachte make-up, waarschijnlijk om – dat dacht hij tenminste – de aandacht af te leiden van het angstige trekje in haar mondhoek. De laatste keer dat ze elkaar hadden gesproken, had hij haar volledige anonimiteit beloofd. Hij besloot zich aan die belofte te houden. "Ik geloof niet dat wij elkaar kennen", zei hij en hij stak zijn hand uit naar het mooie meisje. Ze hielden oogcontact tot ze zijn toneelspel begreep en zijn hand pakte.

"Merethe", zei ze en ze zakte even door haar knie, als een klein meisje.

"Wat wil je?" herhaalde Ballo bars.

"Weten wat je gisteravond en de nacht daarvoor hebt gedaan", zei Gunnarstranda, zonder zijn blik af te wenden van de vrouw. "Wat nog meer dan Merethe?" vroeg hij vriendelijk.

"Sandmo."

"Maar dan hebben we elkaar eerder gezien."

Er stierf iets in Merethe Sandmo's blik.

Ballo voelde het meteen aan. "Jullie kennen elkaar?"

Gunnarstranda wendde zich tot Ballo en zei: "Misschien ben je vergeten dat je voor het gerecht bent geweest?"

"Ben je daar nu nog mee bezig?"

"Een 22-jarige student die zijn inkomen aanvulde door als nachtwaker op de kade te werken, is vermoord. Hij wordt node gemist, onder anderen door zijn ouders, een zus en een vriendin. Iemand heeft hem met een honkbalknuppel doodgeslagen. Iets zegt me dat jij er mee te maken hebt, dus misschien kun je je even gedeisd houden?"

"Het lijkt er eerder op dat jij bent vergeten wat er is gebeurd", antwoordde Ballo afgemeten. "De rechter-commissaris heeft vastgesteld dat jij het bij het verkeerde eind had."

Ballo pakte de hand van de vrouw en zei: "Zullen we gaan?"

Gunnarstranda zei: "Hebben jullie het nog niet gehoord?"

Ballo verstijfde. De vrouw maakte haar hand los en wierp hen allebei een onrustige blik toe.

Ballo, afwachtend: "Wat hebben we nog niet gehoord?"

"Jonny Faremo is niet meer onder ons."

Merethe Sandmo werd bleek. Ze zocht steun tegen de muur. Ballo keek Gunnarstranda met een wazige blik aan. Het bleef stil. Merethe Sandmo zocht iets om zich aan vast te houden. Ten slotte pakte ze een lok van haar lange haar.

"Ik zei dat Jonny ..."

"We hebben gehoord wat je zei!"

Gunnarstranda pakte Merethe Sandmo's hand en voorkwam dat ze viel. "Mag ik je condoleren?" zei hij. Toen hij zag hoe bleek ze was, ging hij verder: "Zullen we even een plek zoeken waar je kunt zitten?"

Ballo keek alsof hij naar een worm staarde. "Jij denkt dat je onkwetsbaar bent achter dat verdomde politiemasker van je", mompelde hij.

Gunnarstranda wendde zich van de vrouw af en richtte zijn blik weer op Ballo. "Ben je niet nieuwsgierig hoe hij is gestorven?"

"Doe me een lol en vertel het."

"Dan nemen we eerst een aantal formaliteiten door. Wat heb je gisternacht gedaan?"

"Hij was bij mij!" De vrouw onderbrak hen. Ballo had geen spier vertrokken en geen vinger verroerd.

"Begrijp ik het goed?" vroeg Gunnarstranda aarzelend. "Iemand heeft in mijn oor gefluisterd dat jij en Jónny een paar waren."

"Dat is al lang geleden", stotterde ze.

"Wie van jullie heeft het uitgemaakt?" vroeg Gunnarstranda vriendelijk.

Merethe Sandmo begon te huilen.

"Wat ben jij ook een ongelikte beer", zei Ballo zacht.

"Geef antwoord op mijn vraag", zei Gunnarstranda tegen haar voor hij zich weer tot Ballo richtte en vroeg: "Waar was je gisternacht?"

"Je hebt het gehoord. Ik was bij haar."

"Wanneer?"

"Gisternacht en afgelopen nacht."

"Hoe laat was je waar en wanneer verliet je dat adres weer?"

"Merethe woont in Etterstad en ik heb geen idee hoe laat het was. Ik kijk niet op mijn horloge als ik bij mensen naar binnen ga."

Gunnarstranda keek naar de vrouw die bevestigend knikte. "Weet jij nog hoe laat hij kwam?"

"Vier uur 's morgens. Hij haalde me af van mijn werk en toen reden we naar mijn huis." Ze voegde eraan toe: "Ik heb het uitgemaakt met Jonny."

"Waar werk je?"

De politieman wist het antwoord op die vraag, maar het was goed om hem te stellen, zodat de vrouw wist dat hij niet zou verraden dat zij achter de tip over de moord op de nachtwaker zat. Merethe Sandmo begreep het. Ze sloeg haar blik neer, alsof ze zich voor haar vrijer schaamde over dit toneelspel. Ze zei: "Bliss."

"Café Bliss?"

Ze knikte weer.

Hij keek naar Ballo. "Vreemd dat je dat niet meer weet?"

"Er is zoveel vreemd op deze wereld."

"Maar je bent er toch heen gereden? Was je met je eigen auto toen je haar ophaalde ... Merethe was je naam, hè?"

De vrouw knikte, gerustgesteld.

Ballo zei: "Ja."

"Waar ben je geweest voor je Merethe ophaalde?"

"Ik kwam van huis. Ik had naar een paar films gekeken."

"Is er iemand die dat kan bevestigen?"

"Er schiet me zo direct niemand te binnen."

"Maar je hebt er niets op tegen dat we de buren vragen?"

"Ik niet, zij misschien wel. Volgens mij heeft de politie al genoeg speurwerk gedaan."

Gunnarstranda glimlachte. "Ze raken wel aan ons gewend. En jij krijgt met anderen dan met mij te doen."

"Godzijdank."

"Ik zou daar nog maar even mee wachten", zei Gunnarstranda joviaal. "In elk geval tot je weet waarvoor je bedankt."

"Wat bedoel je daarmee?"

"Je moet vast nog wel een keer voor het gerecht verschijnen, ik onderzoek nog steeds de moord op Arnfinn Haga, voor het geval je dat was vergeten. De dood van je goede vriend Jonny is op zijn minst verdacht te noemen en wordt onderzocht door de politie van Follo, in samenwerking met de landelijke recherche. We zwermen om je heen, Ballo, dus ik zou nog maar niemand bedanken."

Ballo wilde gaan.

"Wil je niet weten hoe Jonny is gestorven?"

Hij had weer beider aandacht.

"Dan zie ik jullie morgen op mijn kantoor", zei Gunnarstranda. "Ik gelast jullie om morgen om negen uur precies op het politiebureau te verschijnen om jullie verklaring te bevestigen. Dan praten we ook verder over Jonny."

"Kom", zei Vidar Ballo tegen de vrouw en hij trok haar met zich mee.

Gunnarstranda keek hen na. Ten slotte draaide hij zich om en liep rustig naar zijn auto.

Toen hij instapte, ging zijn mobiele telefoon.

Het was Yttergjerde.

"Jonny Faremo had toch een vriendin?" vroeg Gunnarstranda.

"Merethe Sandmo", zei Yttergjerde.

"Dat dacht ik al, ik wilde het alleen even controleren", zei Gunnarstranda. "Ze is nu de vriendin van Ballo."

"Wat?"

"De koning is dood, leve de koning", zei Gunnarstranda. "Waarom belde je?"

Yttergjerde zei: "We hebben een getuige."

"Waarvan?"

"Van de moord op Arnfinn Haga, de nachtwaker."

12

Hij zat apathisch in zijn leunstoel naar de rommel in zijn flat te staren, toen er aan de deur werd gebeld. Hij kwam moeizaam overeind en slofte naar de hal. Met verrassende energie trok hij de deur open.

Wie had hij verwacht? Elisabeth?

De persoon op de deurmat was zo ver van zijn droombeeld verwijderd als maar enigszins mogelijk was. Hoofdinspecteur Gunnarstranda stond met beide handen in zijn jaszakken naar hem te kijken, met een blik in zijn ogen die hij normaal gesproken alleen in de richting van verdachte personen wierp.

"Jij bent hier nog nooit eerder geweest", zei Frank, en hij hoorde zelf hoe dom het klonk.

Gunnarstranda schudde het hoofd.

"En we werken al meer dan tien jaar samen."

"Zullen we binnen verder praten, of zal ik je uitnodigen om in de stad een pilsje te gaan drinken?"

"Kom binnen." Om de een of andere reden voelde hij zich verlegen. Hij schopte een paar oude schoenen aan de kant en begon de tafel af te ruimen.

"Maakt niet uit", zei Gunnarstranda. "Echt niet, en je hoeft me ook niets aan te bieden."

"Ik heb alleen maar bier."

"Dan neem ik een biertje."

Frank liep snel naar de keuken. Verdomme. Geen schone glazen. Hij pakte een paar waterglazen uit de gootsteen en waste ze af onder de kraan. "Wat kom je doen?" riep hij door de kamerdeur.

"De dag zit erop."

Frank nam twee flesjes en glazen mee.

"En met de mensen met wie ik moet samenwerken kun je niet goed praten." Gunnarstranda maakte de tafel leeg, pakte een kaart en vouwde hem uit. Het was een kaart op grote schaal. De rivier Glomma slingerde zich als een blauwe, wollen draad over het papier. "Ik heb onder andere een bespreking gehad met de landelijke recherche en heb besloten om wat informatie met jou te delen, *off the record*."

Frank schonk de glazen vol en keek op.

"Dan hoef jij ook geen domme dingen te doen."

"Dat is aardig ..."

De repliek, de toon – ze werden allebei genegeerd.

"Hier werd Faremo gevonden, in de Vammasjø." De blauwe streep op de kaart verbreedde zich tot een vlek. Het water achter de dam werd de Vammasjø genoemd. Gunnarstranda liet zijn wijsvinger over de kaart glijden tot hij een klein vierkant naast de rivier aanwees. "Die boerderij heet Oraug." De wijsvinger stopte bij het vierkantje ernaast. "En deze boerderij heet Skjolden. De landelijke recherche heeft een getuige gevonden die zegt dat een auto vlak bij die boerderij is gestopt. Die auto stopte op het pad. Twee personen, die waarschijnlijk uit de auto zijn gestapt, zijn langs het karrenspoor naar de rivier gelopen." De wijsvinger van Gunnarstranda gleed verder naar een rode streep op de kaart. "Over dit karrenspoor. Het tweetal was rustig aan de wandel, niets wees erop dat ze ruzie hadden. Het was middag, de zon stond al laag, de getuige die dit vertelt was buiten om foto's te maken. Het was een middag met mooie fotokleuren, herfst, weet je, rode esdoorns, geelbruine berken en dat soort dingen. De man beweert dat de lucht bijna oranjegekleurd was en perfect om te fotograferen, dus moet de zon al heel laag hebben gestaan, waarschijnlijk was het al een uur of drie 's middags, misschien halfvier. Ik kan me de dag zelf goed herinneren. Het was een onrustige lucht, met sluierbewolking, gekleurd door de zonsondergang."

"Twee personen, welk geslacht?"

Gunnarstranda haalde zijn schouders op. "Dat is niet duidelijk. We gaan ervan uit dat het mannen waren."

"Hij heeft geen foto van hen gemaakt?"

"Nee. Maar hij zei dat ze niet op gewone wandelaars leken."

"Wat bedoelt hij daarmee?"

"Weet ik niet precies. Hij zei dat ze te 'stads' waren."

"En een van beiden was Jonny Faremo?"

"Het kan Faremo zijn geweest. Een van de personen droeg een zwarte cap. Faremo droeg een zwarte cap toen hij bij de rechter-commissaris verscheen.'

"Ook toen ik hem even later op de parkeerplaats trof."

"Dat is de enige observatie die we hebben. Het karrenspoor leidt naar de rivier, tussen Kykkelsrud en de waterkrachtcentrale Vamma. En het tijdstip klopt ongeveer. Waarschijnlijk is dat de laatste keer dat iemand, behalve de dader, Jonny Faremo in levenden lijve heeft gezien."

"Wanneer was dit?"

"Dezelfde middag dat Faremo uit voorlopige hechtenis werd ontslagen."

"Twee personen aan de wandel, geen ruzie of gevecht?"

"Klopt."

"Heeft iemand gezien dat de auto weer startte en wegreed?"

"Niemand, tot nu toe."

"En de auto?"

"Weg."

"Waarom maken twee personen op een koude dag in november, op een godverlaten plek, een wandelingetje naar de Glomma?"

"Waarom gaan Noren überhaupt aan de wandel?"

"Voor wat beweging, calorieën verbranden ..."

"Er is ook nog een andere reden te verzinnen."

"Welke?"

"Toen mijn vrouw nog leefde en wij wandelingen maakten, was dat altijd om dingen uit te praten."

"Om de lucht te klaren, een gesprek onder vier ogen dat eindigt in een ruzie en ..."

"Dat zou een hypothese zijn."

"Met wie had Faremo iets uit te praten, als het niet die vrouw was, Merethe Sandmo?"

"Met Vidar Ballo. Dat is de man die nu het bed met Merethe deelt. Maar er is één ding dat tegenspreekt dat het Ballo was."

"Wat dan?"

"Die drie, Faremo, Rognstad en Ballo, zijn de beste vrienden en collega's. Ze werken vaak samen en delen de buit zonder ruzie. Het is gewoon heel moeilijk voor te stellen dat Jim Rognstad of Vidar Ballo een motief zou hebben om Faremo te vermoorden. We weten alleen dat Merethe Sandmo misschien heeft geruild van bed en vrijer, van Jonny Faremo naar Vidar Ballo."

"Misschien?"

"Zo lijkt het. Maar we weten het niet zeker. Aan de andere kant hebben die jongens al vaker van partner gewisseld, zonder problemen. Dus de poes van Merethe Sandmo hoeft niet per se een motief te zijn."

"Weet je zeker dat Merethe Sandmo en Vidar Ballo bij elkaar zijn?"

"Als ze het niet zijn, dan proberen ze in elk geval te doen alsof." Gunnarstranda nam een slok van zijn bier.

"Maar toch ... Merethe Sandmo heeft de tip gegeven over de moord op Loenga, hè? Als Jonny Faremo is vermoord, werd hij, statistisch gezien, vermoord door iemand uit zijn kennissenkring. En we hebben een dame die van bed heeft geruild. Vervolgens belt die vrouw de politie en uiteindelijk is de eerste minnaar dood."

"Daar zit natuurlijk iets in", zei Gunnarstranda en hij zette zijn glas weg.

"Het is in elk geval een stuk waarschijnlijker dan dat hij per ongeluk is gevallen."

Gunnarstranda schudde het hoofd. "De hele groep staat onder druk. Er is een aantal aanwijzingen dat de zaken niet zo goed gingen. Toch blijft het grote raadsel waarom Merethe Sandmo ons die tip gaf."

Ze bleven naar elkaar zitten kijken. Gunnarstranda pakte zijn pakje shag en sigarettenmachine. "Vidar Ballo en Merethe Sandmo zijn verdwenen."

"Hoe weet je dat?"

Gunnarstranda kneep het teveel aan tabak van de sigaret die hij had gerold. "Ik heb mensen uitgestuurd om ze op te pakken, ik kwam namelijk gisteren Ballo en Merethe Sandmo tegen. Ik heb ze allebei opgedragen om vandaag voor een verhoor naar het bureau te komen. Ze kwamen niet opdagen."

"Zou het echt zo simpel zijn? Faremo in zijn eentje tegen Ballo en zijn ex?"

"Misschien."

"Zoiets is vaker gebeurd. De Fransen hebben er zelfs een soort spreekwoord voor: *cherchez la femme* ..."

Gunnarstranda grijnsde twijfelend. "Ik zou eerder voor een dergelijke hypothese gaan als er ook nog een ander conflict speelde tussen Ballo en Faremo. Ze zaten nu allebéi vast vanwege de tip van die juffrouw, dus ik zie niet hoe ze de een tegen de ander zou kunnen uitspelen."

"Behalve als zíj degene is om wie ze vechten. Dat zou reden genoeg zijn."

Gunnarstranda dacht even na voor hij zei: "En dan hebben we nog jouw rol in het geheel. Iemand zal met de vraag komen of jij degene was die met Faremo langs de Glomma wandelde."

"Ik was het niet."

Ze bleven elkaar in de ogen kijken.

"Iemand zal vragen wat jij in die uren hebt gedaan. Je hebt zelf toegegeven dat je hebt geprobeerd om Faremo te 'schaduwen' – een paar uur voor die observatie."

"Maar ik reed met mijn eigen auto naar Blindern, ik was op zoek naar Reidun Vestli toen dat gebeurde."

"Lystad van de landelijke recherche vertelde al dat je dat had gezegd. Maar hij zei ook dat het tijdstip vaag was. Het zou kunnen zijn dat je bij daglicht in Askim was, en dat je daarna als de gesmeerde bliksem naar Blindern bent gereden om een alibi te regelen."

Frank Frølich zuchtte diep. "Dat is toch idioot."

Gunnarstranda stak de sigaret aan. "Heb je een asbak?"

Frank Frølich knikte naar een leeg pindaschaaltje op de tafel. "Gebruik dat maar." Hij ging rechtop zitten en keek weer op de kaart. Hij schraapte zijn keel en zei: "Wat voor auto stond langs de Skjoldenvei geparkeerd?"

"We weten het merk niet. Lystad zegt dat het een sedan was, zilvergrijs, het kan alles zijn, van een Saab tot een japanner. En Faremo had een zilvergrijze Saab."

"En ik heb een zilvergrijze Toyota Avensis – sedan."

"Ja", zei Gunnarstranda laconiek. "Toen we bij de Kykkelsrud centrale stonden, had je het de hele tijd over die weg hier." Hij tikte met zijn wijsvinger op de kaart.

"En dat heb je natuurlijk tegen Lystad gezegd?"

"Natuurlijk."

Frank Frølich grijnsde scheef en zei: "Die Vrangfoss is heel bijzonder, er steekt een landtong uit in de rivier, zodat het water door een heel smalle geul om de landtong heen moet stromen."

"Het lijkt wel alsof je er bekend bent."

"Nadat we elkaar bij de dam hadden gesproken, ben ik erheen gegaan."

"Juist."

"Waarom ben je eigenlijk hierheen gekomen?" vroeg Frank Frølich ineens.

Gunnarstranda keek op, met een scheve glimlach om zijn lippen. Hij schraapte zijn keel. "Er is een getuige opgedoken in de zaak van de nachtwaker op Loenga."

Frank Frølich trok vragend zijn wenkbrauwen op.

"Hij heeft zich niet vrijwillig gemeld. Het is een van die vrije vogels die bij Plata rondhangen, en hij is ondervraagd omdat twee undercoveragenten geruchten hadden opgevangen dat hij iets wist van de moord op Loenga", vervolgde Gunnarstranda. "De man heet Steinar Astrup. Hij lag die nacht in een container, onder een paar kartonnen dozen te slapen. En zijn verhaal is heel interessant. Hij zegt dat hij wakker werd toen de container naast die van hem werd opengebroken. Het waren drie kerels."

"Dat belooft wat. Een fotoconfrontatie?"

"Ze droegen allemaal bivakmutsen. Aan de buitenkant van het hek stond een auto, een BMW stationwagen. Het drietal was bezig de buit in zwarte plastic zakken te stoppen. Daarna waren ze naar het hek gelopen en hadden ze de zakken eroverheen gegooid. En nu moet je opletten: die getuige beweert dat er een vierde persoon achter het stuur van die auto zat. De persoon in kwestie stapte uit en tilde de zakken in de laadruimte van de auto. Dat is twee keer gebeurd. Dat wil zeggen dat die kerels twee keer met zakken naar het hek zijn gelopen. Maar opeens verstopte het drietal binnen de omheining zich achter een stapel pallets, omdat de nachtwaker, Arnfinn Haga, met zijn kleine Fordje aan kwam rijden. Hij minderde snelheid toen hij de stationwagen passeerde. De auto's bevonden zich elk aan een kant van het hek. De nachtwaker stopte en reed een stukje terug. Hij stapte uit de auto en scheen met een sterke zaklamp door het hek naar de persoon die aan de andere kant in de BMW zat. En toen gebeurde er iets merkwaardigs." Gunnarstranda pauzeerde even met opzet voor hij verder ging: "De persoon achter het stuur van de BMW stapte uit, met de handen omhoog."

"Handen omhoog? Die nachtwakers zijn toch niet gewapend? De auto stond aan de andere kant van het hek, hij had toch weg kunnen rijden?"

"Ik ben nog niet klaar. Maar je hebt een punt. Volgens Astrup vroeg de nachtwaker waar de persoon mee bezig was. En toen was het pang."

"Pang?"

"Ja, een van de kerels met de bivakmutsen rende naar voren en sloeg de nachtwaker met een honkbalknuppel neer."

"En toen?"

"Dat hij het over een honkbalknuppel heeft, is belangrijk. Dat betekent dat die getuige de waarheid spreekt. Er is verder niemand die weet dat het moordwapen een honkbalknuppel is, behalve onze eigen mensen."

"En hij heeft het dus over vier personen? Dat kan betekenen dat wij op het verkeerde spoor zitten."

Gunnarstranda schudde het hoofd. "Die drie kerels klommen daarna over het hek, sprongen in de BMW en gingen er als een haas vandoor", maakte hij zijn verhaal af.

"Vier personen?"

Stilte daalde in de kamer neer. Frank Frølich hoorde plotseling getik. Gunnarstranda's Swatch horloge. Hij schraapte zijn keel. "Wat wil dat zeggen?"

"Ik weet het niet", zei Gunnarstranda zacht. "Of het waren er vier: Faremo, Rognstad, Ballo plus een onbekende vierde, of het hele spoor naar het drietal, Faremo, Rognstad en Ballo, is een dwaalspoor."

"Misschien hadden ze voor deze klus gewoon een chauffeur nodig?"

"Een container op de kade? Niets wijst erop dat ze juist voor deze klus een vierde man in moesten schakelen. Ze staan erom bekend dat ze altijd samenwerken, en niemand anders meenemen."

"Wanneer werden ze gearresteerd?"

"Ballo en Faremo werden 's morgens om vijf uur in Faremo's appartement gearresteerd. Rognstad werd opgepikt bij het clubgebouw van de Hells Angels bij Alnabru. Alle drie hebben ze verklaard dat ze hebben zitten pokeren in het appartement van Jonny en Elisabeth Faremo – onder het toeziend oog van Elisabeth Faremo, van twee uur 's nachts totdat ze werden gearresteerd. En de rechter-commissaris geloofde hen, omdat Elisabeth Faremo in het appartement aanwezig was toen de politie arriveerde."

"En Rognstad?"

"Hij verklaarde dat hij het appartement tien minuten voor de arrestatie heeft verlaten. Hij reed op zijn motor naar Alnabru, en dat klopt met waarnemingen van getuigen bij Alnabru."

"Niemand heeft gezien dat ze 's nachts thuiskwamen?"

Gunnarstranda schudde het hoofd.

"En de auto, de BMW?"

"Er is een gestolen BMW gevonden. Dat kan de auto van de dieven zijn. Hij werd de dag na de moord bij Sæther gevonden. Er was geprobeerd de auto in brand te steken."

"En wat is je conclusie?"

"Het enige wat deze drie kerels in verband brengt met de moord op Arnfinn Haga is de tip van Merethe Sandmo. Als Sandmo en Ballo geliefden zijn, is de kans groot dat zij haar tip weer intrekt, en dan hebben we niets."

"Maar wat denk je, hebben die drie de nachtwaker vermoord?"

Gunnarstranda stond op. "Op dit moment denk ik helemaal niets." Hij liep naar de deur. "Ik word geplaagd door een ander mysterie", mompelde hij.

"Welk?"

"Als er die nacht door vier mannen in die container is ingebroken, waarom gaf Merethe Sandmo ons dan maar drie namen?"

Frank Frølich haalde de schouders op.

"Je bent het toch met me eens dat dat vreemd is?"

"Ja."

"We hebben drie mogelijkheden: óf ze wist niets van de vierde man, óf ze zwijgt over de vierde man, óf de tip is een puur verzinsel."

"Kan het zijn dat Astrup liegt? Dat het er maar drie waren?"

"Dat betwijfel ik. Zijn verhaal verklaart hoe het gegaan is, geeft een motief voor de moord en komt bovendien overeen met de rubbersporen die zijn gevonden aan de buitenkant van het hek."

"Dan waren het dus vier man."

Gunnarstranda knikte. "Als het je lukt om Elisabeth Faremo te vinden, probeer dan een naam uit haar los te peuteren."

"Van wie?"

"De vierde overvaller."

13

Hoofdinspecteur Gunnarstranda reed over de Drammensveien en sloeg af bij Lysaker. Hij was onderweg naar Reidun Vestli en eigenlijk beviel hem dat helemaal niet. Hij vroeg zich af waarom hij het deed. Wilde hij Frølich een dienst bewijzen? Nee. Hij wist dat Frølich hier een neus voor had, maar in zijn eigen onderzoek was hij niet gerechtigd om initiatieven te nemen ten opzichte van Reidun Vestli.

Daarom had hij besloten dat hij het deed omdat hij duidelijkheid wilde krijgen over Elisabeth Faremo's geloofwaardigheid. Reidun Vestli zou misschien achtergrondinformatie kunnen geven over de belangrijkste getuige van de verdediging. Hij parkeerde langs een roodgeverfd hek van met elkaar verbonden palen en wandelde rustig over de oprit. Het was koud. De zon scheen kleurloos en kil tussen de met rijp bedekte daken van twee woningen door. Hij bleef een paar seconden staan nadenken voor de bruine teakdeur met de deurklopper in de vorm van een leeuwenkop en belde toen aan. Er gebeurde niets. Geen geluid te horen. Hij greep de klink in de bek van de leeuw, sloeg hem naar beneden en ontdekte dat de deur niet was afgesloten en op een kier stond. Hij luisterde. Er klonk een geluid, alsof er binnen iets op de grond viel. Hij keek om zich heen. Overal staarden dode ramen hem aan. De wind kreeg voorzichtig vat op de deur waardoor de schoot van het slot tegen de plaat in het kozijn tikte. Hij klopte nog een keer. Nog een keer klonk het doffe geluid.

Gunnarstranda nam een besluit, duwde de deur halfopen en riep: "Hallo!"

Toen zweeg hij. Er lagen een paar tomaten op de vloer. Hij bleef er naar staan kijken. Een tros druiven in een doorzichtige plastic verpakking lag voor de tomaten, een banaan was platgetrapt op de drempel naar de volgende kamer. Achter de drempel lag een gebroken wijnfles in een grote plas wijn, nog half in een draagtas.

Moest hij naar binnen gaan?

"Dag meneer."

Gunnarstranda draaide zich om. Een jongetje in een overall en met een snottebel onder zijn neus stond naar hem te kijken.

"Soekt u die mevrouw?" sliste hij.

"De vrouw die hier woont, ja."

"Se rijdt in de siekenauto."

*

Frank Frølich was in zijn auto gestapt en via de Ryenbergbakkene onderweg naar het centrum, toen Gunnarstranda belde.

"Ik zou eigenlijk geen contact met je op moeten nemen, dat kan verkeerd worden opgevat", zei Gunnarstranda.

"Ik wist niet dat jij zo'n moralist was", zei Frølich en hij keek uit naar een plek waar hij kon stoppen.

"Het is mijn werk om te moraliseren. Wat voor smeris zou ik zijn als ik niet sceptisch was over andermans moraal? Ons werk, Frølich, is net zo legitiem als de flitskasten langs de weg: ook als we niet zien dat mensen iets fout doen, geloven we toch dát ze iets fout doen."

Het viel Frølich op dat de man ongewoon spraakzaam was. Hij reed de eerste de beste bushalte op en stopte om rustig te kunnen praten. Hij vermoedde dat dit banale geklets over flitskasten de inleiding tot iets anders was en ging er daarom op in: "Dat ben ik niet met je eens. Het is onethisch om een overtreding te veronderstellen die niet is begaan. Met flitspalen zit dat anders. Die zorgen ervoor dat er minder ongelukken gebeuren."

"Geweldig, Frølich. Jij doorziet de gerechtelijke retoriek van de staat: als je flitspalen langs de weg zet, worden dat preventieve maatregelen genoemd en zo lang er dergelijke etiketten opgeplakt worden, speelt het geen enkele rol of de foto wordt gebruikt als bewijs in de daaropvolgende rechtszaak. Jij en ik en alle andere dienaren van de staat worden betaald om te twijfelen aan de moraal van het volk. Maar dat is niet de reden dat ik je bel."

"Daar was ik al bang voor."

"Ik vraag me af wat nu eigenlijk de reden was dat jij wilde dat ik contact op zou nemen met Reidun Vestli."

"Dat heb ik al gezegd."

"Maar ik ben daar niet helemaal van overtuigd."

"Vertel me liever wat er is gebeurd", zei Frank Frølich vermoeid.

"Het is niet zeker of de vrouw het zal halen."

*

Een paar uur later vond hij een parkeerplaats aan de Skovveien. Hij liep door de Bygdøy allé en vervolgens in de richting van het Hydrogebouw en het Hydropark. Toen Frank klein was, had hij daar zijn oom bezocht. Zijn oom had gewerkt op de inkoopafdeling van Hydro.

De beveiligingsbeambten in de receptie leken zich te vervelen. Ze waren voor de gein bezig met een boksspelletje, tot hij op het kunststofraam klopte. Hij vroeg naar Langås. De oudste van de beambten pakte de telefoon en toetste een nummer in. De jongste verschool zich achter de krant van die dag. De man met de telefoon hield zijn hand over de hoorn en vroeg wie hij kon zeggen. Frank Frølich stelde zich voor. De man hield zijn hand weer over de hoorn. "Langås zegt dat hij u niet kent."

Frank Frølich zei: "Zeg maar dat ik hem graag wil ontmoeten, nu, en dat ik de zaken liever met hem bespreek dan met u."

Even later kreeg hij groen licht. Frølich liep naar binnen en naar de lift. Toen de liftdeuren opengingen, keek hij recht in het gezicht van een man van een jaar of vijftig. De man had lang, grijs haar met een middenscheiding, samengebonden in een paardenstaart. Zijn baard was kortgeknipt, zijn scheve glimlach charmeerde vanwege een opvallende kroon in zijn bovengebit. De man had het image van ex-hippie, gecombineerd met een duur pak. Frank, die de vooroordelen voelde opkomen, wist gelijk dat hij hem niet mocht.

"Wilde u met mij praten?"

Frank Frølich stelde zich voor.

"Waar gaat het over? Ik heb een druk programma en niet veel tijd."

"Het gaat over uw ex-vrouw, Reidun Vestli."

"En wie bent u?"

"Ik ben van de politie, maar heb op dit moment vakantie."

Ze bleven een paar seconden naar elkaar staan kijken. "*Allright*", zei Langås ten slotte. "Ik zoek even een vrije kamer."

Ze liepen achter elkaar door de gang. Ze passeerden kantoordeuren, een kamer met een glimmende kopieermachine. Ze passeerden een glazen hok waar een man en een vrouw allebei met een kartonnen bekertje zaten te spelen terwijl ze een gesprek voerden.

Langås nam hem mee naar een kleine vergaderkamer waar ze elk aan een kant van de tafel plaatsnamen. Op de tafel stond een vergeten, verlepte kamerplant.

Frank Frølich ging recht op zijn doel af. "Ze ligt in het ziekenhuis", zei hij.

"Dat weet ik."

"Ze is in haar eigen huis overvallen."

"Dat weet ik ook."

"Ik heb alle reden om te denken dat de overval te maken heeft met een zaak waar ik aan werk."

"Tijdens uw vakantie?"

Frølich gaf geen antwoord. Ze bleven naar elkaar zitten kijken. Langås hield zijn hoofd een beetje scheef. Een uitdrukking zonder ironie, alleen beoordelend.

Frank nam een beslissing en zei: "De overval wordt door anderen onderzocht. Maar ik heb reden om te geloven dat ..."

"Ik heb eigenlijk niets te zeggen", onderbrak Langås hem. "De politieman die me over Reidun heeft gebeld, liet doorschemeren dat het om een inbraak ging. Ik kan tegen u hetzelfde zeggen als tegen hem: Reidun en ik zijn al jaren gescheiden. Ik weet net zo weinig van haar dagelijkse beslommeringen als ik weet van de buurvrouw van de voorzitter van de vakbond."

"Maar ze heeft u als haar naaste verwant opgegeven."

"Verwant is in dit verband een technisch begrip. En ik heb niet om die rol gevraagd. Het is Reiduns keus, die ik respecteer, maar waar ik de reden niet van begrijp."

"Dus u hebt nog wel af en toe contact met haar?"

"Af en toe klinkt vaker dan bij ons het geval is. Maar luister eens: Reidun en ik ..."

"Heeft ze ooit de naam Elisabeth Faremo laten vallen?" viel Frank Frølich hem in de rede.

"Niet dat ik me kan herinneren. Maar luister eens, ik wil niet worden betrokken bij uw persoonlijke besognes, zeker niet via mijn ex-vrouw."

"Hebt u deze vrouw wel eens gezien?"

Frank Frølich schoof een foto van Elisabeth Faremo over de tafel.

Langås wierp even een blik op de foto, zwijgend.

"Ik vat uw zwijgen op als een bevestiging, u hebt de vrouw dus eerder gezien."

Langås knikte.

"Waar en wanneer?"

"Met Pasen. Ze was met Reidun in het vakantiehuisje."

"Waar staat dat huisje?"

"In Valdres, Vestre Slidre."

Frank Frølich zweeg, in de hoop dat hij een duidelijkere beschrijving zou krijgen. Langås leunde naar voren en zei: "Is het uw vrouw? Heeft ze u voor Reidun in de steek gelaten? Bent u jaloers? Hoe kan ik weten dat u niet degene bent die bij Reidun heeft ingebroken en haar in elkaar heeft geslagen?"

"Ik was het niet. Maar ja, ik ben af en toe wel jaloers geweest op uw ex-vrouw. Ze had tegelijk met mij een verhouding met Elisabeth. Maar dat is niet de reden dat ik hier ben. Ik geef om die vrouw en heb alle reden om te geloven dat ze in serieuze moeilijkheden verkeert, dat ze zich daarom verborgen houdt. Ik geloof dat diezelfde serieuze moeilijkheden de reden zijn dat uw ex-vrouw in het ziekenhuis van Ullevål ligt."

Langås draaide zijn pols en keek met een scheef oog naar zijn horloge – type macho – een kruising tussen een klassiek duikersklokje en een promo voor de laatste film van James Bond.

Frank Frølich wees naar de foto. "De reden van mijn gesprek met u is dat ik deze vrouw, Elisabeth Faremo, wil vinden en haar uit de problemen wil halen. Ik heb geprobeerd met uw ex-vrouw te praten. Dat hebben ook andere politiemensen geprobeerd. Ze weigert antwoord te geven op vragen. Dat betekent dat ook uw ex-vrouw tot haar nek in de problemen kan zitten. Ik vraag u daarom om ..."

"Ik moet gaan", zei Langås. "Reiduns problemen zijn niet mijn zaak. Ik ben gelukkig getrouwd, Frølich. En ik zal eerlijk tegen u zijn. Een van de redenen dat wij destijds gescheiden zijn, was Reiduns geaardheid. We zijn te vroeg getrouwd. We zijn uit elkaar gegroeid, zowel op geestelijk vlak als ... tja, op andere manieren. Dat heeft ertoe geleid dat Reidun en ik nauwelijks iets gemeenschappelijks hebben, we hebben zelfs geen gezamenlijke kinderen. En we stonden mijlenver uit elkaar toen we de boedel hebben verdeeld. Een van de dingen die kwaad bloed tussen ons heeft gezet, was het huisje waar ik het zojuist over had. Het was al twee generaties lang in mijn familiebezit. Het is door mijn grootvader gebouwd. Maar met geraffineerde oneerlijkheid heeft zij het bij onze scheiding ingepikt. Ik was er destijds niet al te best aan toe en kon er niets tegen doen. En om sentimentele redenen heb ik daarna een huisje gekocht dat niet ver gelegen is van het vakantiehuisje dat zij mij heeft afgetroggeld. Daar heb ik het vaakst contact met haar. Soms komen we elkaar tegen tijdens skitochten in de paasvakantie." Hij tikte met zijn wijsvinger op de foto van Elisabeth Faremo. "Deze vrouw heb ik tijdens zo'n skitocht gezien. Ze zaten op een helling langs de loipe te rusten en ik heb – puur uit beleefdheid – een paar minuten met hen staan praten, hooguit vijf minuten. Niet eens lang genoeg om haar naam te vragen. Ik ging ervan uit dat ze problemen had, omdat ze jong was, misschien half zo oud als Reidun. Dat is alles wat ik weet, alles wat ik kan zeggen. Als u me nu wilt verontschuldigen?" Hij stond op, maakte de sluiting van het extravagante horloge los en deed hem weer dicht, zoals een lagereschoolleraar met zijn sleutelbos rammelt.

"Dank u wel", zei Frank Frølich en hij begreep eindelijk waarom Langås met zijn horloge stond te spelen. Hij wilde vermijden hem een hand te geven.

14

Ze zat in een stoel bij het raam. Ze zat naar buiten te staren. Haar rug in de witte ochtendjas leek smal en eenzaam. In het raam zag Gunnarstranda zijn eigen spiegelbeeld en de contouren van haar gezicht.

Hij bleef staan, zonder iets te zeggen.

"Ik weet wie u bent", zei ze. Haar stem klonk laag en geconcentreerd.

Hij ontmoette haar blik in de transparante spiegel. "Kan ik u iets aanbieden?" vroeg hij en hij voegde eraan toe: "Als u zin hebt om met mij naar het restaurant te gaan?"

Toen draaide ze zich eindelijk om. "Denkt u dat zo'n gezicht in een restaurant thuishoort?"

Hij gaf geen antwoord.

"Wat wilt u?" Ze moest vanuit haar mondhoek praten. De huid rond haar ogen was rood en blauw van de bloeduitstortingen.

"Ik wilde horen hoe het met u ging, het zag er niet mooi uit – in uw appartement", voegde hij er snel aan toe. "Kunt u zich herinneren wat er is gebeurd?"

"Ik kan me de ambulance herinneren. In een flits."

"Hebt u enig idee hoeveel tijd er zat tussen de ambulance en ..."

"Nee."

Onwillekeurig schoot Gunnarstranda te hulp toen ze opstond. Hij wilde haar ondersteunen, maar ze wees de toenadering af en strompelde naar een van de lage tafeltjes die langs de wand stonden. Hij nam plaats aan de andere kant van het tafeltje.

"Het lijkt erger dan het is", zei ze.

"Hebt u hem gezien?"

De vraag bracht haar even uit het evenwicht. Ze sloeg haar blik neer.

Hij wachtte.

"Wie?" vroeg ze ten slotte.

"Ik zal u niet dwingen te antwoorden. In plaats daarvan zal ik u uitleggen hoe ik uw zwijgen en uw houding interpreteer. Of u hebt de overvaller gezien en u bent bang voor represailles als u mij zijn beschrijving geeft, of u hebt hem gezien maar wilt niet dat hij gestraft wordt."

Ze zweeg.

Een in het wit geklede verpleegster verscheen in de deuropening. Ze kwam de kamer binnen en vroeg of alles in orde was.

Gunnarstranda knikte naar Reidun Vestli. "Dat moet u aan haar vragen."

Reidun Vestli keek de verpleegster afwezig aan. "Ja, ja, alles is in orde. Maar kan ik iets te drinken krijgen?"

Ze bleven zwijgend zitten kijken naar de verpleegster die naar het aanrecht in de hoek liep, een fles met een of andere frisdrank pakte, een glas met koud water omspoelde en met verende passen terug kwam lopen. Ze gaf Reidun Vestli het glas met een rietje. Ze bleven kijken naar de verpleegster die de kamer door liep en naar buiten ging.

"Hoe is hij binnen gekomen?"

"Door de deur, wat dacht u dan?"

"Heeft hij aangebeld?"

Ze zweeg.

"Of wachtte hij u op toen u terugkwam van het boodschappen doen?"

Ze zweeg nog steeds.

"Wilt u aangifte doen?"

Ze schudde langzaam het hoofd.

"Waarom niet?"

Geen reactie.

Gunnarstranda leunde naar voren: "Wie heeft u geslagen?" vroeg hij indringend.

Reidun Vestli gaf geen antwoord.

"Kunt u de man in kwestie beschrijven?"

Ze zette het glas op tafel. Met de bodem van het glas maakte ze kringen op het tafelblad. De stilte duurde voort. Een grote klok aan de wand maakte een klikkend geluid als de minutenwijzer bewoog.

"Ik denk", zei Gunnarstranda ten slotte, "dat degene die u dit heeft aangedaan erg wanhopig moet zijn. Als u niet wilt vertellen wie het is, of hem niet wilt beschrijven, wil ik dat u zegt wat hij wilde – afgezien van u letsel toebrengen. Ik geloof dat het heel belangrijk is dat de man wordt opgepakt, belangrijk voor ons, voor u en niet in de laatste plaats voor Elisabeth Faremo."

De naam van Frølichs vriendin leek een knopje in Reidun Vestli's bewustzijn om te zetten. Langzaam tilde ze haar hoofd op, haar ogen staarden in de verte. "Ik wil dat u gaat", zei ze.

Gunnarstranda pakte een foto van Vidar Ballo. "Is dit de man die u in elkaar heeft geslagen?"

Reidun Vestli bleef zonder iets te zeggen naar de foto zitten kijken.

Gunnarstranda pakte een nieuwe foto, deze keer van Jim Rognstad, een politiefoto, *en face* en *en profil*.

Reidun Vestli zweeg.

Gunnarstranda liet een foto van Frank Frølich zien.

Reidun Vestli's gezicht vertrok geen spier.

De politieman pakte een krantenfoto van haar ex-man, investeerder Langås.

Ook nu gebeurde er niets.

"Is er iemand die u mist?" vroeg de politieman zacht.

Reidun Vestli keek op.

Gunnarstranda leunde achterover in zijn stoel en zei: "Is er iemand van wie u geen foto hebt gezien?"

Reidun riep met hese stem: "Zuster, zuster, hallo! Ik wil niet meer."

Gunnarstranda stond op. "Nog één ding voor ik ga", zei hij en hij stopte de foto's in zijn binnenzak. "U en uw ex-man hadden allebei belang bij een vakantiehuisje in Valdres, maar wie is eigenlijk de eigenaar?"

De deur ging open. Een verpleegster kwam binnen. "Ik ga nu", zei Gunnarstranda geruststellend.

"Wacht!" Reidun Vestli keek met een onrustige blik naar hem op.

De verpleegster ging weer en trok de deur achter zich dicht.

Reidun Vestli haalde diep adem. "Waarom wilt u dat weten?"

Gunnarstranda dacht na. Ten slotte zei hij: "Eigenlijk om verschillende redenen, maar laten we beginnen met de verzekeringspremie. Ik vraag me af wie van u die krijgt uitbetaald als er iets mocht gebeuren, iets onvoorziens."

"Wat probeert u mij te vertellen?" fluisterde ze.

"U wordt hier vandaag ontslagen, hè?" vroeg Gunnarstranda. "Zal ik u naar huis brengen, dan kunnen we erover praten?"

Ze knikte langzaam.

"Dan kunt u nu de verpleegster weer roepen", zei Gunnarstranda.

15

Toen Gunnarstranda het kantoor binnenkwam, kon hij net even knik-
ken in de richting van Yttergjerde en zijn jas uittrekken voor de telefoon begon te rinkelen. Hij greep de hoorn van de haak en blafte als
gewoonlijk: "Hou het kort, alstublieft."

"Frølich."

"Goeiemorgen. Vroeg uit de veren, vroeg in de kleren?"

"Ik heb gisteren met Langås gesproken, de ex-man van Reidun Vestli."

"Je geeft dus niet op?"

"Hij vertelde over een vakantiehuisje, Elisabeth is met Reidun Vestli
in een huisje in Valdres geweest."

"En?"

"Ik dacht dat ik maar open kaart moest spelen, zoals je zelf hebt
gevraagd. Ik wil erheen gaan om te kijken of Elisabeth zich misschien
in dat huisje schuilhoudt. Dat zou kunnen, ik bedoel ..."

"Ik weet van het huisje", viel Gunnarstranda hem in de rede en hij
had er onmiddellijk spijt van. Het bleef stil aan de andere kant, en hij
was degene die een eind aan die stilte moest maken. Hij zei: "Het lag in
Vestre Slidre."

"Lag?"

"Het is een paar dagen geleden afgebrand."

"Brand?"

"Ik ontdekte het per toeval."

"Hoezo?"

Gunnarstranda leunde achterover in zijn stoel. Hij pakte een sigaret
uit zijn zak en stak hem tussen zijn lippen. Hij wist niet hoe hij het
moest zeggen.

"Hallo", snauwde Frølich ongeduldig. "Ben je er nog?"

"Frank Frølich, staat er een stoel bij je in de buurt?"

"Kom op, zeg dan wat er is!"

"Misschien moet je even gaan zitten. Ik heb gisteren een schrijven gekregen, gericht aan het Gerechtelijk Laboratorium en ik had er niet op gereageerd als ik niet toevallig het kadasterformulier had gelezen. Het afgebrande huisje was eigendom van Reidun Vestli. Het hoofd van de politie in Nord-Aurdal heeft gerapporteerd dat er lange botstukken in de as van het verbrande huisje zijn gevonden."

Stilte.

"Lange botstukken, Frølich. Weet je wat dat betekent?"

"Ze hoeft het niet te zijn."

"Natuurlijk niet."

Weer stilte.

"Maar het huisje van Reidun Vestli is een paar dagen geleden afgebrand. En er was iemand in het huisje aanwezig toen het afbrandde. Als Reidun Vestli het huisje niet heeft uitgeleend aan bijvoorbeeld Elisabeth Faremo, kan het een dief zijn geweest die heeft ingebroken en die vervolgens met een brandende sigaret in slaap is gevallen, wat resulteerde in een brand. Maar dat is niet het eerste waar we aan denken, hè? We hebben allebei aan de mogelijkheid gedacht dat ze het huisje heeft uitgeleend, hè?"

Frølichs stem klonk gesmoord: "En wat doe jij met die zaak?"

"Klassieke procedure, DNA-materiaal zoeken om de identiteit van de overledene vast te stellen."

"Hoe?"

"We hebben ons bijvoorbeeld toegang verschaft tot het appartement van Elisabeth Faremo en haar broer."

"Iets gevonden?"

"Een haarborstel. Lag op haar bed. Ik heb gevraagd het DNA-profiel te vergelijken met de botresten in het huisje."

Deze keer duurde het langer tot Frølichs vraag klonk: "Wanneer krijg je de uitslag?"

"Weet ik niet precies."

Toen Gunnarstranda de hoorn had neergelegd, bleef hij kwaad naar de telefoon zitten staren. Yttergjerde draaide zich naar hem toe. "Hoe nam hij het op?"

Gunnarstranda leunde moeizaam achterover en zei: "Hoe denk je?"

16

Die nacht sliep Frank Frølich niet. Hij lag zwetend onder het dekbed, alsof hij koorts had. Toen hij probeerde overeind te komen, ging hij bijna tegen de vlakte. Het suisde in zijn hoofd. Hij dacht: ik moet erheen, ik moet dat huisje vinden. Hij had geen idee waar het stond, had dus geen idee waar hij moest zoeken. Maar hij kon ook niet stil blijven liggen.

Hij moest uitzoeken waar het huisje stond. Er was er maar één die hij dat kon vragen.

Daarom kleedde hij zich aan en ging naar buiten. Het was ijskoud, maar hij voelde het niet. Het ijs op de voorruit was hard als asfalt. Hij pakte een krabber, maar hij kwam er niet doorheen. Hij sloeg op het ijs, timmerde erop los, zonder dat het hielp. Hij raakte buiten adem en moe van niets. Hij stapte in, startte de auto en zette de defroster op de hoogste stand. Apathisch bleef hij achter het stuur zitten tot het ijs smolt. Toen reed hij weg. Hij reed door de stad naar Vækerø en sloeg rechtsaf, de Vækerøveien op.

Hij parkeerde langs een tuinhek. Het reservaat van de gegoede burgerij in het westelijk deel van Oslo was in het donker gehuld, afgezien van enkele lantaarnpalen die geelgrijze lichtkegels tussen de huizenrijen wierpen. Hij stapte uit de auto en liep in de richting van Reidun Vestli's woning. Het was nacht. Maar het kon hem niet schelen. Hij stond een paar tellen naar zijn handen te kijken. Ze trilden. Was het goed of fout om nu met haar te gaan praten? Hij wist het niet. Maar hij liep door, passeerde een paar auto's met bevroren ruiten. Even later liet hij de deurklopper neerkomen. Er gebeurde niets. Hij luisterde, maar binnen was niets te horen. Hij liep de beide treetjes naar beneden en daarna om het rijtjeshuis heen. De aarde in de bloembedden was bedekt met ijskristallen. Hij trok zich terug. Bleef een paar meter verderop staan kijken naar het appartement. Het lag aan het eind van de rij. Hij liep terug, het bevroren gazon op. Zijn voeten lieten duidelijke sporen achter op de rijp. Hij liep naar het terras. Het was slecht onderhouden, een vloer van geïmpregneerd materiaal. De balustrade was getimmerd van gebeitste planken, die al begonnen te rotten. Een paar verlepte planten in potten waren in een hoek geschoven. Midden op het terras stond een groene kruik halfvol zand en sigarettenpeuken. *Lange botstukken in de as.* Hij liep naar het raam en keek door een spleet. Hij keek naar twee bleke voeten die recht omhoog staken. De ene grote teen was gelakt. Hij klopte op de deur. Geen reactie. De voeten bewogen niet. Hij probeerde de terrasdeur. Die zat niet op slot.

Ze lag op haar rug, haar mond vertrokken in een verstijfde grijns en haar blik naar boven en naar achteren gericht alsof ze probeerde oogcontact te krijgen met iemand die in de wand achter haar woonde. Ze was dood. Hij had geen dokter of schouwarts nodig om daar een bevestiging van te krijgen. Hij voelde zich ineens doodmoe. Wie zal rouwen om jou? dacht hij. Hij werd misselijk. *Lange botstukken in de as van het verbrande huisje.* Slaappillen lagen rond het omgevallen glas op het nachtkastje. Een aantal pillen was op de vloer gevallen, meer pillen waren te herkennen in het braaksel op het kussen. Doodsoorzaak: vergiftiging of verstikking als gevolg van overgeven veroorzaakt door een reactie van het lichaam op de vergiftiging. Kans 1:2. Hij gokte op verstikking. Maar de misselijkheid die hij voelde gold niet haar, de stank van een dood lichaam, de stank van opgedroogd braaksel of de stank van dode lucht en oude sigaretten. De misselijkheid was een reactie van zijn lichaam op dit universum van dood, verminking en gebrek aan verdriet, gebrek aan normaliteit. Waar was Elisabeths verdriet toen ze haar broer verloor? Hij leunde tegen de wand. Wie zal rouwen om jou? dacht hij weer, hij keek naar de treurige voeten die onder de deken uitstaken. Je ex-man zal je nu waarschijnlijk nog meer haten nu het huisje waar jullie ruzie over hadden, is afgebrand.

Om van te kotsen. *Lange botstukken.* Hij gleed met zijn rug langs de wand tot hij op de vloer zat. Hij haalde diep adem. Waar was de afscheidsbrief? Geen envelop, geen blad met trillend handschrift, geen teken van afscheid te zien. Hij keek even naar de computer. Die stond uit. Gunnarstranda zou er zeker beslag op laten leggen. Een nieuwe aanval van misselijkheid overspoelde hem. Deze keer was het een reactie op hemzelf. Zijn eigen zieligheid. *Lange botstukken.* Hij stond hier naast een dode en vreesde voor het leven van een ander. Stel dat Elisabeth in de brand was omgekomen? Was dat de verklaring van Reidun

Vestli's zelfmoord? Hij slikte de aanval van misselijkheid weg, stond op, liep weer naar het terras en ademde met diepe teugen de frisse lucht in. Hij steunde tegen het donkere hekwerk, ging op de rand van het terras zitten en belde Gunnarstranda.

Deel 3

– DE SLEUTEL –

1

Frank Frølich kwam overeind in zijn veel te grote tweepersoonsbed. Hij keek naar het kussen en het dekbed naast hem. Niemand had daar sinds Elisabeth gelegen – sinds de nacht dat zij verdween en Arnfinn Haga werd vermoord op Loenga. Het beddengoed was niet verschoond, de kreukels in het laken waren door háár lichaam gemaakt. Een enkele zwarte haar was achtergebleven. Die lag op het hoofdkussen als een kronkelig pad dat op een kaart van een verlaten berglandschap was getekend. Naast het bed, op het nachtkastje, stond een lege wijnfles met een stompje kaars in de hals. Zij had de provisorische lamp gemaakt toen op een avond de stroom uitviel. Het flakkerende licht had dramatische schaduwen van hun lichamen op de wand getekend.

Hij had deze herinnering aan haar net zo goed in een boek kunnen lezen, of lang geleden op een film kunnen zien. Het laatje van het nachtkastje aan haar kant zat niet goed dicht. Hij stond op en liep naakt om het bed heen. Er lagen geen vergeten oorbellen of ringen op het kastje. Hij pakte de knop van de la en wilde hem helemaal dicht duwen. Zijn oog viel op iets wat erin lag. Hij trok de la uit. Het was een boek. Gedichten. Haar boek, waar ze in had gelezen. Een moment later zag hij zichzelf uit de badkamer de slaapkamer binnenkomen: Elisabeth lag naakt op het bed, haar hoofd op haar elleboog, ze keek naar hem op en sloot het boek.

Haar boek. De beelden waren niet langer vaag. Het was alsof hij een deel van Elisabeth in zijn handen hield. Van pure emotie moest hij gaan zitten.

Met trillende handen sloeg hij het boek open. Er lag een boekenlegger in. De rillingen liepen over zijn rug toen hij ernaar keek. Het was een geborduurde boekenlegger, zorgvuldig gemaakt, witte zijde met een zwarte tekening, geborduurd met minuscule steekjes. Hij schrok van de afbeelding. Het was hetzelfde motief als Elisabeths tatoeage. Hij schoof de boekenlegger aan de kant en las:

Ik vergeet niemand
pijn streelt ook
langs een gebroken tak
ik vergeet niemand
als ik je kus

Hij zat op het bed. De woorden riepen de beslissende ontmoeting tussen hen op: de avond dat ze hem naar huis was gevolgd. De drukte in de metro, het geluid van voetstappen op het asfalt, het beeld van haar silhouet tegen het licht van de straatlantaarn. Hij voelde weer de warmte van haar adem langs zijn wang.

Hij bladerde terug. De woorden vormden het laatste couplet van een gedicht van Gunvor Hofmo.

Hij las de eerste regels:

Mijn gezicht is verdwenen
in het wilde ritme
Alleen mijn witte lichaam danst

Had ze zichzelf zo gezien? Een lichaam zonder gezicht? Hij las nog een keer: *ik vergeet niemand als ik je kus.* Het beeld van Elisabeth loste op toen hij las. Had ze het boek met opzet laten liggen? Of had ze het gewoon vergeten? Een afbeelding van Elisabeths bijzondere tatoeage – anders dan andere – een intieme signatuur van haar lichaam, opgeslagen bij de zin die ze had gebruikt als inleiding van hun relatie. *Ik vergeet niemand als ik je kus.*

Hij hoorde Gunnarstranda's stem in zijn hoofd: *lange botstukken.* De woorden overstemden het kabaal van uitslaande vlammen in zijn hoofd. Een beeld: een enorm vuur, een huis in brand, ondraaglijke hitte, exploderende ramen. Met alleen de contouren van een lichaam gehuld in vlammen. Het beeld werd ingezoomd. De contouren van het lichaam veranderden in materie. Opzwellend vlees met blaren, smeltend, sissend in het vet, in gele vlammen verbrandend tot kool. Zijn gedachten stonden stil, verlamd door de voorstelling, tot hij het boek weer tussen zijn vingers voelde.

Als het de stoffelijke resten van Elisabeth waren in de asresten van

Reidun Vestli's huisje, als Elisabeth dood was, hoe moest hij daar dan overheen komen?

Hij las het gedicht nog een keer. Nieuwe beelden in zijn bewustzijn: hij zag zichzelf tijdens de paringsdaad, lang geleden, het beeld vager, zonder kleuren. Elisabeth die het boek weg legde en vertelde dat het niet mogelijk was hetzelfde boek twee keer te lezen.

Toen begreep hij het, het had te maken met een oude liefde. De zin refereerde aan een speciale persoon.

Hij stond op en staarde met nietsziende ogen uit het raam: dat Elisabeth zelf het initiatief had genomen tot een verhouding met hem, moest een verraad aan een ander betekenen. Maar wie had ze verraden? Reidun Vestli? Was het zo simpel? Had Elisabeth met dat zinnetje om vergeving gevraagd? Nee. Dat kon niet. Dit ging over vergetelheid, over iets in het verleden. Maar wie zou ze niet vergeten?

En wie kon een antwoord geven? Haar broer was dood. Reidun Vestli – dood. Hij woog de geborduurde boekenlegger in zijn hand. Een borduurwerk. Een motief getatoeëerd op Elisabeths heup. Het was mogelijk dat iemand die tatoeage eerder had gezien.

Nadat hij lang onder de douche had gestaan en een licht ontbijt had gegeten, zette hij de pc aan en logde in op het net, de Gouden Gids, hij zocht naar tatoeagestudio's. Het was een lange lijst: *Purple Rain* in Heimdal, *Odins merke* in Lillestrøm, *Au! Tatoo og Piercing* in Bergen, *Hole in one* in Bodø. Hij besloot zich te beperken tot Oost-Noorwegen. Hij printte de lijst uit en keek ernaar. Het leek wel of hij weer als smeris aan het werk ging. Een huis-aan-huisactie.

Moest hij dat misschien doen? Moest hij zich weer op zijn werk melden, en het onderzoek een deel van zijn werk laten worden? Hij zette die gedachte aan de kant, ging naar buiten en liep naar zijn auto.

*

Het werd een tournee langs tatoeagestudio's met wanden vol kitsch – motoren, doodskoppen, zwaarden en vlammen, rozen, schorpioenen. In de meeste zaken lagen jonge meisjes op hun buik om een decoratie op hun onderrug getatoeëerd te krijgen. Soms lagen ze op hun rug en werden er rozen of kalligrafische tekens op liezen of dijbenen getekend. Een man wilde een doornenkroon om zijn arm, een ander kreeg Leiv Eiriksson op zijn been. Overal herhaalde zich hetzelfde ritueel: Frank Frølich liet een foto van Elisabeth Faremo zien en daarna de boekenlegger met het merkwaardige motief. De afbeelding deed denken aan kraaienpoten: vreemde strepen met een krul eraan. Nergens zag hij iets wat erop leek. Veel tatoeëerders hielden met foto's een documentatie bij van de lichaamsdecoraties die ze hadden gemaakt. De meesten leken rechtstreeks afkomstig uit het motormilieu. Nergens kreeg hij beet.

Tussen de bezoeken zat hij thuis te zoeken op internet. Hij zocht op woorden uit het gedicht, hij zocht op verschillende woordcombinaties, maar zonder resultaat. Toen hij voor de derde keer de print met adressen doornam, bleef zijn blik hangen bij een zaak met de naam *Personal art tatoo studio*. Het opvallende was dat de zaak in Askim was gevestigd.

Het was een blinde gok. Maar het lijk van Jonny Faremo was daar gevonden, in Askim. Hij kon het net zo goed daar proberen als ergens anders.

*

Hij maakte zich klaar, pakte zijn autosleutels en nam de lift naar beneden. Hij liep de straat op en ademde de zware, vochtige lucht in. Het weer was milder geworden. De wolken hingen laag boven de stad. Het regende niet, maar de lucht bestond uit nevel, een grauwe, vochtige materie, minuscule waterdruppels die zweefden in de mist en langzaam, heel langzaam neerdaalden naar de grond.

Toen hij in de auto was gestapt, nam hij de verkeerde afslag en reed hij in de richting van het centrum in plaats van richting Ski. Daarom sloeg hij af bij Simensbråten, hij reed over de Vårveien en vervolgens naar rechts, de Ekebergveien af. Hij remde af bij de inrit naar het woningcomplex waar Elisabeth woonde. Opeens besloot hij te stoppen. Je bent niet dood. Ik weiger het te geloven. Het was een treurig gevoel, maar het was sterk. Hij was ervan overtuigd dat ze binnen was, in het appartement. Hij draaide de parkeerplaats op, stapte uit en liep op een drafje de trappen af naar het appartement van Jonny en Elisabeth Faremo. De deur was niet verzegeld. Happend naar lucht bleef hij staan. Hij belde aan. Geen geluid te horen. Hij belde nog een keer, luisterde, klopte. Geen levende ziel te bekennen.

Maar bij de buren klonk geluid. Hij draaide zich om naar de deur ernaast, daarachter werd het stil. Hij liep erheen en belde aan. Binnen klonk een sloffend geluid. Een schaduw viel over het kijkgaatje. Het duurde nog een paar seconden voor er gerammel van een ketting klonk en de deur werd geopend.

"Daar ben ik weer", zei Frank Frølich.

De oude man keek hem aan. Zijn lippen trilden, zijn gezicht was vertrokken in een grijns, een verstijfde trek, alsof hij tegen de zon in keek.

"We hebben elkaar een paar dagen geleden gesproken, ik vroeg u naar Elisabeth Faremo en u zei dat ze een rugzak had gepakt en was vertrokken. Daarna hebt u mijn collega's van de politie over het gesprek verteld. Weet u het nog?"

De man knikte.

"Ik vraag me een ding af", zei Frank Frølich, "u hebt hier toch veel langer gewoond dan broer en zus Faremo?"

De man knikte weer.

"Weet u hoe lang ze hebben samengewoond? Of zijn ze hier tegelijk komen wonen?"

"Waarom ..." De man moest hoesten om zijn stem kracht te geven. "Waarom wilt u dat weten?"

Frank dacht na. "Om persoonlijke redenen."

De man keek hem een tijdje aan, maar leek het antwoord te accepteren. Frank zag in elk geval geen scepsis in zijn ogen toen hij zei: "Zíj kwam hier eerst wonen. Haar broer kwam een paar jaar later."

"Weet u nog welk jaar ze hier kwam wonen?"

De man schudde het hoofd.

"Denkt u eens goed na."

"Dat moet wel minstens tien jaar geleden zijn."

"En de eerste tijd heeft ze hier alleen gewoond?"

De man schudde het hoofd. "Er kwamen wel eens mannen over de vloer, één in het bijzonder, voor de broer hier kwam wonen.'

"Een man?"

"Ja, ze is een mooie vrouw en er zijn mannen geweest, één man heeft het een hele tijd volgehouden. Ik geloof niet dat hij hier vast heeft gewoond, maar wel hele periodes. Ik kan me dat herinneren omdat ik er zo mijn twijfels over had. U moet weten dat hij een van onze nieuwe landgenoten was. Hij is verdwenen, godzijdank, we dachten eerst dat Jonny zijn plaats had ingenomen, maar Jonny bleek haar broer te zijn."

"Een van onze nieuwe landgenoten?"

"Ja, geen neger, meer zo'n Turk, Slavisch. Rond hoofd en een lange neus. Maar ik weet niet meer hoe hij heet, het was iets met een I ... of was het een A ... Ika? Aka? Nee." Hij schudde het hoofd. "Het is al een tijd geleden. Ik word oud."

Hier werd hij niet wijzer van. Nu was Frank Frølich weer politieman. Hij had werk te doen. *Elisabeth Faremo, ex-geliefde, lange botstukken.* Geen resonantie in zijn hoofd, geen koorts, geen verstorende beelden, geen knetterende vlammen. Hij kneep in zijn arm en voelde pijn.

Het was nog steeds ochtend toen hij over de Mosseveien verder reed naar Fiskvollbukta en Mastemyr. De reis naar Askim duurde drie kwartier. Hij reed tegen het spitsverkeer en de late dageraad in. Hij passeerde Fossum bru en het traject waar de nieuwe snelweg werd aangelegd. Van de autoweg reed hij via het station naar het centrum van Askim, recht op de tatoeagestudio af. De studio lag naast een kapperszaak en was ondergebracht in een geel, vrijstaand gebouw naast de spoorlijn die het kleine stadje in tweeën deelde. Aan de andere kant van de spoorwegovergang lag een restaurant dat op een roodgeschilderde militaire barak leek – tegenover het begin van de winkelpromenade.

De tatoeagestudio was nog niet open. Frank Frølich besloot een wandeling door het stadje te maken. Hij liep door de winkelpromenade en sloeg rechtsaf een winderige straat in die in de verte eindigde bij een kruising met stoplichten. Grote vierkante gebouwen drukten een stempel op de omgeving. Deze plaats leek op elke willekeurige andere plaats – een vlakke omgeving die werd onderbroken door een architectuur van barakken, klanten die werden gelokt met aanbiedingen. In de verte was evenwel een glimp op te vangen van andere ambities: een zwemparadijs en een fabrieksgebouw uit vervlogen tijden – Viking fabrikker – curieus genoeg omgebouwd tot een modern winkelcentrum.

Toen Frank Frølich tien minuten later op de terugweg de spoorlijn overstak, klonk het overbekende geluid van een Harley op de hoek bij het station.

Het was een gezette, joviale man met lang, krullend haar. Frank liet hem de foto zien van Elisabeth Faremo, zonder resultaat. Daarna liet hij de boekenlegger zien met Elisabeths tatoeage. De man herkende hem.

2

Frank lag weer plat op de bank naar het plafond te staren, naar een zwarte vlek naast de lamp. Het zou een vlieg kunnen zijn. De vlek bewoog niet. Het was iets anders. Minstens een miljoen keer had hij hier naar het plafond liggen staren, de vlek gezien en gedacht: misschien is het wel een vlieg. Ook deze keer had hij niet de fut om op te staan en te kijken wat het wel was.

Hij lag op zijn rug na te denken: je weet dat ze vier of vijf jaar geleden in Askim is getatoeëerd. En wat dan nog? Je weet niet wat de tekening voorstelt of waarom ze de tatoeage heeft laten zetten. De man die de tatoeage in haar huid had geprikt, had een tekening gekregen en niet geweten wat het voor moest stellen. Hij was dus niets opgeschoten. De man kon zich de tekening herinneren, niet haar gezicht.

Frank zag in dat hij in een hoekje van de puzzel zat te zoeken, waar de stukjes niet meer in elkaar pasten. Hij moest naar een andere hoek. Maar welke?

En dan had je nog de gebeurtenissen die alles in gang hadden gezet: die ene nacht. De moord op Loenga. De arrestatie die was gebaseerd op een tip.

Vraag: wie had de tip gegeven?

Antwoord: Merethe Sandmo.

Vraag: waarom?

Antwoord: geen idee. Een mysterie. Misschien omdat Merethe Sandmo eerst de vriendin was van Elisabeths broer en daarna van Vidar Ballo. Misschien was er een onbekende factor, een van binnenuit werkende kracht die achter deze beide gebeurtenissen schuilging: Merethe Sandmo die de ene man voor de andere inruilt en contact opneemt met de politie als het drietal verantwoordelijk is voor een moord. Maar als ze dan toch de politie tipt, waarom geeft ze dan maar drie namen en geen vier?

Er was er maar een die het antwoord kon geven: Merethe Sandmo. En zij werkte als serveerster.

Frank Frølich lag op de bank, keek naar de zwarte vlek naast de lamp en voelde dat hij naar de stad wilde gaan.

Hij zocht een overhemd en een stropdas op, blies het stof van zijn pak dat hij jaren geleden al naar de stomerij had moeten brengen. Hij liet het hangen in de kast en pakte in plaats daarvan een donkere linnen broek en een bijpassend jasje. Hij ging voor de spiegel staan en bedacht dat hij er met een beetje gel in zijn haar best mee door kon.

Hij stapte in de enige taxi die bij de standplaats in Ryen stond. De chauffeur had de *VG* van die dag op schoot liggen en schrok op toen Frank het portier opende.

Hij vroeg de man hem naar het centrum te brengen. Hij stapte uit bij Bliss dat met grote roze neonletters op de gevel reclame maakte. Het was te vroeg voor een gewone dag. De portier stond nog niet op zijn plaats, en behalve hijzelf was er maar één klant in de zaak. De man probeerde een gesprek aan te knopen met de serveerster. Ze was overdreven solariumbruin en droeg haar haar in afrovlechten. Ze had een groen minirokje aan, rode netkousen en verder niets. Ze was eind twintig, met een sympathieke volle buik onder haar borsten.

Frølich ging aan een tafeltje in de hoek zitten. Een affiche vertelde dat de show om negen uur zou beginnen. De tekst werd geïllustreerd met de verplichte foto van een stripteasedanseres in een bevallige houding tijdens het paaldansen.

De vrouw met de netkousen kwam naar zijn tafeltje toe en vroeg wat hij wilde hebben. Haar tepels hadden de kleur van chocoladecrème. Frank Frølich wist niet waar hij zijn ogen op moest richten.

De aangeschoten man aan de bar loerde in het rond, hij was er duidelijk niet van gediend de aandacht van de vrouw met een ander te delen.

Frank besloot zich te focussen op haar ogen, die als zoeklichten straalden in de solariumhuid. Hij bestelde een halve liter bier en vroeg of hij met Merethe kon praten.

"Welke Merethe?'

"Sandmo."

"Ze heeft ontslag genomen."

Frank besloot de klant uit te hangen: "Ontslag?"

"Ja. Vreemd, hè? Ze verdiende hier goed geld."

"Waar werkt ze nu dan?'

"In Griekenland, geloof ik. Een club in Athene of iets dergelijks. Een goeie baan. Ik was wel een beetje jaloers, werken in Griekenland! Daar is het nu warmer dan hier in de zomer."

"Verdomme!" Frank ging helemaal op in zijn rol. "Had ze maar gezegd dat ze in Griekenland ging werken, dan had ik het wel begrepen, aan het werk in Griekenland ... is ze al lang weg?"

"Een week, ongeveer, wacht, dan haal ik even dat pilsje."

Ze liep als een ballerina door de zaak, haar borsten dansten op en neer toen ze zich omdraaide om een bierglas te pakken. De man aan de bar had moeite om op zijn kruk te blijven zitten.

Hij doet me aan mezelf denken, dacht Frank mistroostig.

"Ken je Merethe goed?" vroeg de vrouw toen ze het pilsje op tafel zette.

"Nee, ik ben een vriend van Vidar, Vidar Ballo."

"Arme Merethe, ik heb zóóó'n médelijden met haar."

"En ik ken de zus van Jonny", zei Frank. "Elisabeth Faremo."

De man aan de bar brulde iets.

De vrouw draaide haar hoofd om en schreeuwde terug. Tegen Frank fluisterde ze: "Ik word zó moe van hem."

"Tja, ik heb een tijdje wat gehad met Elisabeth, nadat het uit was met die ... hoe heet hij ook alweer ... die Iraniër of Marokkaan of waar hij ook vandaan kwam ..."

"Ilijaz?"

"Ja, Ilijaz was het."

"Volgens mij kwam hij uit Kroatië."

"O, ja."

De man aan de bar brulde weer.

"Ja, ja!" De vrouw liep terug naar de bar en schonk een halve liter bier voor hem in die hij met trillende hand aanpakte.

Al gauw kwam ze terug. "Het is af en toe wel goed om nieuwe gezichten te zien", zei ze. "Wil je de show zien?"

"Nou, nee, ik wilde eigenlijk met Merethe praten."

"Ik moet om elf uur op. Dan zijn er wat meer mensen. Een of ander vrijgezellenfeest. Zó vreselijk. Maar je kunt wel eens komen om te kijken wat je ervan vindt."

Frank betrapte zichzelf erop dat hij naar de harde lijnen rond haar kin zat te staren, de eerste tekenen van een boze grijns, een stalen glimp achter de zoeklichtogen.

"Weet jij wat er van Ilijaz geworden is?' vroeg hij en hij merkte onmiddellijk dat hij in de fout was gegaan. Ze zond hem een andere, vreemde blik. Alle littekens en overwoekerde paden waar hij in haar gezicht naar had gezocht, kwamen naar voren als een herfstlandschap dat vormt krijgt als de ochtendnevel oplost. En hij was degene voor wie ze zich verschool. De stilte tussen hen voelde zwaar en merkwaardig aan. Ze liep terug naar de bar en bleef daar.

"Op welke landmijn ben ik gaan staan?" vroeg hij verbaasd en hij dronk zijn bier op.

Ze kwam niet weer naar zijn tafel toe.

Toen hij naar de kassa liep, legde hij honderd kronen op de bar en zei dat ze de rest kon houden. Ze keek een andere kant op.

*

Toen hij in de metro zat, belde hij Yttergjerde en vroeg of die een crimineel kende die naar de naam Ilijaz luisterde. Hij gaf een aantal verschillende schrijfwijzen. Yttergjerde zei dat hij het na zou gaan.

Yttergjerde belde niet terug.

Hij kwam er zelf achter.

Toen was het drie uur 's nachts. Hij schrok wakker. Hij had over Ilijaz gedroomd.

3

De volgende morgen wist hij niet hoe snel hij naar het bureau moest gaan. Lena Stigersand kwam hem tegen in de gang. Ze schudde het hoofd, een beetje uit de hoogte, maar kneep hem ook even in zijn arm. "Daar ben je weer ... fijn om je te zien."

"Rustig maar", stotterde Frank Frølich en hij voelde hoe het zweet hem uitbrak. "Ik moet alleen een paar dingen halen voor ik aan mijn volgende vakantieweek begin."

Hij opende zijn kantoordeur met de sleutel en deed hem weer achter zich dicht. Gelukkig, Gunnarstranda was er niet. Er was niemand. Hij was er niet klaar voor om iemand te ontmoeten. Hij was doodmoe van de paar woorden die hij met Lena Stigersand had gewisseld. Hij schudde als een vermoeide bokser het hoofd en liep naar de tafel met de computer. Hij logde in en zocht zijn eigen rapport op over de inbraak van 4 november 1998 op Ulvøya, bij Inge Narvesen. Daarna pakte hij een rapport van de politie in Bærum over een schietincident aan de Snarøyveien, een paar dagen later.

Toen hij de papieren had uitgeprint en aan elkaar had geniet, kwam Gunnarstranda binnen. De oudere politieman vertrok geen spier, trok zijn jas uit en hing hem op. "Zit de vakantie erop?" vroeg hij kort.

Frank Frølich schudde het hoofd.

"Had je het lijk van Reidun Vestli niet beter als politieman dan als toerist kunnen vinden? Ik heb erover na zitten denken", zei Gunnarstranda afwezig. "Ik heb met haar gesproken over het afgebrande huisje en zogauw ik weg was, heeft ze een pot pillen leeg gegeten en is ze ingeslapen. Idioot."

"Het verlies van het huisje was waarschijnlijk niet de druppel die de emmer deed overlopen."

"Je denkt aan de stoffelijke resten?"

Frank Frølich knikte. Het zweet stond op zijn voorhoofd. Het was akelig om over Elisabeth te praten als *stoffelijke resten*.

"Het meisje moet belangrijk voor haar zijn geweest", zei Gunnarstranda.

Nog een knik.

"Wat heb je daar?" vroeg Gunnarstranda en hij wees naar de papieren die Frank Frølich onder zijn arm had gestopt.

"Een zaak van zes jaar geleden. De moord op Snarøya."

Gunnarstranda dacht even na. "Folkenborg", mompelde hij. "Werkte hij niet bij een benzinestation?"

"Hij was zelfs de eigenaar."

"Hij werd toch gegijzeld?"

"Nee. Het had een gewone arrestatie moeten zijn. Folkenborg werd neergeschoten door de man die gearresteerd zou worden. Ik zou samen met de jongens van Sandvika die man arresteren. Hij werkte bij het benzinestation van Blommenholm. Ik behandelde de zaak waarvoor hij in staat van beschuldiging werd gesteld, een inbraak in een villa op Ulvøya. Toen we aankwamen, stond onze man achter de balie, maar hij trok een wapen uit zijn zak." Frølich keek in het rapport. "Een Colt Python, met een korte loop. Hij zwaaide ermee en liep door de autowashal naar de hal met de smeerkelders, waar Folkenborg met een auto bezig was olie te verversen. Niemand van ons had verwacht dat er zou worden geschoten. Niemand was bewapend. We konden alleen maar toekijken hoe hij met een kanon in zijn hand naar binnen liep. We trokken ons terug. Helaas ging Folkenborg tot actie over. Hij dacht waarschijnlijk dat hij de man kende en de zaak onder controle had. Toen was het *pang*. Folkenborg werd in zijn borst geraakt. De man raakte in paniek, gooide de revolver weg en ging ervandoor, hij liep recht in onze armen."

Gunnarstranda bleef in gedachten staan.

"De man die schoot heette Ilijaz Zupac."

"Immigrant?"

"Tweede generatie. Moeder en vader uit de Balkan. Allebei dood. Zupac is Noors staatsburger."

"Waarom graaf je die dingen weer op?"

Frank Frølich stak de papieren in zijn zak en zei: "Zupac zou destijds gearresteerd worden voor een inbraak met diefstal op Ulvøya. Zo'n rijke stinkerd, Inge Narvesen, was bestolen van een safe die in een kast in de slaapkamer stond en in die safe lag een half miljoen kronen. Ilijaz Zupac werd gezien door een buurvrouw. Er waren meer mensen bij, maar ze herkende Zupac."

"Ja, ja", zei Gunnarstranda ongeduldig. "Maar waarom begin jij nu met die zaak te klooien?"

"Hij werd veroordeeld voor de diefstal en voor doodslag met voorbedachten rade. Hoewel hij de inbraak niet alleen heeft gepleegd, werd er niemand anders veroordeeld. Zupac hield zijn mond dicht. Ik ben geïnteresseerd in getuigen en in het rechercheonderzoek."

"Waarom?" snauwde Gunnarstranda geïrriteerd.

Frank Frølich aarzelde.

Van ergernis werd de rimpel boven Gunnarstranda's ogen steeds dieper.

"Ilijaz Zupac woonde samen met Elisabeth Faremo toen hij werd aangeklaagd en veroordeeld", zei Frølich snel.

Ze stonden even naar elkaar te kijken. Gunnarstranda's handen zochten naar sigaretten.

Frank Frølich grijnsde. "Volgens mij ben je nu toch wel nieuwsgierig geworden", mompelde hij.

"Ik sta te denken aan iets waar ik al een hele tijd aan heb gedacht", zei Gunnarstranda langzaam.

"Wat dan?"

"De relatie tussen jou en dat meisje was geconstrueerd."

Ze bleven zwijgend staan. Frank Frølich doorbrak de stilte: "Als je al gelijk hebt, dan zie ík de logica niet die erachter zit."

"En toch onderzoek je deze link? Ilijaz Zupac?"

"Natuurlijk."

"Waarom?"

"De moord op de nachtwaker. Dat spoor kan de oplossing van ons probleem zijn."

"Welk probleem?"

"De vierde overvaller. Ilijaz nam niet in zijn eentje de safe van Narvesen mee. Ilijaz was de vriend van Elisabeth, de zus van Jonny Faremo. Ik durf er wel honderd kronen om te verwedden dat in ieder geval Jonny Faremo erbij betrokken was. Als dat klopt, heeft Faremo een of meerdere keren met anderen dan Ballo of Rognstad samengewerkt. Dan is het niet langer een mysterie dat ze die nacht van de moord op de nachtwaker met z'n vieren waren. We weten dat er een vierde man betrokken is bij de moord op Haga, maar we hebben geen idee wie het is."

"Als je weer aan het werk gaat, is het best mogelijk dat je een zaak hebt", zei Gunnarstranda bedachtzaam.

"Dat denk ik niet. Ik ben er steeds persoonlijk bij betrokken, zo lang het spoor via Elisabeth Faremo loopt."

"Dan moet je, zolang je vakantie hebt, je er ook niet meer mee bemoeien."

"Ik heb niets anders gedaan sinds ik vrij heb genomen."

Ze bleven weer een tijdje zwijgend staan. Ze konden elkaars gedachten lezen, maar geen van beiden wilden ze zeuren over iets wat er dik bovenop lag. Frank Frølich brak met alle regels, en zou dat blijven doen, ongeacht wat de anderen ook deden om hem te laten ophouden.

"De auto is gevonden", zei Gunnarstranda ineens.

"Welke auto?"

"Jonny Faremo's Saab, die zou zijn gezien in de buurt van de Glomma op de dag dat hij uit voorlopige hechtenis is ontslagen."

"Was er nog iets bijzonders mee?"

"De auto was op een verlaten bospad neergezet, in de buurt van Søllihøgda, honderd kilometer van Askim. Een boer die elke dag met de tractor over het pad rijdt, raakte uiteindelijk zo geïrriteerd dat hij belde."

"Is hij onderzocht?"

"De landelijke recherche werkt eraan. En jij moet zorgen dat je geen stommiteiten begaat", zei Gunnarstranda. "Je moet me op de hoogte houden."

Frank Frølich knikte langzaam. Hij rolde de papieren op en vertrok.

∗

Gunnarstranda wachtte tot de deur achter Frølich dicht was, toen draaide hij zich om en pakte de telefoon.

Hij belde de rechercheur bij de fiscale recherche die hij het beste kende, Kippenkop Sørli. Nog voor Sørli de telefoon op kon nemen, barstte Gunnarstranda uit in een van zijn onbedwingbare hoestaanvallen.

"Ben jij het?" vroeg Sørli tussen het gehoest door. "Gaat het goed, Gunnarstranda?"

Gunnarstranda knikte en hapte naar adem. "Het zijn alleen die verdomde longen."

"Misschien moet je stoppen met roken?"

"Misschien moeten de schapen stoppen met blaten", stelde Gunnarstranda buiten adem voor en hij ging weer overeind zitten. "Ik wilde je iets vragen."

"Brand maar los."

"Zegt de naam Inge Narvesen jou iets?"

"Zakenman."

"Verder niets?"

"Ik weet dat hij zich bezighoudt met kunst."

"Wat voor kunst?"

"Schilderijen, hij besteedt veel geld aan kunst. Zijn verzameling is minstens zo groot als die van Stenersen, toen die op zijn hoogtepunt was, alleen is Narvesen niet zo dol op moderne kunst."

"Waar leeft hij van?"

"Hij is handelaar. Koopt en verkoopt op de beurs."

"Kopen en verkopen?"

"Hij is stinkend rijk", zei Sørli. "Veel onroerend goed. Het laatste wat ik heb gehoord, is dat hij grote stukken grond heeft gekocht van Norske Skog. Ik geloof dat hij van plan is in verschillende stroomgebieden kleine waterkrachtcentrales te bouwen, dat is op dit moment heel erg populair omdat de energieprijzen hoog liggen en de overheid zich niets lijkt aan te trekken van milieumaatregelen."

"Maar niets onwettigs?"

"Dat betwijfel ik. Hij is een redelijke man. Ik heb nooit gehoord dat hij zich inlaat met ongunstige zaken. Hij heeft zelfs een goede naam op de beurs."

"Geen zwakke punten? Nooit kleine jongetjes bevoeld, zijn geslachtsdeel laten zien aan padvindsters ..."

"Inge Narvesen *comes clean*. Geloof mij maar."

"Dan is hij een buitengewone man."

"Als er iets onreglementairs te vinden is, dan heeft het vast met geld te maken. Maar ik heb niets gehoord."

"Ja, ja", zei Gunnarstranda ontevreden. "Tot ziens."

＊

Toen Frank Frølich door de hoofdingang kwam, liep hij linea recta naar de postbussen. Zijn brievenbus zat zo vol, dat hij de sleutel nauwelijks om kon draaien. Toen hij het deurtje opende, viel er een stapel rekeningen uit. Een brief gleed weg over de stenen vloer. Zijn naam en adres stonden met mooie krulletters op de envelop. Geen afzender.

In de lift kon hij zijn nieuwsgierigheid bedwingen, maar hij woog de brief ongeduldig in zijn handen. Zou hij van Elisabeth zijn? Hij sloot zijn ogen en kon niet helder denken. *Lange botstukken. Vlammen.*

Hij zweette en zo gauw de lift stopte, duwde hij de deur open. Hij stak de brief tussen zijn lippen zodat hij een hand vrij had om zijn voordeur van het slot te draaien. Binnen scheurde hij de envelop open. Hij las:

Het moeilijkst aan een brief is de aanhef, zei Elisabeth altijd. Ze dacht altijd lang en diep na over hoe de aanhef zou luiden: hoi, of lieve, of misschien helemaal geen aanhef. De eerste woorden in een brief zeggen net zoveel als de brief zelf, vond ze, omdat de aanhef de gevoelsmatige relatie tussen de schrijver en de ontvanger weergaf. Voor mij was het altijd een verademing om haar brieven te lezen, ze begon altijd met 'Lieve Reidun'. Zo wist ze me steeds gerust te stellen, zodat ik de boodschap kon aanvaarden, hoewel dat wat ze te zeggen had bij tijd en wijle moeilijk te verkroppen was. Het was in een brief dat ze de eerste keer over jou vertelde. Maar ik zal niet sentimenteel worden, en ik verzeker je dat alle brieven van Elisabeth aan mij zijn verbrand. Zoals je ziet, heb ik er deze keer voor gekozen de aanhef achterwege te laten. Dat voelt goed. Ik ben nog niet begonnen met het innemen van de pillen. Eerst moet deze brief verstuurd zijn. Ik weet niet wie me zal vinden, en dat maakt me ook niets uit. Maar ik schrijf deze brief aan jou, omdat ik heb ingezien dat jij wordt gedreven door dezelfde gevoelens als waar ik mee heb gevochten. Daarom heb ik een sprankje hoop dat jij me voldoende begrijpt om een laatste wens te vervullen. Ik weet niet of Elisabeth tegen die verschrikkelijke mensen is opgewassen. Ik hoop dat het haar lukt, maar ik heb geen illusies. Ik had ook geen illusies toen ze kwamen. Elisabeth had me voor hen gewaarschuwd, maar overmoedig als ik vaak ben, trok ik me er niets van aan en dacht ik dat ik wel weerstand kon bieden. Maar ik ben altijd bang voor pijn geweest. Daarom is het me niet gelukt. Hoewel ik wist dat het verraden van haar schuilplaats het begin zou zijn van wat ik nu doe, is het me niet gelukt. Ik heb dus verteld waar ze zich schuilhield. In dat opzicht ben ik verantwoordelijk voor wat haar is overkomen. Zo is mijn lot bezegeld. Ik hoop dat ze zich weet te redden, maar heb niet de illusie, noch de moed om te wachten op het antwoord. Als deze nachtmerrie voor Elisabeth goed zal aflopen, zeg haar dan van mij: 'Allerliefste, vergeef me, ik heb het geprobeerd, ik heb het echt gedaan.'

Reidun

Frank Frølich liet zich op een stoel zakken. Het was moeilijk om zijn gevoelens op een rijtje te krijgen. Voor hij begon te lezen, had hij gedacht dat de brief van Elisabeth was. Dat hij nu Reiduns stem in zijn hoofd hoorde, was een schok. *Vergeef me*, dacht hij, *die verschrikkelijke mensen*, dacht hij, *een laatste wens*, dacht hij. Hij las de brief nog een keer.

*

Hij schrok op toen de telefoon ging. Hij greep de hoorn van de haak.

"Ik heb een poosje met Sørli van de fiscale recherche gepraat over die rijke stinkerd die werd bestolen door Ilijaz Zupac, die Narvesen", zei Gunnarstranda.

Hij belt nu wel vaak. "O, ja? Had Sørli nog nieuws?"

"Niets, zoals gewoonlijk, behalve dat Narvesen steenrijk is. Hij koopt en verkoopt op de beurs, heeft veel kunst in zijn bezit en grote bosgebieden in Hedmark."

"Dat wist ik."

Gunnarstranda hoestte. "Maar nu belde Sørli me net terug, hij had na mijn telefoongesprek de naam waarschijnlijk nog in zijn hoofd zitten. Op een lijst die de banken toesturen aan de fiscale recherche met een overzicht van de opnamen van grote geldbedragen, is de naam van Inge Narvesen opgedoken. Om precies te zijn bij de Nordeabank."

"Grote geldopnamen?"

"Vijf miljoen."

"Waarom wordt dat bij de fiscale recherche gemeld?"

"Puur routine, zo zit de wet in elkaar. De banken zijn verplicht om te rapporteren over grote transacties, opnamen van cash geld en dat soort dingen, om zo mogelijk witwassen van geld te voorkomen."

"Heeft Narvesen verteld waar hij vijf miljoen kronen voor nodig heeft?"

"Ik geloof dat er nog niets met die zaak is gedaan. Maar wat mij aan het denken zet, is dat die opname op een speciale dag is gebeurd."

"Welke dag?"

"Dezelfde dag dat Jonny Faremo uit voorlopige hechtenis werd ontslagen en zijn zus ervandoor ging."

Frank keek uit het raam naar een auto die op een paar millimeter na in botsing kwam met een andere auto, op de rotonde, een heel stuk onder hem. "Wat denk je?" vroeg hij, "want je zou hierover niet met mij praten als je geen theorie had."

"Er hoeft helemaal geen verband te zijn, maar je weet hoe het zit met mij en zogenaamde toevalligheden."

"Gunnarstranda's toevalligheidstheorie", zei Frank zwak glimlachend, "er bestaan geen toevalligheden. Het woord toevalligheid is een vervangende constructie die de logische verklaring van de gebeurtenissen verhult."

"Je komt in de buurt, Frølich, als ik doodga, kun jij mijn necrologie schrijven. Maar als mijn theorie klopt, dan heeft Narvesen om de een of andere reden dat geld opgenomen, en dan denk ik aan afpersing."

"Waarom?"

"Narvesen is al eens eerder gechanteerd."

"Wat?"

"Ik heb wat in het archief gezocht op de naam Narvesen. Het verhaal stamt uit 1991. Cruiseschepen. Narvesen zat als de belangrijkste aandeelhouder in een van de rederijen die met Amerikaanse toeristen door het Caraïbisch gebied varen. Het was vlak na de brand op de *Scandinavian Star*. Iedereen had het toen over veiligheid en sterfgevallen op passagiersboten. Er werd geprobeerd om Narvesen tien miljoen kronen af te persen. Als hij niet betaalde, zou er informatie openbaar worden gemaakt over gebrekkige veiligheid aan boord van de cruiseschepen. De afperser was een vroegere Noorse kapitein van een van de schepen. De man was ontslagen vanwege dronkenschap en wilde waarschijnlijk wraak nemen."

"Hoe is het afgelopen?"

"Hij werd gepakt. Kreeg drie jaar."

De beide auto's op de rotonde fungeerden als een flessenhals in de verkeersstroom. Er werd getoeterd, maar het verkeer kwam weer op gang. Een arm zwaaide uit een raampje, de beide auto's gingen op in de verkeersstroom.

Frank zei: "Dat die man destijds werd gearresteerd, betekent dat Narvesen toen naar de politie is gestapt om hulp te vragen. Dat heeft hij nu niet gedaan."

"Duidelijk niet. Maar waarom zou iemand anders vijf miljoen kronen opnemen?"

"Weet ik niet. Als Narvesen echter zo'n kei op de beurs is als jij zegt, zou hij wel wat geraffineerder te werk gaan als het met witwassen te maken had. Dan had hij de cliëntenrekening van een of andere vertrouwde notaris kunnen gebruiken, of iets dergelijks. Dat hij het geld gewoon cash opneemt, duidt op eerlijke bedoelingen, óf op haastwerk."

"Haastwerk is een woord dat mij bevalt", zei Gunnarstranda, "vooral in combinatie met de dag waarop het geld werd opgenomen."

"Wat zegt Sørli?"

"Sørli zegt dat Narvesen zo onschuldig is als een pasgeboren kind. En hij meent het ook. Maar ik heb nog nooit van dat soort mensen gehoord. Volgens mij is alles mogelijk. Misschien heeft Narvesen wel in een string geposeerd met een appel in zijn mond en heeft iemand daar foto's van gemaakt."

"Daarvan raakt vandaag de dag niemand gechoqueerd."

"Misschien is hij gek op kleine jongetjes en is hij op heterdaad betrapt door de privé-detective van zijn vrouw."

"Hij was toen niet getrouwd", zei Frank, "en volgens mij is hij alleen in vrouwen geïnteresseerd. En getrouwd of niet, in die kringen wemelt het van de publiciteitsgeile mannen en vrouwen die hun vrije tijd doorbrengen met elkaar te neuken en tussendoor champagne te drinken. Nee, seks is veel te ouderwets, ik gok liever op gerommel in de business."

"Het probleem is", zei Gunnarstranda, "dat Narvesen doorgaat voor een redelijke vent, een voorbeeld voor velen, wordt gezegd, zelfs op de beurs."

"Er bestaat geen redelijkheid op de Beurs van Oslo, en dat zou Sørli zeker moeten weten."

"Ja, maar we hebben het over dat deel van het redelijkheidsspectrum dat in aanraking komt met de wet. Inge Narvesen bevindt zich voortdurend aan de goede kant van de grens, en met een solide marge. Dan zijn er nog maar weinig mogelijkheden over om de opname van het geld te verklaren."

"En kidnapping?"

"Hij heeft geen kinderen, geen waardevolle renpaarden of bekroonde jachthonden. Maar ik denk dat Sørli officieel navraag zal doen, en dan moeten we maar eens zien wat het antwoord van Narvesen is."

*

Nadat hij had neergelegd, bleef Frank Frølich voor zich uit staan kijken. Hij dacht aan Narvesen, aan procedures, Sørli en officiële verzoeken. *Tik tak tik tak,* dacht hij geërgerd, *de tijd verstrijkt. En alles gaat traag, langzaam. Er gebeurt niets.* Hij keek op de klok aan de wand. Het was één uur. Lunchtijd voor mensen die aan het werk waren. Van alle dingen rond de inbraak bij Narvesen in 1998 kon hij zich nog goed een bijna surrealistisch gesprek herinneren tijdens de lunchpauze van die man, aan zijn vaste tafel in het Theatercafé.

Lunch. Theatercafé. Tijdstip.

Het was een gok. Maar hij had toch niets anders te doen.

Frank nam de metro naar het station Nationalteater. Daar stak hij snel de Stortingsgate over en liep hij met gebogen hoofd langs de ramen waarachter de gasten van het Theatercafé hun lunch gebruikten, alleen maar bezig met zichzelf en met elkaar. Toen hij de hoek van de Klingenberggate passeerde, keek hij naar binnen en zag hij dat Inge Narvesen aan zijn vaste tafel zat, alleen, net als vroeger. Hij was al aan de koffie en zou dus snel klaar zijn.

Frank keek opnieuw hoe laat het was. Bijna kwart voor twee. Hij liep een blokje rond en ging toen tussen de mensen die bij het Nationaal Theater op de tram stonden te wachten in de rij staan, tegenover hotel Continental en de ramen van het paviljoen van het Theatercafé. Er zat sneeuw in de lucht. Piepkleine, droge sneeuwvlokjes waaiden mee met de wind en bleven als stofjes liggen op de schouders en armen van de mensen op straat. Door de ramen aan de overkant van de straat zag hij het bruine haar van Narvesen. Klokslag twee stond de man op, hij maakte een geintje met de serveerster die de tafel afruimde. *Dikke kameraden, ruime fooi.* Frank Frølich wachtte tot Narvesen de gang in liep naar de garderobe. Toen maakte hij zich los van de muur en stak hij de Stortingsgate over. Toen Narvesen zijn winterjas aantrok en door de deur naar buiten kwam, zette Frølich zijn voet op het trottoir.

Hij zei: "Nee maar! Kijk eens aan! Dat is lang geleden!" Hij pakte de hand die Narvesen automatisch uitstak.

"Ken ik u?" Narvesen straalde een en al verbazing uit. In zijn winterjas, met zijn bovenlichaam naar voren gebogen en de opgerolde handschoenen in zijn linkerhand, leek de man op een oude foto van John F. Kennedy. Kleine sneeuwvlokken landden in zijn haar.

"Ik ben politieman, we hebben elkaar een aantal jaren geleden na een inbraak ontmoet toen in uw huis een safe werd ontvreemd."

De verwarring op Narvesens gezicht maakte plaats voor irritatie. "Het geld dat nooit teruggevonden werd?"

"Een half miljoen stelt niets voor", zei Frank Frølich glimlachend, "vergeleken met vijf miljoen kronen contant."

Narvesens ogen versmalden. Hij zei niets.

"De Nordeabank heeft minder dan een week geleden op uw naam een opname geregistreerd van vijf miljoen kronen in kleine coupures."

"En wat gaat u dat aan?"

"Mij misschien niets, maar de fiscale recherche wel."

Narvesen bleef bedachtzaam naar hem staan kijken. De handschoenen die hij opgerold in zijn ene hand hield, werden naar de andere hand verplaatst. Daarna begon hij er kleine sneeuwvlokjes mee van zijn arm te slaan. "U bent van de politie", zei hij. "Mag ik uw naam?"

"Frølich."

"O, ja. Nu herinner ik me u. U zag er destijds anders uit."

"Ik droeg een baard."

"Juist, het begint te dagen. Maar dan weet u toch ook dat ik een rijke man ben?"

Frølich knikte. *Het begint te dagen. Is dat alles wat je zegt als je de smeris terugziet die het onderzoek leidde naar een half miljoen verloren kronen?*

Inge Narvesen kwam in beweging. Ze liepen naast elkaar over het trottoir. Narvesen zei: "Als ik u een getal noem, laten we zeggen één miljoen achthonderd duizend. Wat zegt u dan?"

"Een tamelijk luxe appartement in een van de voorsteden van Oslo, bijvoorbeeld de wijk waar ik zelf woon."

"En als ik acht miljard zeg, wat zegt u dan?"

"Dan wordt het moeilijker om me een voorstelling te maken."

Narvesen, alias Kennedy, wierp een blik op Frølich en glimlachte scheef. Ze liepen de Roald Amundsens gate in, in de richting van de

Klingenberggate en Haakon VII's gate. "Dat geldt ook voor mij", zei Narvesen. "Precies veertien uur geleden steeg de waarde van een heel klein deel van mijn portefeuille met één honderd en vijftig miljoen kronen. Morgen, rond dit uur, is diezelfde portefeuille driehonderd miljoen kronen meer waard. Dat komt niet door mij, maar door een aantal factoren, de lage rente van dit moment, mijn eigen investeringen op lange termijn, de spreiding van de portefeuille en niet in de laatste plaats de algemene economische situatie. En het is niet de eerste keer dat dit gebeurt. Ik heb al veel van dit soort ogenschijnlijk eeuwigdurende stijgingen meegemaakt op de berg- en dalbaan van de aandelenmarkt. Maar ik ben na de daaropvolgende crisissen altijd weer met beide benen op de grond gekomen en met een goede basis voor verdere zaken. En ik zal u een klein geheimpje verklappen." Narvesen bleef staan. Ze waren op de hoek van de Klingenberggate en de Haakon VII's gate aangekomen.

"Vertel", zei Frank ongeduldig.

"Een goed medicijn tegen te veel optimisme op de beurs is af en toe een tochtje naar de bank. Daar neem ik een hoeveelheid geld op. Ik stop alle biljetten in een draagtas van de Rimi en die leg ik in een kast in mijn kantoor. De laatste keer dat ik dat heb gedaan, is meer dan een week geleden. Ja, ik heb vijf miljoen cash opgenomen. Het ligt op mijn kantoor. In een draagtas. Iedere keer als ik een transactie doe van onvoorstelbare omvang, loop ik naar die kast, dan kijk in de tas en zeg ik tegen mezelf: Inge Narvesen, dit is waar het om gaat, dit is echt geld. Voor de inhoud van deze draagtas kun je een acceptabele flat kopen, een meer dan gemiddelde auto en een aardig vakantiehuisje, de rest van het geld kun je op de bank zetten om te leven van de rente."

"Hebt u vijf miljoen in een kast in uw kantoor?"

Narvesen knikte. "En nu moet ik terug naar kantoor, om nog meer geld te verdienen. Aangenaam om je te ontmoeten, Frølich. Ik wens je nog een fijne dag."

Frank bleef hem staan nakijken. *U* was al veranderd in *jij*, en het gesprek had maar een paar minuten geduurd. *Vijf miljoen in een kast op kantoor? Laat me niet lachen.*

Hij rekende uit: vijf miljoen kronen, dat is vijftigduizend briefjes van honderd. Stop dat eens in een draagtas. Als hij briefjes van duizend had gebruikt waren het vijfduizend stuks. Hoeveel tassen had hij nodig? Oké, Inge Narvesen had een reële kijk op geld, waarom beperkte hij zich dan niet tot honderdduizend kronen? Of tot tweehonderdduizend. Dat zou veel beter passen bij de logica achter de actie. Eerst een duizelingwekkende deal en daarna kijken uit hoeveel coupures een bedrag van honderdduizend kronen bestaat. Maar vijf miljoen?

Hij dacht terug aan de gebeurtenis van zes jaar geleden. De sfeer in Narvesens huis. Een grafstemming. De angst in de blik van Narvesens moeder, ze had gefungeerd als stand-in voor haar zoon. Ja, zo was het geweest: Narvesen was op vakantie, op een van die populaire locaties, de Bahama's of Pitcairn of zoiets, en zijn moeder had de honneurs waargenomen na de inbraak. De inbraak was in het huis van haar zoon gebeurd. Het was 's nachts of vroeg in de morgen geweest, Narvesens moeder had als een eenzaam vogeltje op de hoek van de bank gezeten en zich alle mogelijke schrikbeelden voor ogen gehaald terwijl Narvesen telefonisch allerlei aanwijzingen had doorgegeven vanaf een van de eilanden in de Stille Zuidzee.

Frank Frølich dacht aan Ilijaz Zupac. Hij had nu vijf jaar uitgezeten van de straf voor een ernstig misdrijf. Misschien was het tijd om eens met Zupac te gaan praten?

4

Het was een ijskoude morgen. Een smalle wolkenband met de kleur van rode lava kondigde boven de heuvelrug de komst van een nieuwe dag aan. Frank Frølich reed in noordelijke richting over de E6, tegen het spitsverkeer in. De zon kwam op in het oosten. Toen de auto na Karihaugen en Nedre Romerike over de top van de heuvel suisde, openbaarde het akkerland zich als een enorme lappendeken in winterkleed. Hij pakte zijn zonnebril uit het dashboardkastje. Drie rijbanen, 120 kilometer per uur en alleen maar tegenliggers. Het deed een beetje Amerikaans aan. Hij schoof een cd van Dylan in de speler, *Slow train coming*, en zocht de titelsong op, een lang, meeslepend nummer met gitaarmuziek die paste bij het decor. Het refrein over de rijdende trein had iets noodlottigs maar klonk tegelijk ook krachtig. Toen het nummer afgelopen was, speelde hij het nog een keer, tot hij bij de hoge muren van de Ullersmo gevangenis tot stilstand kwam.

Nadat hij de sluis in de binnenste gevangenismuur was gepasseerd, werd hij ontvangen door een jonge man met een grote bos blond, krullend haar, die vroeg: "U bent de bezoeker voor Ilijaz?"

Frank Frølich knikte.

"Freddy Ramnes, ik ben hier arts."

Zijn handdruk was stevig en hij keek Frølich recht aan. Hij zei: "Kent u Ilijaz Zupac van vroeger?"

Frank Frølich trok zijn wenkbrauwen op, dacht even na en besloot uit de doeken te doen hoe het zat: "Ik heb Zupac in de herfst van 1998 gearresteerd, diezelfde dag heb ik een van de sporadische verhoren met hem gevoerd. Daarna was ik getuige tijdens de rechtszaak. Dat zijn de enige keren dat ik de man heb gezien."

Ramnes aarzelde. "Bent u als politieman hierheen gekomen?"

"Ik heb op dit moment vakantie."

"Mag ik vragen waarom u bent gekomen?"

"Om persoonlijke redenen."

Ze bleven zwijgend naar elkaar staan kijken.

Frank Frølich wachtte op de vraag: *welke persoonlijke redenen?* Maar de vraag kwam niet.

Uiteindelijk zei Frank Frølich: "Zijn er problemen? Wil hij niet met mij praten?"

De dokter nam de tijd om te antwoorden. "Dat is het niet", zei hij ten slotte en hij stopte zijn handen in zijn zakken, alsof hij daar de woorden waar hij naar zocht, zou vinden. "Maar de situatie is als volgt: Ilijaz is ziek. Hij moet eigenlijk psychiatrische behandeling krijgen, maar dat kunnen wij niet bieden." Hij zweeg, alsof hij nog steeds naar woorden zocht.

"Ja?" antwoordde Frank Frølich vragend.

"We hebben het hier over een man die dringend verzorging nodig heeft. Ik wil u alleen maar voorbereiden."

Eindelijk zei Ramnes: "Zullen we gaan?"

De echo van hun voetstappen weerkaatste tegen de betonnen muren.

Dit is vreemd. De dokter gaat mee op visite. Maar hij is nog jong, idealistisch misschien?

Ze kwamen in een van de ruimtes voor bezoek zonder toezicht, waar gedetineerden hun vrouw kunnen ontvangen en waar condooms in de kast liggen. Voor de rest straalde de kamer niets uit. Er stonden een goedkope bank, een tafel en een leunstoel. Kale muren. Voor de radiator, tussen de muur en de leunstoel, zat een man op de vloer. Frank Frølich herkende hem niet. De vroeger zo gebronsde huid was grijs. Zijn haar, vol grote, vette klitten, deed denken aan een enorm zwaluwnest, zijn rug triest gebogen in een T-shirt vol gaten. Hij zat op zijn hurken, als een mediterende hindoe aan de oever van de Ganges, en verborg zijn hoofd in zijn handen.

Frank Frølich en Freddy Ramnes keken elkaar aan.

"Ilijaz", zei Freddy Ramnes.

Geen reactie.

"Ilijaz!"

De gedaante bewoog. Een hand, smerig, met smalle vingers en ongewoon lange nagels, draaide aan een pluk haar.

"Ilijaz, wil je cola?"

Het was een idiote situatie. Frank keek naar de dokter met zijn ernstige, empathische gezicht.

"Ilijaz, je hebt bezoek."

Een blik, gejaagd, als een bange kat. Daarna het hoofd weer verborgen.

"Ilijaz, wil je Frank komen begroeten?"

Het hoofd bewoog niet.

Frank Frølich schraapte zijn keel. "Ilijaz, kun je je mij nog herinneren?"

Geen reactie.

"Ik heb je zes jaar geleden gearresteerd, bij het benzinestation. Ik ben de politieman die daarna met je heeft gesproken."

Geen reactie.

"Je had een relatie met een Noors meisje dat Elisabeth heette", zei Frank Frølich. "Ik wilde even met je praten over ..." Hij zweeg toen de gedaante op de vloer zich bewoog. Het in elkaar gedoken lichaam draaide zich helemaal weg, de hoek in.

Frank Frølich en de dokter keken elkaar even aan. Frank Frølich zei: "Elisabeth Faremo, Jonny Faremo, Vidar Ballo, Jim Rognstad ..." Hij zweeg. Geen reactie te bespeuren. Hij schraapte zijn keel en vervolgde: "Ik heb een foto van Elisabeth Faremo, wil je die zien?"

Geen reactie.

Frank Frølich en de arts keken elkaar nog eens aan. De dokter stond met zijn handen in zijn zakken, afwachtend.

"Dit is misschien geen goed idee", zei Frank Frølich.

Freddy Ramnes schudde het hoofd. Hij haalde een plastic flesje met een halve liter cola uit de zak van zijn ruimzittende jas en zette het op tafel. "Tot ziens, Ilijaz", zei hij en hij liep naar de deur.

Ze liepen zwijgend door dezelfde gang terug. "Als ik tijdens mijn werk hier doodga", zei Freddy Ramnes met een van woede trillende stem, "moet er op mijn grafsteen komen te staan dat ik ben vermoord door de Noorse gevangenispolitiek. De mensen die politiek verantwoordelijk zijn, hebben míj met het dilemma opgezadeld om de arme stakker vast te binden of elke avond zodanig te drogeren dat hij zelf geen eind aan zijn leven kan maken."

"Was hij nu gedrogeerd?"

"Natuurlijk."

"Is het daarom moeilijk voor hem om namen te herinneren?"

"Nee. Daarom is hij rustig, maar ook onverschillig voor wat u of ik zal zeggen. Het is te vergelijken met lobotomie, zeggen de mensen die er verstand van hebben."

"Waaraan lijdt hij?"

Freddy Ramnes liep een paar meter zwijgend verder, het leek alsof de man zijn woede had gelucht en zich nu weer vermande, zijn waardigheid die even geleden in stukken was gebarsten weer bij elkaar sprokkelde. "Als ik gespecialiseerd was in psychiatrie had ik het u misschien kunnen vertellen. Ik probeer hem in een inrichting te laten opnemen, meer kan ik niet doen, maar dat wordt geweigerd. Hij zit immers al in een inrichting?" Ramnes grijnsde met een harde trek op zijn gezicht.

Frank Frølich had geen idee wat hij moest zeggen.

"Tja, ik weet niet wat hij mankeert", vervolgde Ramnes iets milder. "Het zijn alleen maar etiketten: psychotische persoonlijkheidsstoornis, schizofrenie, *you name it*. Cynici zouden het ook een gevangenispsychose kunnen noemen."

"Zoals gezegd heb ik zes jaar geleden een paar keer contact gehad met Ilijaz en toen was hij een heel andere persoon."

Ramnes haalde diep adem. "Ik weet alleen dat de ziekte en de symptomen hier tot ontwikkeling zijn gekomen, tijdens het uitzitten van zijn straf. En het was al begonnen toen ik hier kwam. Enorme angst, terugtrekken, paranoia. Het is alleen maar erger geworden."

"Krijgt hij wel eens bezoek?"

Ramnes bleef staan en keek hem sceptisch aan.

"U lijkt me een geschikte kerel, Frølich. Maar nu komen we op een gebied dat onder mijn zwijgplicht valt en u zult zich dus tot iemand anders moeten wenden."

5

Het was die dag de eerste keer in achttien jaar dat hoofdinspecteur Gunnarstranda thuisbleef van zijn werk. De vorige avond had hij ontdekt dat Kalfatrus scheef zwom. Daarna had hij met een glas whisky zitten kijken hoe de sluierstaart in zijn vissenkom steeds in en weer uit de vergroting zwom die veroorzaakt werd door de bolling in het glas. Hij was in zijn stoel in slaap gevallen. Toen hij wakker werd, besloot hij niet naar bed te gaan, hij bleef naar de goudvis zitten kijken die werd verlicht door het schijnsel van de straatlantaarn voor het raam. Hij voelde dat er iets fout zat, maar wist niet goed wat. En dan nog? Het was maar een vis. In een waanzinnig moment zag hij zichzelf lopen met de vis in een plastic zak, zag hij zich met de rode sluierstaart in een plastic zak in de wachtkamer van de dierenarts zitten: *Wat is er met deze jongen aan de hand?*

Tja, hij zwemt een beetje scheef.

Die situatie leek niet aanlokkelijk, maar toch kon hij het onrustige gevoel niet van zich afzetten. Hij was er altijd van overtuigd geweest dat de kleine sluierstaart hem zou overleven. Het was zorgelijk dat het nu ineens omgekeerd leek te zijn. Tegelijk probeerde hij bij zichzelf na te gaan waar die bezorgdheid eigenlijk op gebaseerd was. Was het de zorg voor de vis of de zorg voor zichzelf? Kwam zijn bezorgdheid voort uit zijn angst voor eenzaamheid, een leven zonder Kalfatrus, of was die onrust meer belangeloos, was hij écht bezorgd voor de algemene conditie van de vis? Kon een vis eigenlijk pijn voelen?

Hij had de vorige avond van alles geprobeerd: het water ververst, de kom gewassen, het zand in de kom gewassen, de juiste middelen en voedsel aan het water toegevoegd. Toch zwom hij steeds schever, en het karakteristieke happen naar lucht ging steeds trager.

Als hij nu doodgaat, dacht hij, dan kan het zijn dat hij sterft van ouderdom. Was dat het? Hij probeerde terug te denken. Wanneer had hij de vis gekocht? Hij wist het niet meer. Hij had ook geen idee hoe oud dit soort vissen kon worden. Hij kon zich alleen nog herinneren dat hij zeventien kronen had betaald. Hij zag zichzelf al bij de telefoon staan, bellen en de volgende vraag stellen: *Hoe lang is het geleden dat een sluierstaart ongeveer zeventien kronen kostte, en kunt u me misschien ook vertellen hoe lang zo'n schepsel kan leven?*

Hij stak een sigaret aan en blies in gedachten rookkringen naar de glazen kom. Voor het eerst in lange tijd was zijn werk niet het belangrijkste. Alles werd verdrongen door het beeld van een oranje-gele vis die een beetje scheef zwom. Loop naar de duivel, dacht hij, loop naar de duivel als je nu doodgaat, vóór mij.

6

Frank Frølich staarde naar zijn eigen beeltenis in de spiegel voor het bed. Zijn gedachten gingen terug naar die ene keer: *ik ontdekte dat er iemand in mijn flat was. Elisabeth had zichzelf binnengelaten voor ik kwam. Ze had gedoucht. Ze zat op haar knieën in de kamer. Ze luisterde naar muziek, zat voor de installatie, in haar ondergoed.*

Hij stond op en liep de kamer in. Hij keek naar de installatie. Zijn eigen gestalte en de dingen waarmee hij de kamer had ingericht, werden weerspiegeld in de beeldbuis van de tv.

Hij ging in de deuropening staan en keek weer naar de muziekinstallatie. *Ze zat met haar rug naar me toe toen ik thuiskwam en zei dat ze zichzelf had binnengelaten met een sleutel uit de schaal.* Hij zag haar rug voor zich toen ze naar haar kleren op de stoel liep. Hij herinnerde zich de aanraking van haar lippen op de zijne, hij zag haar deinende heupen toen ze door de kamer liep. Hij hoorde het rinkelende geluid van de sleutel in de schaal in de keuken. Hij liep naar de keukendeur. Hij keek naar de schaal met sleutels, kleingeld, hout- en metaalschroeven, tekenstiften, enkele kronenstukken en ander klein spul. *Geen huissleutel.*

Ze had de sleutel dus niet teruggelegd!

Maar waarom niet? Hij had toch het geluid gehoord van de sleutel die in de schaal viel. Als ze niet de huissleutel had teruggelegd, wat dan? Met trillende handen pakte hij de schaal op. Het was een stuk uitgeholde berkenboom, een knoest met fijne nerven, een schaal, gekocht op een huisvlijtbeurs waar hij jaren geleden tijdens een visreis naar de Osensjø in Trysil was geweest. Hij kiepte de inhoud op de keukentafel: munten, een paar schroeven, een veiligheidsspeld, een defecte zekering van tien ampère, een button met een leus tegen atoombewapening, een andere button tegen het lidmaatschap van de EU. Eén van de munten rolde weg en viel op de grond – een euro. Een oude, groene knikker rolde erachteraan. Hij ving hem op. *Ja, daar lag een sleutel.* Hij pakte de sleutel. *Die is niet van mij!* Het was geen huissleutel. Hij had hem nog nooit gezien. Het was een lange, smalle, merkwaardig gevormde sleutel, een sleutel voor een speciaal slot. *Wat is er aan de hand?* Waarom had ze een vreemde sleutel achtergelaten? En waarom had ze de huissleutel níet teruggelegd? Waarom had ze hem voorgelogen? Waar paste deze sleutel op?

Een sleutel. Maar wat verbergt hij? Waar is het slot?

Frank Frølich liep met stijve passen terug naar de kamer en liet zich op een stoel zakken. *Ze had de huissleutel niet teruggelegd.* In een flits zag hij lange botstukken gloeien in de as. *De sleutel is verbrand. Nee, blijf bij de feiten! De huissleutel is niet relevant. Het gaat juist om de sleutel die ze in de schaal heeft gelegd.*

Hij zag weer de contouren van haar lichaam voor zich toen ze van hem weg liep, door de kamer. Het gerinkel in de schaal – het was allemaal bluf geweest, een afleidingsmanoeuvre. Ze had zijn huissleutel juist willen houden – of – misschien wilde ze juist die nieuwe, vreemde sleutel bij hem achterlaten. De derde mogelijkheid was dat ze beide dingen had gewild: de nieuwe sleutel in de schaal deponeren en zijn huissleutel houden om later die nieuwe sleutel weer op te halen.

Dát was de bedoeling geweest. Hij wist het zeker. Ze had bewust die nieuwe sleutel achtergelaten, om hem later weer op te halen.

Maar daar was ze niet aan toegekomen. Ze was vermoord, verbrand in het huisje waarin ze zich schuil hield.

De formulering in Reidun Vestli's afscheidsbrief schoot door zijn bewustzijn: *bang voor pijn, dacht ik dat ik wel weerstand kon bieden.*

Zaten die *verschrikkelijke mensen* achter deze sleutel aan? *Wie zat er achter die sleutel aan? En waarom?*

Hij schrok op toen de telefoon ging. Het was Gunnarstranda die zonder inleiding zei: "Positieve DNA-match."

"Waar?"

"Het afgebrande huisje, van Reidun Vestli. Het was Elisabeth Faremo, zij is daar omgekomen. Gecondoleerd, Frølich. Je zult binnenkort weer bezoek krijgen van de landelijke recherche."

"Wacht", zei Frank Frølich.

"Rustig maar", zei Gunnarstranda. "Neem nog wat langer vakantie, of neem een week verlof, dan gaat de storm wel liggen."

"Ik moet met je praten."

"Waarover?"

"Een sleutel die ik heb gevonden."

"En dat is belangrijk?'
"Ja."
"Kom vanavond maar langs, na elf uur."

*

Misschien wilde hij de tijd verdrijven. Misschien wilde hij zelf het initiatief nemen. Hij ging nog een keer naar Merethe Sandmo's voormalige werkplek. Het was een uur of elf 's avonds, de bar begon vol te lopen. Het was een kleurrijk gezelschap, een aantal gasten maakte deel uit van een vrijgezellenfeest. Een van de mannen, waarschijnlijk de bruidegom in spe, was gekleed in een konijnenpak. Hij was zo straalbezopen, dat hij drie stoelen nodig had om op te zitten. Twee snotneuzen in een smoking zaten erbij te grinniken en probeerden zijn hand in een schaal met water te dopen. Een oudere gast met een snor en een onderkaak als een chimpansee hield hen heimelijk in de gaten terwijl hij met zijn borrelglas zat te spelen.

Op het toneel stond een bloedmooie vrouw met een chocoladebruine huid, ze liet haar borsten draaien op de muziek. Tom Jones' *She's a lady* denderde uit de luidsprekers. Frank Frølich liep naar de bar en kocht een halve liter bier van een puistige jonge man in een smoking. Hij pakte zijn glas aan en bedacht dat hij smokings altijd belachelijke kledingstukken had gevonden. *Punt in mijn voordeel: ik heb nog nooit een smoking gedragen. Punt in mijn nadeel: ik ben nog nooit naar een stripteaseshow geweest.* De vrouw met de draaiende borsten was klaar. Ze werd door veel blikken gevolgd toen ze het toneel verliet en het licht werd gedempt. Frank Frølich baande zich een weg naar een tafeltje vlak bij het toneel.

Hij keek om zich heen. Vrijgezellenfeest of niet, het ging er hier serieus aan toe. Welkom in mannenland, dacht hij en hij keek naar het plafond waar hij een knipperende discobal ontdekte die hij niet meer had gezien sinds er boven het hoofd van John Travolta in een film uit de jaren zeventig iets vergelijkbaars had rondgedraaid. Hij keek even naar de gezichten om hem heen. Ja, hij bevond zich aan de schaduwkant van de samenleving, tussen de ratten, hij marcheerde met de kakkerlakken mee. Alle gezichten hadden in dit licht een felblauwe kleur. Hier maakte het niet uit of je ziek, gezond, Arisch, Indisch, Chinees of gewoon niet lekker was. Hier was geen plaats voor afwegingen of beoordelingen, hier oogstten eenzame zielen zelfverwijt, verbittering en zelfverachting – misschien al de volgende dag, misschien een andere keer, maar in elk geval later – want hier kon iedereen zich even inbeelden dat aandacht en toewijding vruchten waren die uit je eigen portefeuille konden groeien. Hier heerste de leus van de leegte: 'We nemen er nog een!'

En ik zit op de eerste rang, dacht hij, hij tilde zijn glas op en dronk toen het volgende nummer werd aangekondigd. Met zijn glas aan zijn mond ontmoette hij de blik van de vrouw die opkwam. Ze had haar gezicht bedekt met een masker dat een afgietsel was van een gezicht. Toch herkende hij haar aan de zandlopervorm van haar lichaam en haar afrovlechten. Ze danste op Percy Sledge's *When a man loves a woman*. De vrouw kende haar publiek. Zelfs de brallende jongelui van het vrijgezellenfeest zwegen. Over haar armen droeg ze lange, nauwsluitende handschoenen, maar het sterkste effect ontstond door het contrast tussen het koude, levenloze porselein van het masker en de levende huid die ze stukje bij beetje ontblootte. Al snel liet ze de glijpaal los en stapte ze het toneel af. Met haar ogen achter het masker strak op hem gericht, liet ze haar bh vallen. Een paar kerels in de bar konden de druk niet weerstaan en brulden bronstig. Een jonge man in een grijs pak en met een enorme kuif gooide een als vliegtuigje gevouwen biljet van honderd kronen naar haar toe. Het trof haar buik. Ze liet zich niet afleiden en was in een glijdende beweging terug op het toneel. De ogen achter het masker keken hem nog steeds aan. Ze hield oogcontact toen ze haar handschoenen uittrok. Ze liet zijn ogen niet los voor ze zich helemaal omdraaide en het toneel verliet terwijl de muziek verdronk in gefluit en applaus. Alleen de bruidegom in het konijnenpak was de finale ontgaan. Hij lag op handen en voeten onder een tafeltje en braakte alles uit.

Het fascineerde Frank Frølich dat ze het masker niet had afgezet.

Hij liep naar de bar.

Hij had zijn volgende halve liter bier al bijna op, toen ze naast hem kwam staan, gekleed, zonder masker voor haar gezicht, een complete metamorfose na de vrouw die hij daarnet nog het podium had zien verlaten zonder een draad aan haar lijf. Hij vroeg wat ze wilde drinken.

"Gewoon water", riep ze over het lawaai heen.

"Ik moet zeggen", zei hij, terwijl hij inzag dat hij geen idee had wat voor complimentjes je in dit soort situaties gaf, "dat je goed bent."

Ze zei: "Ik heb een paar avonden naar je uitgekeken."

"Ik dacht dat de uitnodiging niet meer gold."

"Ik wist niet wie je was."

"En dat weet je nu?"

Ze knikte.

"Ken je Elisabeth?"

Ze knikte. "Ik moet gaan", zei ze. "Geef mij een hand."

Hij pakte haar hand. "Dit is mijn telefoonnummer", zei ze en ze liet hem weer los. "Ik moet niet samen met je gezien worden."

Hij stopte het stukje papier in zijn zak en vroeg: "Voor wie ben je bang?" Ze nam net een slok water en kon niet spreken. Toen ze het glas wegzette, gleed ze van haar kruk af.

"Als ze vragen wat ik tegen je heb gezegd", riep Frank Frølich, "dan kun je zeggen dat ik een boodschap voor hen heb. Ik heb de sleutel."

Ze wilde weglopen.

Hij hield haar tegen.

Ze keek hem met een gekwetste blik aan. "Ik moet nu gaan, ik meen het."

"Ik heb de sleutel", herhaalde Frank Frølich.

Ze pakte hem even stevig om zijn pols en verdween, fel opgemaakt, solariumbruin, een meid uit de arbeidersklasse die voor geld uit haar kleren ging in zo'n vieze tent. *Waar ben ik mee bezig?* Dat had hij zich al vaker afgevraagd en hij schrok van de echo van die gedachten. Met trillende handen zette hij zijn glas weg. Hij verliet de bar, liep de trap op en naar buiten. Hij bleef even staan en ademde diep de frisse, koude lucht in. Hij sprong in de eerste de beste taxi. Het was al elf uur geweest.

✶

Het was vreemd om de trappen op te lopen, de geur op te snuiven, de ene na de andere deur met een kijkgaatje te passeren in een trappenhuis dat hem bekend voorkwam – maar waar hij nooit was geweest. Hij bleef staan en keek naar de oude deur, het messing naamplaatje, de aluminium brievenbus. Hij tilde zijn vinger op naar de witte bel en drukte erop. Het geluid galmde als een telefoon uit de jaren zestig. Het belgeluid bleef in het stille portiek hangen, tot hij zijn baas binnen zijn keel hoorde schrapen waarna de deur opening.

Gunnarstranda keek hem koel aan, zonder een spier te vertrekken.

"Nu is het mijn beurt", zei Frank Frølich verlegen.

Gunnarstranda hield de deur open. "Wil je een whisky?"

"Ja, alsjeblieft."

"Welk merk heeft je voorkeur?"

"Welke heb je?"

"Alles."

Frank Frølich trok zijn wenkbrauwen op.

"In elk geval alle merken die jij kent."

"Een Islay", zei Frank Frølich en hij keek toe hoe Gunnarstranda naar een oude, versleten hutkoffer liep. Op het vale etiket was nog steeds M/S Stavangerfjord te lezen. Hij opende het slot. De koffier stond helemaal vol bruine flessen.

"Bowmore?"

"Goed." Frank Frølich keek om zich heen. Bijna elke vierkante centimeter wand was bedekt met boeken. Vakliteratuur, lexica, ballistiek, botanica. Hij las de titels: *Alpine flowers in the north, Flowers of the Alps, Flowers in Ireland, Flowers of the Faroese islands*. De enige onderbreking in de rij boeken was een glazen kom waarin een kleine rode sluierstaart water opboerde. Hij ging ervoor staan en keek door het glas naar de vis.

"Hier", zei Gunnarstranda en hij gaf hem het glas.

Frank Frølich pakte het aan.

"Ze kosten 35 kronen", zei Gunnarstranda.

"Hm?"

"Zulke vissen. Goedkoop, hè?"

"Hij ziet er een beetje loom uit."

Gunnarstranda gaf geen antwoord.

"Je hebt niet veel literatuur", constateerde Frank Frølich.

"Literatuur?"

"Ja, romans, gedichten ..."

"Kunst?" Gunnarstranda schudde glimlachend het hoofd. "Ik hou niet van kunst." Hij hief zijn glas. "Proost."

Ze nipten aan hun glas.

Frank Frølich slikte genietend zijn whisky door. "Dat zou je niet zeggen, gezien jouw voorliefde voor het citeren van literatuur."

Gunnarstranda haalde zijn schouders op, zette het glas weg en zei: "Heb je de sleutel?"

Frank Frølich groef in zijn zak en gaf hem aan Gunnarstranda.

Ze gingen zitten in twee diepe stoelen die waarschijnlijk al in de jaren zestig waren aangeschaft.

Gunnarstranda bestudeerde de sleutel. "Een bankkluis", zei hij.

"Waarom denk je dat?"

"Omdat het net zo'n sleutel is als de sleutel van mijn bankkluis."

Gunnarstranda gaf hem de sleutel terug. Frølich bleef hem in zijn hand zitten wegen. "Geen naam van de bank, geen nummer van de kluis."

"Zo gaat dat meestal."

"Dan kunnen we dus kiezen uit duizend banken en honderdduizend bankkluizen", onderbrak Frølich hem teleurgesteld.

Gunnarstranda knikte. "Het wordt niet gemakkelijk."

"Waarom merken die banken hun sleutels niet?"

Gunnarstranda haalde de schouders op. "Waarschijnlijk omdat die bankkluizen zo'n formele aangelegenheid zijn. Toen ik destijds zo'n kluis huurde, kreeg ik twee sleutels en de mededeling dat de bank geen kopieën had. Als ik iemand anders wilde machtigen om de kluis te openen, moest dat geregistreerd staan in het machtigingsregister van de bank."

"Maar wat moet ik verdomme met die sleutel als ik niet weet welke bank of kluis het is?"

Gunnarstranda grijnsde scheef: "Waar komt de sleutel vandaan?"

"Ze heeft hem bij mij laten liggen."

"Wie?"

"Elisabeth."

"Zeker weten?"

"Honderd procent."

"Dan is de kans groot dat de sleutel op naam staat van Elisabeth Faremo of van iemand in het kringetje om haar heen, bijvoorbeeld Jonny Faremo. Misschien wel van allebei. Het enige probleem is dat er geen centraal register bestaat waar de huurders van bankkluizen staan geregistreerd – en in een andere situatie was je daar vast blij mee geweest."

Frank Frølich nipte uit zijn glas terwijl de ander nadacht.

"Je vertelde dat je een tatoeagestudio in Askim had gevonden, waar iemand een tatoeage op de heup van Elisabeth Faremo had gezet?"

Frank Frølich knikte.

"Heb je dat zelf ontdekt?"

"Natuurlijk."

"En waarom heb je daar gezocht? In Askim?"

"Omdat Jonny Faremo in Askim is gevonden."

"Interesseert het je dat Ilijaz Zupac daar heeft gewoond?"

"Waar?"

"In Askim." Toen hij de verwarring op het gezicht van de ander zag, zei Gunnarstranda: "Ik heb wat dingen uitgezocht over Ilijaz Zupac. Hij heeft in Askim op de middelbare school gezeten, basisopleiding mechanische vakken. Zijn vader werkte daar in de jaren zeventig bij de rubberfabriek. Er is toen een hele kolonie Joegoslaven deze kant opgekomen."

"Joegoslaven?"

"Dat was voor de dood van Tito en de oorlogen op de Balkan. Die Joegoslaven zijn nu Kroaten, Bosniërs, Serviërs, Montenegrijnen. Waar de ouders van Zupac vandaan kwamen, weet alleen hij. Ze zijn allebei dood. Maar hij is Noors staatsburger en zat van 1989 tot 1991 op die school. Hij is gediplomeerd automonteur, dus was het logisch dat hij tijdens zijn arrestatie bij een benzinestation werkte."

Gunnarstranda knikte naar de sleutel. "Ik heb een bankkluis bij de DnB NOR in Grefsen. Zoals ik al zei, deze sleutel lijkt heel veel op mijn sleutel."

"Je bedoelt dat we naar Grefsen moeten rijden en alle kluizen moeten proberen?"

Gunnarstranda schudde het hoofd. Hij zei: "Faremo werd vermoord in Askim, zijn zus werd getatoeëerd is Askim, haar geliefde heeft daar gewoond. En ik weet toevallig dat er een filiaal van DnB NOR is – in Askim."

Het werd stil. Frølich woog nog steeds de sleutel in zijn hand. "Het is het proberen waard", zei hij.

"Maar het moet via de officiële weg."

"Hoe dan?"

"In het kader van de zaak die ik onderzoek. Ik zal Jim Rognstad en Vidar Ballo weer oproepen voor verhoor in verband met de moord op de nachtwaker, Arnfinn Haga, en de dood van Elisabeth Faremo. Ik heb sterk het vermoeden dat het tweetal niet bij het verhoor komt opdagen. Als ze dat niet doen, heb ík de mogelijkheid", Gunnarstranda prikte met zijn vinger op het voorpand van zijn overhemd, "om de bankemployés van het DnB NOR filiaal in Askim …" hij leunde naar voren en pakte de sleutel uit de vingers van Frank Frølich, "… met deze sleutel te confronteren." Hij stak hem in zijn zak. "Vanaf nu werken wij samen aan deze zaak", besloot hij. "Ik ga er vanuit dat jij morgen op het werk verschijnt."

Frank Frølich bleef zitten nadenken. De ontwikkelingen bevielen hem niet. Hij zei: "En als de sleutel niet bij die bank hoort?"

"Dan heb jij ook de komende dagen nog het nodige te doen."

Frank Frølich stond op. Hij stak zijn hand uit.

Gunnarstranda keek op. "Wat is er?"

"De sleutel – als het officieel moet, zal het ook officieel gebeuren. Ik lever hem morgen in."

*

Toen hij Gunnarstranda verliet, besloot hij te voet van Bjølsen naar het centrum te gaan. Hij wandelde over het trottoir voor de oude houten bebouwing aan de Maridalsveien en sloeg linksaf naar de oude watermolen aan de Akerselva. Nu het donker was, was de brug over de rivier verlicht. Hij stak de brug over en liep langs het huis van Hønse-Lovisa verder naar Grünerløkka. Hij moest nadenken. Het had hem geïrriteerd dat Gunnarstranda de sleutel uit zijn vingers had gepakt. Waar kwam dat gevoel vandaan? Een soort diepgewortelde allergie om te worden gedirigeerd? De sleutel inleveren en daardoor wel verplicht zijn om de volgende dag op het werk te verschijnen, fris geschoren en met een goed ontbijt in zijn maag, klaar om alle regels tot in de puntjes op te volgen? Misschien lag daar de oorzaak van het knagende gevoel: zijn partijdigheid, zijn betrokkenheid bij deze zaak zou het vervolg van de werkzaamheden bemoeilijken. Misschien was hij nog niet klaar om morgen weer aan het werk te gaan. De sleutel woog zwaar in zijn broekzak. Zíj had hem in zijn flat achtergelaten. De sleutel was van hém. En hij was niet klaar om toe te geven aan de druk van Gunnarstranda om weer aan het werk te gaan, om zijn plaats in het orkest weer in te nemen en zich te laten dirigeren. Nu niet. Nóg niet.

De herfst liet zich deze avond van zijn vochtige kant zien. De straatlantaarns aan Birkelunden hadden een oranje aura in de mistnevel. Een man in een parka en pyjamabroek liet een hond uit. Een donkere auto reed langzaam voorbij. Frank Frølich begon wat sneller te lopen, in de richting van het metrostation Grønland.

Hij stapte op de laatste trein. Het was bijna één uur 's nachts. Hij was er nog steeds niet uit of hij naar zijn werk zou gaan. Hij was weliswaar van plan om over een paar uur wakker te worden en op te staan, maar het was iets anders om er ook echt heen te gaan, om te worden geconfronteerd met de blikken in zijn richting, met het zwijgen, met alles wat niet werd gezegd – niet één dag, maar elke dag, van nu af aan. Zou hij het werk ooit weer op kunnen pakken, zou hij dat ooit voor elkaar krijgen?

Hij stapte uit in Ryen en wandelde rustig door de Havreveien. Het weer was nog milder geworden. Het regende zachtjes. Hij bleef staan, hield zijn open hand op om de regendruppels te voelen. Maar hij voelde niets.

Hij hoorde de motorfiets, maar zag hem niet. Hij voelde alleen dat hij door de lucht vloog. Daarna het koude, natte, ruwe asfalt tegen zijn handen toen hij zich probeerde op te vangen. De klap tegen zijn hoofd voelde hij ook niet, maar hij hoorde hem wel en werd helemaal gevoelloos. Op het moment dat de lucht uit zijn longen werd geperst, zag hij de achterlichten van de motor. Een krachtige gestalte in een leren pak en met een helm op zette de motor weg. Hij was aangereden. De lucht langs zijn gezicht tijdens de vlucht. De man was gewoon recht op hem in gereden. Hij probeerde op te staan, maar was niet vlug genoeg. Hij viel opnieuw door een schop. De man met de motorhelm hield iets in zijn hand. Een stem in zijn hoofd schalde: *Sta op! Rennen!* Maar zijn benen weigerden dienst. Hij hield zijn handen boven zijn hoofd toen de motorrijder sloeg. Het werd zwart voor zijn ogen, hij voelde hoe handen zoekend over zijn lichaam gingen. Hij lag met zijn ogen gesloten en het werd stil. Hij knipperde met zijn ogen, maar hij zag niets. Hij veegde met een hand over zijn gezicht. Nat. Bloed. *Je moet hulp zoeken!* Hij richtte zich op handen en voeten op, maar werd duizelig en viel weer om. Hij veegde nog een keer met zijn hand over zijn gezicht, hij ving een glimp van de straat op, de wielen van geparkeerde auto's. De motorfiets werd gestart. Het rode achterlicht en de uitlaatgassen. De contouren van een coureur die niet meer omkeek. Het lukte Frank om overeind te krabbelen. Langzaam kroop hij het trottoir op, terwijl het geluid van de motorfiets in de verte verdween. Zijn kleren waren doorweekt. Hij leunde met zijn rug tegen een geparkeerde auto. Met zijn vingers tastte hij zijn schedel af, hij voelde de wond en haalde zijn vingers van zijn hoofd. Hij voelde zijn zakken. Zijn portefeuille was er nog. Wat had de man gestolen? Hij wist het antwoord en nam niet eens de moeite om in zijn zak te voelen. In plaats daarvan zocht hij zijn mobiele telefoon. Hier tussen de huizenblokken had waarschijnlijk niemand iets gezien. Hij moest zelf alarm slaan.

✶

Het was nog geen vijf uur 's ochtends. Gunnarstranda had niet gegeten, zelfs geen koffie gedronken. Hij was geïrriteerd en chagrijnig. Naast hem in de auto zat zijn beklagenswaardige collega, volgens de regels der kunst weer opgelapt op de dokterspost, maar nog steeds als een armzalig hoopje, getekend door de overval en stinkend naar bier en braaksel.

"Heb je helemaal niets van het nummerbord gezien?" vroeg hij.

"Nee."

"Geen idee wie het was?"

"Nee."

"Je zegt dat het er maar één was, je weet zeker dat het niet meer waren?"

"Niet zeker, maar volgens mij was het één man."

"En hij heeft de sleutel afgepakt, dat was dus heel slim van jou om die mee te nemen."

Frølich gaf geen antwoord.

"Wat mij nog het minst bevalt, is dat ze wisten waar ze moesten toeslaan."

"Wat bedoel je nu?"

Gunnarstranda opende het portier en zei: "Kom." Half trekkend, half ondersteunend hielp hij de grote Frank Frølich uit de Skoda en naar de ingang. Het was ochtend. Een krantenjongen fietste voorbij. Een man die door een deur haastig naar buiten kwam, zette grote ogen op toen hij Frank Frølichs gehavende uiterlijk zag.

Ze strompelden de lift in. De liftdeur viel met een klap achter hen dicht. De lift kwam in beweging.

Frank Frølich herhaalde: "Wat bedoel je?"

Gunnarstranda kreeg een geïrriteerde blik in zijn ogen. "Denk je dat ik gek ben, Frølich? Die kerels hebben vannacht toegeslagen, ze jatten de sleutel, maar laten je geld, telefoon en horloge ongemoeid. Hoe wisten ze dat jij die sleutel bij je had? Tot vannacht hebben ze niets ondernomen. Ik heb met niemand over die sleutel gesproken. Als je in deze zaak mijn sympathie wilt, dan wil ík weten hoe zij konden weten dat ze je, juist vannacht, te pakken moesten nemen."

"Het was maar één man. Ik stel voor dat je dat aan hem vraagt."

"Verdomme, wat ben jij een stumper!"

Frank Frølich zweeg. De lift stopte. Gunnarstranda duwde de deur open. Ze stapten uit. Frank Frølich zocht in zijn zakken naar zijn sleutelbos, vond hem en opende de deur.

"Dus díé sleutels mocht je houden?"

Frank Frølich keek hem vermoeid aan. "Ik kan je helaas niets aanbieden." Hij liet zich op de bank zakken.

Gunnarstranda bleef bij de deur staan. Zijn ogen schoten vuur. "Je bent met die sleutel naar mij toegekomen om hulp. Je komt met een idiote verklaring waarom je de sleutel mee wilt nemen als je weggaat. Dan zorg je ervoor dat je zowat wordt vermoord en vervolgens bel je mij en maak je mij wakker, in plaats van een ambulance te bellen. Nou ja, je hebt hulp gekregen. Maar als jij degene bent die ik denk dat je bent, en je wilt mijn hulp, dan moet ik verdomme wel weten wat je hebt gedaan!"

"Ik kan het niet."

"En waarom kun je het niet?"

Frølich zweeg weer. Hij legde een kussen achter zijn nek.

"Geef antwoord! Waarom kun je het niet?"

Frølich sloot zijn ogen en zuchtte diep. "Voordat ik gisteravond bij jou kwam, ben ik naar de bar geweest waar Merethe Sandmo werkte. Ik heb met iemand gesproken die daar werkt, een vrouw."

"Een vrouw." Gunnarstranda's gezicht zag eruit alsof hij citroenen had gegeten. "Een vrouw", herhaalde hij vol walging. "Jij en vrouwen. Wat is dat toch met jou?"

"Wacht even, zij was degene die me op het spoor van Ilijaz Zupac heeft gebracht. Ik ben daar een paar dagen geleden op goed geluk naar toe gegaan en kreeg zijn naam op een presenteerblaadje aangeboden. En ja, ik ben er gisteravond weer heen gegaan. Maar ze had de boodschap gekregen uit mijn buurt te blijven. Ik heb de gok genomen. Ik wilde ze uitroken en vroeg haar mijn hartelijke groeten over te brengen, ik heb geen idee aan wie, en te zeggen dat ik de sleutel had. Dat moet ze hebben gedaan, in elk geval duurde het maar een paar uur voor ik in volle vaart door een motorfiets in mijn rug werd gereden."

"Hoe heet ze?"

"Weet ik niet."

"Frølich!"

"Het is waar, ik weet het niet. Ze heeft rood haar, of zwart haar dat rood is geverfd, een kapsel dat het nodige heeft gekost, met van die afrovlechten. Ze is een jaar of 28, plusminus. Maar wat nu veel belangrijker is, is dat straks de banken openen."

"Dat weet ik", zei Gunnarstranda geïrriteerd. "Denk je dat ik dom ben?"

Frank Frølich ademde uit.

Gunnarstranda draaide zich in de deuropening om en zei: "Ik heb eens nagedacht over de zaken die wij samen hebben gedaan, Frølich. Die zijn best goed gegaan. Ik vind dat wij elkaar aanvullen. Maar nu ... je kunt geen dingen verzwijgen en als een idioot rondbanjeren. Er zijn al een heleboel doden gevallen in deze zaak. Arnfinn Haga, Jonny Faremo, Elisabeth Faremo. Voeg daar nog die docent uit Blindern bij die zelfmoord heeft gepleegd, dan hebben we er al vier. Jij bent politieman. Ik had nooit gedacht dat ik mee zou maken dat jij in een onderzoek met allerlei sterke verhalen op de proppen zou komen, terwijl je al met één been in het graf staat."

"Dat had ik ook niet gedacht", zei Frølich. "Maar ik weet wie het was", mompelde hij.

Gunnarstranda schudde het hoofd. "Ook al hebben we eerder een man met een motor gearresteerd, dan is het nog lang niet zeker dat hij degene is die jou ondersteboven heeft gereden."

"Hoeveel wed je?" mompelde Frank Frølich. "Ik zet honderd kronen op Jim Rognstad."

"Het zou ook kunnen", zei Gunnarstranda, "dat hij zijn motor heeft uitgeleend. Als hij dat heeft gedaan, ben jij honderd kronen kwijt." Gunnarstranda vertrok en deed de deur achter zich dicht.

7

Hoofdinspecteur Gunnarstranda had besloten om met de trein te gaan. Een blik op de dienstregeling had hem verteld dat de reis iets meer dan een uur in beslag zou nemen. Hij zou ongeveer aankomen op het tijdstip dat de bank opende. Yttergjerde en Stigersand stonden al bij de bank op de uitkijk.

De treinreis werd een lange, saaie aangelegenheid. Hij herinnerde zich dat hij de reis een keer eerder had gemaakt, dat moest in de jaren zestig zijn geweest tijdens een voetbalwedstrijd tussen Vålerenga en een club uit Sarpsborg. In jeugdige overmoed en geloof in de technologie hadden hij en een vriend de trein genomen. Ze waren pas in Sarpsborg aangekomen toen de wedstrijd al in volle gang was. Na veertig jaar was hij vergeten dat de spoorlijn bijna alle boerengehuchten in Østfold aandeed en nu, in oktober, vóór de zon opkwam, had hij tijd, noch mogelijkheid om te genieten van het uitzicht op stoppelvelden, boerderijen of zwartgeploegde akkers. Gunnarstranda coördineerde de troepen per telefoon en liep het draaiboek na.

Toen hij ongeveer een halfuur in de trein zat, ging zijn telefoon weer. Het was Lena Stigersand die kortweg zei: "Raak!"

"Vertel", zei Gunnarstranda.

"Ik zit hier met de directeur van het bankfiliaal. Ze hebben in 1998 een bankkluis verhuurd op naam van Jonny Faremo en Vidar Ballo."

"Machtigingen?"

"Eén op naam van Jim Rognstad en een andere op naam van ene Ilijaz Zupac."

"En waar zijn die kluizen?"

"In de kelder."

"Is er beneden een camera?"

"Nee."

"Oké. We moeten maar duimen dat ze vandaag komen opdagen. Zo niet, dan moet ik een gerechtelijk bevel regelen om de kluis te openen. Maar ik hou me sowieso op afstand. Zowel Ballo als Rognstad kent mij."

Lena Stigersand schraapte aarzelend haar keel.

"Ja?"

"Als ze komen, gaan we ze dan arresteren?"

"Natuurlijk."

"En de aanklacht?'

"Verdenking van geweld tegen een politieagent."

*

Het treinstation lag tegenover het bankgebouw. Het was een redelijk modern bakstenen gebouw waarin ook de apotheek en het gezondheidscentrum waren ondergebracht. Hij sloot aan in de rij voor de pinautomaat en ontdekte Yttergjerde, die in een auto voor de kiosk op het stationsplein zat. Hij was aan de beurt bij de pinautomaat en nam vijfhonderd kronen op. Daarna ging hij op zoek naar een plek waar hij een kop koffie en een ontbijt kon krijgen. Hij liep nog een stukje verder langs de spoorlijn, onder een paar grote bomen. Dode bladeren lagen in bevroren rozetten op het kleverige asfalt. Hij stak de spoorlijn over en vond een koffietent in een winkelcentrum waarin ook een galerie was ondergebracht. Hij at een ciabatta en dronk een kop zwarte koffie terwijl hij naar de winkelpromenade keek waar dik ingepakte mensen haastig langs liepen. Een man met een baard kwam aanfietsen zonder handen aan het stuur, de rode vingers vergeefs in zijn zakken gepropt en zijn blik strak naar voren gericht.

Hij had zijn koffie op en zat zich juist te ergeren aan het rookverbod dat de Noorse politici hadden afgekondigd voor cafés en restaurants, toen Yttergjerde de glazen deur opende. Hij kwam binnen en bestelde een van de nieuwerwetse koffiesoorten die vermeld stonden op het plakkaat aan de muur achter het jonge meisje aan de kassa.

"Ik heb zojuist iemand gezien met een nog vreemdere pluk haar over zijn kale schedel dan jij, Gunnarstranda", zei Yttergjerde.

"Gefeliciteerd", antwoordde Gunnarstranda en hij schikte even een paar haarsprieten op zijn hoofd terwijl hij zichzelf in het spiegelende raam bestudeerde.

"Peder Christian Asbjørnsen", zei Yttergjerde.

"Die is al meer dan honderd jaar dood."

Yttergjerde wuifde met een biljet van vijftig kronen. "Hierop leeft hij nog."

Gunnarstranda wierp even een blik op het portret van de man op het biljet en barstte geïrriteerd uit: "Moet jij niet op de bank letten?"

Op hetzelfde moment kraakte Gunnarstranda's kortegolfzender. Het was Stigersand vanuit de commandowagen.

Ze zei: "Ik heb goed en slecht nieuws. Wat wil je het eerst horen?"

"Het slechte nieuws."

"Er is er maar één komen opdagen."

"Waar is hij nu?"

"Hij zit gezellig bij mij op de achterbank, en dat is dan gelijk het goede nieuws."

Yttergjerde grijnsde.

De vrouw achter de bar schonk Yttergjerdes koffie over in een kartonnen beker. Ze liepen naar buiten. Gunnarstranda stak een sigaret aan en inhaleerde genietend in de koude buitenlucht. Yttergjerde draaide zich om en bleef staan. "Wat denk jij als je zo staat?" vroeg hij.

"Ik denk aan een roman die ik eens heb gelezen", antwoordde Gunnarstranda. "Nordahl Griegs *De wereld moet nog wel jong zijn*."

"Waarom juist dat boek?"

"Hij schreef daarin over hoe riskant het was om in de winterkou in Moskou te roken."

"En?"

"De schrijver beweerde dat het gevaarlijk was om de kou in je longen te krijgen, niet de rook."

"Dus de wereld is niet zo jong meer", zei Yttergjerde en hij moest grijnzen om zijn eigen grapje.

"Dat kun je wel zeggen."

Ze wandelden langzaam naar de spoorlijn. De blauwe zwaailichten van de politieauto's weerkaatsten tegen de muur van een stenen gebouw aan de overkant van de straat. "Is er niets wat jou verbaast, Gunnarstranda? De kans dat een van die kerels hier zou opduiken, was toch net zo groot als de kans om de hoofdprijs in de loterij te winnen?"

"Er zijn zoveel dingen die mij verbazen."

Er kwam een trein aan. De bellen bij de spoorwegovergang rinkelden luid en de bomen kwamen krakend naar beneden. Gunnarstranda bleef staan. Yttergjerde, die al bezig was over te steken, draaide zich om en kwam terug om ook te wachten tot de trein was gepasseerd.

"Wat bijvoorbeeld?"

"Tja, de hoeveelheid kennis bijvoorbeeld die mensen hebben over televisieprogramma's. Ze praten over allerlei series, en het zijn niet alleen de mensen op het werk die dat doen, ook mensen die worden geïnterviewd voor de krant praten over tv, en mensen op tv praten over tv."

"Daar verbaas je je toch niet over?"

"Ik ben altijd van mening geweest dat je jezelf niet met dat soort dingen moet bezighouden."

Yttergjerde glimlachte vaag. "Als jij ooit zou moeten matigen, zou het alleen rantsoenering van whisky en tabak zijn, hè?"

"Weet ik niet, een leven zonder tabak zou moeilijk uit te houden zijn, maar een leven met teveel slechte tv is erger. Slechte tv reduceert het esthetische gevoel van mensen op korte termijn, op de lange termijn worden ze decadent."

De trein reed uit westelijke richting tegen de heuvel op, opvallend stil. Hij ratelde voorbij, stopte voor het gele stationsgebouw en de spoorbomen gingen weer omhoog, begeleid door een krakend geluid.

Voor de bank stonden twee politieauto's. Er was assistentie gevraagd van het politiedistrict Follo. De derde auto was een civiele politiewagen. Dat was de auto met het blauwe zwaailicht, een discrete lamp op het dak en een in de gril. Op de achterbank zaten twee grote gestalten. Het voorste portier ging open en Lena Stigersand stapte uit.

"Wie?" vroeg Gunnarstranda.

"Jim Rognstad."

Gunnarstranda bukte en keek in de auto. Rognstad zat groot en stoïcijns op de achterbank.

"Kwam hij op de motor?"

"Ja."

"Neem die in beslag, bewijsmateriaal."

"Jij hebt het voor het zeggen."

"Wanneer hebben jullie hem gepakt?"

"Hij kreeg een vrijgeleide naar de kluizen, haalde wat hij wilde hebben en toen hij weer naar boven kwam, zijn we tot arrestatie overgegaan."

"Wat hebben jullie in beslag genomen?"

"Een tas vol geld." Lena Stigersand hield een aktetas op. "Heel, heel veel geld."

Gunnarstranda keek weer door het autoraampje. "En de bankkluis?"

"Die is nu leeg.

"Heeft hij iets gezegd?"

"Er is hem niets gevraagd."

Ze bleven een paar tellen zwijgend staan. Lena Stigersand verbrak de stilte. "Nou, wat doen we?"

"We sluiten hem op. De officier van justitie moet maar over het geld beslissen."

Yttergjerde opende een van de autoportieren. "Rij je met ons mee terug?"

Gunnarstranda schudde het hoofd. "Nee", zei hij. "Ik neem de trein, ik moet nadenken."

*

Hij bleef de auto's die wegreden staan nakijken. Ten slotte draaide hij zich om en liep langs het station en langs een bushalte naar een grote parkeerplaats. Hij bleef staan, hief een hand op en wenkte.

Een automotor werd gestart. Een zilvergrijze sedan reed achteruit uit de rij auto's en kwam naar hem toe. De auto stopte.

Gunnarstranda opende het portier en stapte zonder een woord te zeggen in.

"Hoe wist je dat ik hier was?" vroeg Frølich.

"Ik geloof dat je zelf ook wel inziet hoe belachelijk dit is", antwoordde Gunnarstranda. "Maar nu je toch hier bent, kun je me wel terugbrengen naar de stad."

"Wat zat er in de kluis?"

"Geld."

"Inge Narvesen kan dus blij zijn?"

"Ik neem het aan. De bankkluis werd vlak na de diefstal van zijn safe gehuurd. En Zupac heeft een volmacht voor de sleutel van de bankkluis."

"Dan zal Narvesen het geld wel op kunnen eisen. Maar het kan best wel eens ingewikkeld worden om een zaak uit 1998 weer op te rakelen en een nieuwe verdachte te arresteren."

"Twee."

"Twee?"

"Hoewel Ballo zich gedeisd houdt, is hij niet onschuldig."

Frølich zette de auto in beweging. Ze reden de E18 op, richting Oslo.

Gunnarstranda voegde eraan toe: "Maar ik ben bang dat Rognstad deze keer toch vrijuit gaat."

Ze reden zwijgend verder, totdat Frølich er niet meer tegen kon. Hij zei: "Waarom zou hij vrijuit gaan?"

"Waar moet ik hem voor aanklagen? Je hebt toch niet gezien wie je heeft aangevallen?"

"Hij had toch de sleutel van de bankkluis? Die heeft hij van mij gestolen."

"In dat geval moet je een aanklacht voor de overval indienen."

"Dan doe ik dat."

"Wat mij betreft, graag. Maar als je dat doet, bemoei je je niet meer met het onderzoek, alle sporen waar jij iets mee te maken hebt, zijn volkomen waardeloos in een zaak tegen Jim Rognstad."

Frølich reed zwijgend verder.

"Bovendien kan Rognstad nog beweren dat hij de sleutel heeft geleend van Vidar Ballo en dat hij geen idee heeft waar Ballo de sleutel vandaan heeft. En dat verhaal kunnen we niet controleren, want Ballo lijkt van de aardbodem te zijn verdwenen."

"Jij bent ook een echte optimist."

"Fout, Frølich, ik ben een realist. Het feit dat Rognstad geld uit de kluis heeft gehaald, zegt helemaal niets. Jonny Faremo en Vidar Ballo hebben ook zes jaar lang toegang gehad tot de kluis. Rognstad hoeft alleen maar te zeggen dat het voor hem een grote verrassing was toen hij het geld zag dat in de kluis lag en dat hij niet begrijpt waar het vandaan komt. Het kan er bijvoorbeeld in zijn gelegd door Jonny Faremo, die nu dood is en dus geen antwoord kan geven. Begrijp je? Het enige resultaat dat we vandaag hebben bereikt, is dat Narvesens geld naar alle waarschijnlijkheid terecht is. We hebben niet genoeg om Rognstad aan te klagen, voor wat dan ook."

Ze reden een tijdje zwijgend verder, totdat Frølich zei: "Kun je het afgebrande huisje niet gebruiken – de moord – op Elisabeth?"

Gunnarstranda haalde zijn schouders op. "Dat staat nog te bezien, de politie in Fagernes heeft de foto's van Ballo, Faremo, Rognstad en zelfs van Merethe Sandmo gekregen, dus moeten we maar afwachten wat zij ontdekken." Gunnarstranda keek naar zijn collega en zei: "Er is één ding waar we het nog niet over hebben gehad, Frølich."

"Waar denk je aan?"

"Kan jouw vriendin het huisje zelf hebben aangestoken?"

"Nee."

"Waarom niet?"

"Elisabeth, zichzelf in brand steken? Dat is absoluut ondenkbaar."

"Laat me de vraag anders stellen, kan het zijn dat ze zelfmoord heeft gepleegd?"

"Waarom zou ze zelfmoord plegen?"

"Dat gebeurt weleens."

"Maar niemand kiest ervoor om levend te verbranden."

"Zelfmoordenaars hebben rare kronkels, Frølich, ze zijn niet allemaal zo gelukkig als Ophelia, ze hebben niet allemaal de beschikking over een romantisch watertje in de maneschijn als het tegenzit."

"Luister nu eens wat ik zeg: Elisabeth heeft geen zelfmoord gepleegd. Je kunt me echt niet overtuigen dat ze zelf brand heeft gesticht."

"Maar ze kan wel slaappillen hebben geslikt, en in slaap zijn gevallen terwijl er nog kaarsen brandden."

"Waarom zeg je dat?"

"De brand in het huisje is waarschijnlijk veroorzaakt door een kaars in een fles."

Frølich zweeg.

"Zowel de politie als de brandweer in Fagernes is tot die conclusie gekomen", voegde Gunnarstranda eraan toe. "En het is ook niet helemaal onwaarschijnlijk dat ze depressief was na de dood van haar broer. Ze had geen andere familie. Stel je voor: ze is op de vlucht voor een stelletje brutale schoften, dan sterft haar enige broer, haar beschermer, haar rots in de branding. Veel mensen worden van minder sentimenteel."

Frølich dacht na voor hij zei: "Ik geloof eerder dat de kaars hulp heeft gehad bij het omvallen, dat iemand, bijvoorbeeld Rognstad, Elisabeth eerst op een andere manier heeft uitgeschakeld. De brand is ontstaan omdat iemand een moord wilde camoufleren."

"Dat is natuurlijk een mogelijkheid, maar wel een hypothetische."

"Hypothetisch?"

"De landelijke recherche zit met een dode ten gevolge van een brand in een vakantiehuisje. De oorzaak van de brand lijkt een omgevallen kaars te zijn. Het volgende is dus gebeurd: iemand ligt in bed te lezen, valt bij de brandende kaars in slaap en sterft door koolmonoxidevergiftiging voor de brand goed vlam vat."

"Geloof je wat je zegt?"

"Ik geloof helemaal niets. Ik vertel alleen de theorie van de landelijke recherche."

Frank Frølich haalde diep adem. Ze waren inmiddels bij Spydeberg. Hij gaf richting aan naar rechts en stopte bij het benzinestation. "Ik moet je iets laten zien", zei hij ten slotte en hij pakte Reidun Vestli's afscheidsbrief uit zijn binnenzak.

Gunnarstranda las eerst de hele brief, voor hij zijn bril afzette en er op beet. "Waarom heb je me dit niet eerder laten zien?" vroeg hij zacht.

"Hij kwam een paar dagen geleden. Het punt ..."

"Hij kwam? In jouw brievenbus?"

"Hij had er al dagenlang gelegen, maar ik had de brievenbus niet leeg gemaakt. Het punt is dat het tussen de regels staat. Die verschrikkelijke mensen, enzovoorts, enzovoorts. Reidun Vestli vond geen romantisch watertje, maar een pot met pillen, omdat ..."

"Ik kan ook wel lezen", viel Gunnarstranda hem in de rede. "Het lijkt wel een hoorspel op de radio." Hij zette zijn bril weer op zijn neus en las hardop: "*Ik weet niet of Elisabeth tegen die verschrikkelijke mensen is opgewassen. Ik hoop dat het haar lukt, maar ik heb geen illusies. Ik had ook geen illusies toen ze kwamen. Elisabeth had me voor hen gewaar-*

schuwd – die verschrikkelijke mensen ..." Hij liet zijn bril zakken. "Wat een onzin!"

Frølich kon geen antwoord geven.

Gunnarstranda zei: "Als die vrouw zodanig in elkaar is geslagen dat ze de overvallers heeft verraden waar Elisabeth Faremo was, en ze stuurt daarover bovendien per post een brief naar een politieman, waarom vertelt ze dan in 's hemelsnaam niet wie erachter zit, zodat diegene kan worden gestraft?"

"Ik weet het niet", zei Frølich bedremmeld. "Maar ik denk dat het met loyaliteit aan Elisabeth te maken heeft."

"Loyaliteit? Elisabeth Faremo was dood toen Reidun Vestli dit schreef."

"Maar ik heb geen enkele reden om te twijfelen aan de echtheid van de brief. De openingszinnen, dat verhaal over die aanhef, het is net alsof ik haar hoor praten. Reidun Vestli heeft zelfmoord gepleegd, daar is geen twijfel over mogelijk, dat maak je me niet wijs. Het klopt dat er niet veel belangrijke informatie in de brief staat, maar ik geloof dat hij echt is. Je hebt Rognstad nu te pakken, ik ben ervan overtuigd dat hij mede verantwoordelijk is voor Reidun Vestli's dood."

"Reidun Vestli kan niet langer getuigen tegen Rognstad. Maar, als je gelijk hebt over de echtheid van de brief, waarom heeft ze hem aan jou gestuurd?"

"Volgens mij om een heel banale reden, ze wilde iemand de oorzaak vertellen ..."

"Welke oorzaak?"

"Dat ze zichzelf van het leven heeft beroofd."

"Jouw versie van de gebeurtenissen is dus dat iemand – waarschijnlijk Vidar Ballo en/of Jim Rognstad – achter Elisabeth Faremo aan zat. Nadat diegene informatie uit Reidun Vestli heeft weten te krijgen, is het hem gelukt het vakantiehuisje te vinden. Hij heeft Elisabeth Faremo vermoord en het huisje in brand gestoken, en dat had zo'n impact op Reidun Vestli dat ze een hoeveelheid pillen heeft geslikt en is ingeslapen."

"Ja. Ik geloof dat Vidar Ballo en Jim Rognstad Reidun Vestli in elkaar hebben geslagen om uit te vinden waar Elisabeth was. En ik geloof dat ze succes hebben gehad. Ik denk dat ze de moord op Elisabeth met de brand probeerden te camoufleren."

"Maar waarom hebben ze Elisabeth Faremo vermoord?"

"Ze zaten achter de sleutel van de bankkluis aan, maar die had zij bij mij thuis neergelegd."

"Dus ze vermoordden Jonny Faremo, sloegen Reidun Vestli in elkaar én vermoordden Elisabeth Faremo om die aktetas met geld in handen te krijgen?"

"Ja."

"Die twee? Rognstad en Ballo?"

"Ja."

"Dan vraag ik me twee dingen af, Frølich", zei Gunnarstranda sluw. Hij opende het portier en zette een voet buiten. Hij stapte uit, knoopte zijn jas dicht en stak een sigaret op voor hij zich bukte en zei: "Ten eerste: als die twee zo close zijn als jij zegt, waarom heeft dan maar één van hen die sleutel van jou gestolen en waarom dook er maar één op om de buit te incasseren?"

Frølich schudde het hoofd. "We hebben ook al eens over een vierde, onbekende gesproken."

"Onbekende man of niet, Frølich. Je moet goed luisteren. Als jij gezond genoeg bent om de privédetective uit te hangen in Askim, dan ben je ook gezond genoeg om achter je bureau te zitten en te werken." Hij bleef staan roken, in gedachten naar de lucht starend.

Frølich kon de stilte niet langer verdragen. Hij zei: "Wat doen we met de brief?"

"We?" Gunnarstranda schudde teleurgesteld het hoofd. "Ik ga doen wat jij al een hele tijd geleden had moeten doen. Ik geef een kopie van die afscheidsbrief aan de landelijke recherche, en dan zullen we zien of het genoeg is om eens opnieuw te onderzoeken hoe de brand in het vakantiehuisje is ontstaan. Als dat het geval is, dan kan het zijn dat iemand aan Jim Rognstad vraagt waar hij was op het moment van de brand. Maar het zal mij niet verbazen als hij met een alibi komt."

"En wat was het tweede?" vroeg Frølich.

"Het tweede?"

"Je vroeg je twee dingen af."

"Ja. Dat heeft te maken met de volgorde van de gebeurtenissen zoals jij ze ziet. Als Rognstad en Ballo Reidun Vestli in elkaar sloegen om uit te vinden waar Elisabeth Faremo zich verborgen hield, waarom werd Reidun Vestli dan in elkaar geslagen nádat het huisje afbrandde?"

Een hele tijd zeiden ze geen van tweeën iets.

Het was Frølich die de stilte verbrak. "Weet je dat zeker?" vroeg hij.

"Ze werd in elk geval gevonden nadat het huisje afbrandde."

"Je weet het dus niet zeker?"

"Wie ben ik? In theorie heeft Rognstad misschien genoeg tijd gehad om Vestli in elkaar te slaan, naar Valdres te rijden, Elisabeth Faremo te vermoorden en het huisje in brand te steken voordat Vestli werd gevonden, maar dan moet hij wel heel erg buiten adem zijn geraakt. En dan hebben we nog die formulering: *verschrikkelijke mensen*. Die anonimisering doet mij aan Hamlet denken: hij kon ruiken dat er iets niet klopte in Denemarken."

8

Hoofdinspecteur Gunnarstranda zat stil op zijn draaistoel afwezig naar de muur van zijn kantoor te staren. Voortdurend speelde de dood van zijn vis door zijn hoofd. Hij had op de bodem van de vissenkom gelegen, op de steentjes en het zand – dood. Dat beeld had zijn voorstelling over de dood van vissen veranderd. Hij had altijd gedacht dat vissen aan de oppervlakte bleven drijven, niet dat ze naar de bodem zouden zinken. Maar Kalfatrus was dood – geen twijfel mogelijk. Geen mondbewegingen en geen reactie toen hij hem met het netje oppakte. Het was ook een beetje macaber geweest: zijn goudvis, liggend in een netje, klaar om te worden geserveerd. Maar hij werd vooral geplaagd door het afscheid. Hij had de vis in de vuilnisemmer gegooid, iets wat hij nu, bij nader inzien, beschouwde als een onwaardig afscheid van een jarenlange huisgenoot. Die gedachte plaagde hem. Maar het zou toch ook bespottelijk zijn om een vis te begraven. Een ander alternatief was het toilet geweest. Twijfelend tussen twee mogelijkheden had hij gekozen voor de op dat moment meest logische oplossing en hij had de vis op weg naar zijn werk in een vuilnisbak gegooid. Toch zorgde de twijfelachtige moraal achter deze handeling ervoor dat hij zijn gedachten niet bij zijn werk kon houden, af en toe verzonk hij in gedachten en toen de telefoon ging, leek het alsof hij wakker schrok van een fel rinkelende wekker. Hij schrok op en greep de hoorn: "Hou het kort, alstublieft."

Het was stil aan de andere kant.

"Hallo", snauwde Gunnarstranda ongeduldig.

"U spreekt met Narvesen, Inge Narvesen."

"Ja?"

"Ik wil graag mijn dankbaarheid overbrengen voor ..."

Gunnarstranda viel hem in de rede: "Bel daarvoor maar naar de krant. Ik doe gewoon mijn werk."

"Aan de andere kant …"

"Er is geen andere kant. Ik wens u het allerbeste."

"Maar man, wacht toch even!"

"Narvesen, ik heb het druk."

"Ik heb verdorie ook een druk bestaan. Denkt u dat ik u bel om de tijd te verdrijven?"

"Tja, zegt u het dan maar."

"Ik ben dankbaar dat ik het geld terug heb, hoewel ik zes jaar lang geen rente heb gebeurd over een half miljoen kronen."

Dat laatste werd met een lachje gezegd.

"Ik dacht dat we klaar waren met dat geld", beet Gunnarstranda hem af.

"Ik wil er gewoon zeker van zijn dat de zaak nu uit de wereld is."

Sesam open u. Gunnarstranda was voor het eerst geïnteresseerd in het gesprek. Zijn vingers zochten naar sigaretten, hoewel hij wist dat hij de sigaret die hij zou vinden, niet zou roken. Dit was vreemd. Zijn nerveuze vingers speelden met de sigaret terwijl hij nadacht en wachtte tot de ander verder ging. De man had een half miljoen retour gekregen en gebruikte kostbare tijd om de aarde aan te stampen van een gat dat allang was dichtgespit. Inge Narvesen had er zojuist voor gezorgd dat de alarmbellen in Gunnarstranda's hoofd begonnen te rinkelen, de melding was duidelijk: *pak een schep en begin te graven!*

Dat had Narvesen zelf ook al begrepen. Zijn stem zei: "Tja, ik verdoe uw tijd. Ik heb het geld terug, de verantwoordelijken zijn gearresteerd."

"Waarom belt u dan?"

"Zoals ik zei …"

"Dat heb ik gehoord. U wilt de zaak nu uit de wereld hebben. Waarom?"

Narvesens zwijgen duurde precies twee tellen te lang. Hij zei: "U begrijpt het niet, zoals ik gelijk al heb gezegd, bel ik om mijn oprechte dankbaarheid over te brengen …"

"Dat heb ik ook gehoord. Dus het maakt niet uit dat de zaak níét is afgesloten?"

Weer twee tellen te lang stilte. "Is dat dan niet het geval?"

"De zaak is nooit weer geopend. Het geld kwam terecht als gevolg van een onderzoek in een andere, een nieuwe zaak. Een moordzaak. En dat onderzoek is nog in volle gang."

"O?"

Gunnarstranda zweeg.

Inge Narvesen zweeg.

Gunnarstranda begon ervan te genieten. "Het was prettig om met u te praten", zei hij vrolijk en hij legde de hoorn neer.

Hij bleef een paar tellen zitten nadenken.

De deur ging open en Lena Stigersand kwam binnen.

"Ik wil dat jij iets voor me doet", zei Gunnarstranda. "Check de passagierslijsten van alle luchtvaartmaatschappijen op de naam Merethe Sandmo. Volgens een getuige van haar werk is ze een paar dagen geleden met het vliegtuig naar Athene vertrokken, neem de lijsten van de afgelopen twee weken. En het hoeft niet per se Athene te zijn."

Lena Stigersand stond moeizaam op. "En jij?"

"Ik ga met Kippenkop Sørli praten om te vertellen dat Inge Narvesen zijn kaartenhuis koortsachtig tegen windvlagen en vervelende manoeuvres van buitenaf zit te verdedigen", zei Gunnarstranda grijnzend.

*

Er werd zachtjes op de deur geklopt. Yttergjerde stak zijn hoofd naar binnen. "Stoor ik?"

"Niet meer dan anders", zei Gunnarstranda vrolijk.

"Ken jij een advocaat die Birgitte Bergum heet?"

"Als ik haar had gekend, had ik haar Bibbi moeten noemen, en ik zou nooit iemand Bibbi noemen, zeker geen blondine van vijftig die zich door de roddelbladen laat interviewen over haar ervaringen met liposuctie."

Lena Stigersand keek op: "Ik wist niet dat jij de bladen las, Gunnarstranda."

"Net zo ondoenlijk als het vinden van één onaangetast plekje op deze aarde, is het ook onmogelijk om niet op de hoogte te zijn van wat de zwijgende meerderheid van de bevolking volgens de journalisten van de roddelpers zou moeten weten."

"Proef ik hier een vooroordeel tegen journalisten of tegen blondines die liposuctie laten doen?"

"Tegen algemene domheid. Wat is jouw oordeel over iemand die met een bepaalde autoriteit verkondigt dat het leven te kort is om je niet met mooie dingen te omgeven?"

Yttergjerde en Lena Stigersand keken elkaar even aan: "Wat een engagement!"

"Ter zake!"

"Birgitte Bergum verdedigt Rognstad", zei Yttergjerde.

"Praat jij maar met haar. Ik kan het niet."

"Dat heb ik gedaan. Ze zegt dat Rognstad wil onderhandelen over

strafvermindering. Rognstad heeft een en ander te vertellen. Dat bibbi-
mens treedt alleen op als bemiddelaar."

Gunnarstranda was bezig zijn jas aan te trekken.

Lena Stigersand schraapte haar moed bij elkaar en vroeg Gunnarstranda op de man af: "Wat is er fout aan om je met mooie dingen te
omgeven?"

"Vind je het echt belangrijk te weten waar andere mensen in geïnteresseerd zijn?"

"Ja."

"Waar Birgitte Bergum in geïnteresseerd is?"

"Nee."

"Wie dan wel?"

"Jij bijvoorbeeld", zei Lena Stigersand.

"Ik?"

"Ja."

Gunnarstranda keek haar een hele tijd aan. "Persoonlijk", zei hij stijf-
jes, "gebruik ik al mijn tijd om mezelf fris en gezond te houden, door
me verre te houden van lichaamsbeweging en matigheid, en een cursus
Stoppen met roken, diëten en een goede nachtrust te vermijden."

Yttergjerde zei: "Er schiet me iets te binnen."

De beide anderen draaiden zich naar hem om.

"Als Rognstad iets weet ... nee, vergeet het maar."

"Waar dacht je aan", drong Gunnarstranda aan.

"Vergeet het maar, het kan van alles zijn. Ik bedoel, we hebben Rognstad opgepakt en hij wil natuurlijk dat we hem loslaten. Hij kan overal
mee komen."

"Maar je dacht wel ergens aan."

"Het enige wat tot nu toe is gebeurd, vanaf het moment dat hij Frank
te pakken heeft genomen, is dat hij is gearresteerd – als enige. Ik bedoel,
Ballo kwam niet opdagen bij de bank, misschien dat Ballo ..."

"Ja?"

Yttergjerde haalde zijn schouders op. "Ik weet het niet. En we weten
sowieso niet wat Rognstad ons te bieden heeft."

Gunnarstranda bleef staan nadenken. "Er zit iets in", zei hij. "Ballo is
weg. Merethe Sandmo is weg." Hij keek naar Lena Stigersand. "Kijk op
de passagierslijsten ook uit naar Ballo." Daarna liep Gunnarstranda
met stijve passen terug naar zijn bureau. Hij ging zitten, pakte de telefoon en belde.

De beide anderen keken elkaar aan. Lena Stigersand haalde haar
schouders op toen Gunnarstranda vroeg of hij de bankdirecteur kon
spreken.

Ze keken elkaar nog een keer aan toen ze de vraag hoorden die hij stelde: "Kunt u bij uw werknemers informeren of er in de loop van de afgelopen drie maanden een bezoek aan deze kluis staat geregistreerd? Ja, belt u me terug."

9

Frank Frølich zat in zijn auto het rapport van de inbraak bij Narvesen in 1998 te lezen. Het grote mysterie, dacht hij, hij legde de papieren aan de kant en startte de motor om de warmte vast te houden. Een inbraak. Een half miljoen kronen in een kleine safe. De inbrekers hadden de safe in het huis zelf niet open kunnen krijgen, dus hadden ze hem meegenomen. Ze hadden een safe gestolen uit een villa op Ulvøya. Wat hem destijds was opgevallen, was dat alles zo netjes was gebeurd. Er werd verder niets gestolen, geen zilver, geen sieraden, er zat geen schrammetje op de Bang & Olufsen-installatie, er waren geen waardevolle voorwerpen aangeraakt, geen vernielingen aangebracht, geen graffiti en geen jampotjes met poep of andere originele visitekaartjes van de dieven achtergelaten. Alleen de safe met een half miljoen kronen was spoorloos verdwenen. Ernstig genoeg, zodanig ernstig dat de rechercheurs, inclusief hijzelf, allerlei alternatieven hadden verzonnen, onder andere dat de inbraak Narvesens eigen idee zou zijn geweest, bijvoorbeeld in verband met een eventuele verzekeringssom. Maar omdat er geen speciale voorwerpen in de safe lagen, was de inhoud ook niet verzekerd. Er werd alleen contant geld in bewaard, en het was bewezen dat Ilijaz Zupac die nacht Narvesens huis had verlaten, als één van een groep van meerdere personen. En waar was Narvesen die nacht geweest? Ver weg. Volgens het proces-verbaal zat hij op Mauritius vakantie te vieren.

Hij herinnerde zich zijn eigen gedachten in 1998. De inbraak was echt genoeg geweest. Een alerte buurvrouw had toevallig gereageerd op vreemde activiteit in de tuin en het huis van Narvesen, een huis waarvan ze wist dat het verlaten was. Ze had de politie gebeld, die te laat was gekomen. Later had ze bij de fotoconfrontatie Zupac aangewezen als een man die ze had herkend toen hij in de auto stapte. Frank Frølich had destijds gedacht dat de inbraak een inside job moest zijn geweest. Iemand moest van het geld geweten hebben, iemand moest hebben geweten waar de safe zich bevond en diezelfde persoon moest ook hebben geweten dat Narvesen op Mauritius zat en dat de kust veilig was. Maar arrestant Zupac had geen woord gezegd, niet over de inbraak en niet over zijn handlangers.

Frank Frølich nam een besluit, hij zette de auto in de versnelling en reed weg. Het was een donkere namiddag in december. Het wolkendek boven Ekebergåsen leek een stapel afgedankte olielappen. Hij nam de Mosseveien naar Ulvøya zonder te weten of Narvesen thuis was, zonder te weten waar hij met de man over zou moeten praten.

Op Ulvbrua passeerde hij een oudere man met een sportpet en een wollen jas die op de brug stond te vissen. Het leek Frank Frølich nog niet zo'n gek idee, gewoon een lijn in het water gooien, in de kou staan en nergens aan denken.

Hij draaide de Måkeveien op, remde af en parkeerde de auto achter een Porsche Carrera. Hij bekeek de flitsende auto. *Als dat de auto van Narvesen is, dan is de man een nog grotere grap dan ik al dacht.* Het huis achter het hek was een gerenoveerde naoorlogse villa. Hij opende het kleine smeedijzeren hek, liep naar Narvesens deur en belde aan. Binnen klonk geblaf. Een vrouwenstem riep iets. Daarna het geluid van hondenpoten op het parket. De deur ging open. De vrouw was een jaar of dertig, met lang, ravenzwart haar, een Oost-Aziatisch uiterlijk en een glimlach als een Hollywoodfigurant. Een karakteristiek litteken van een centimeter of drie liep van de punt van haar kin in de richting van haar jukbeen. Het maakte haar niet lelijk. Het was een kenmerk dat uitnodigde om nog een keer naar haar gezicht te kijken, het gaf haar een interessant en een beetje mysterieus uiterlijk. De hond die ze in toom hield was een magere, breekbaar uitziende Engelse setter. Hij kwispelde en smeekte om aandacht.

"Ja?" zei de vrouw en tegen de hond: "Zo, nu hebben we gezien wie er is, nu kun je weer rustig zijn, hup, naar binnen met jou!" Ze pakte de hond bij de halsband en zonder te duwen manoeuvreerde ze hem achter de brede deur. Ze stapte naar buiten en deed de deur dicht. "Ja?" herhaalde ze vriendelijk. "Wat is er?"

Frank Frølich bedacht dat ze goed paste bij de Porsche. Hij vertelde naar waarheid: "Ik ben politieman, ik heb destijds een inbraak in dit huis gerechercheerd, ongeveer zes jaar geleden."

"Inge is nu niet thuis."

"Dat is jammer."

De hond kefte. De poten krabden aan de deur.

Ze glimlachte weer. Het kleine litteken in haar mondhoek verdween in een lachrimpel. "Hij is gewoon speels. Wat is er met u gebeurd?"

Frank Frølich streek met zijn vinger over de bloeduitstorting op zijn wang en zei: "Ongelukje op het werk. Wanneer komt hij thuis?"

"Om een uur of acht."

Ze bleven even naar elkaar staan kijken. Ze maakte aanstalten om het gesprek af te sluiten en naar binnen te gaan.

"Woont u samen of …"

"Ja", knikte ze. Daarna stak ze een slanke hand uit: "Emilie."

"Frank Frølich."

Hij zweeg over de reden van zijn komst. Ze was dun gekleed, met blote voeten in sandalen. Ze moest het ijskoud hebben.

Alsof ze zijn gedachten kon lezen, huiverde ze even. "Het is jammer dat u hem niet thuis treft, u bent tenslotte helemaal hierheen gekomen." Ze sloeg haar blik neer. "Kan ik iets doorgeven, een boodschap, een telefoonnummer …"

"Nee", zei Frank Frølich en hij vroeg op de man af: "Het geld dat destijds werd gestolen, is terecht, en dat weet hij. Ik heb alleen een paar vragen, weet u iets van de zaak af?"

Ze schudde het hoofd. "Inge en ik zijn twee jaar bij elkaar. U zult toch met hem zelf moeten spreken."

"Hij was op Mauritius toen het gebeurde", zei Frølich. "Met vakantie. Weet u of hij alleen op reis was, of samen met iemand anders?"

De uitdrukking op haar gezicht was nu eerder gespannen dan vriendelijk. "Daar weet ik helemaal niets van. Het spijt me."

"Tja, ik kom nog weleens terug", zei Frank Frølich en hij liep weg. Bij het tuinhek draaide hij zich om. Ze stond nog op dezelfde plek. Ze keek hem na en had de hele tijd zo gestaan. De hond binnen was vergeten. Ze was waarschijnlijk ook vergeten dat ze het koud had.

10

Zoals altijd kwam Gunnarstranda te laat voor zijn eetafspraak. Ze hadden afgesproken in restaurant Sushi in de Torggata. Tove hield van sushi, soms wilde ze alleen maar sushi eten. Het restaurant lag anoniem teruggetrokken op de eerste verdieping in de meest etnische straat van Oslo. Daarom gaf zij er de voorkeur aan om hier te eten. Het eten was net als in Japan, maar in tegenstelling tot de sushibars aan Aker Brygge en in Frogner waren de gasten hier echte mensen. Hier keek je tevergeefs uit naar makelaars met een dow jones-complex of hip uitziende jongeren die droomden over een figurantenrol in een reclamefilm.

Hij keek op zijn horloge. Dit was een wedstrijdje tussen hen beiden. Tien minuten te laat. Hij liep de houten trap op, ging de deur op de eerste etage binnen en keek om zich heen. Ze zat er niet. Hij knikte tegen de ober, een man met een Japans uiterlijk in een zwart pak. "We hebben om zeven uur een tafeltje aan het raam gereserveerd", zei hij en hij hing zijn jas weg. Dit was haar spel. Hij had geen idee of ze had gereserveerd of onder welke naam ze had gereserveerd. Maar hij wist één ding zeker: als ze in een van de etnische restaurants aten, bestelde ze nooit op zijn naam.

De ober keek in het boek: "Rollsen, een tafeltje voor vier?"

Gunnarstranda schudde het hoofd.

"Line? Tafeltje voor twee? Kal en Line?"

Gunnarstranda knikte. "Carl von Linné. Is mevrouw al gearriveerd?"

"Nog niet." De man pakte twee menukaarten en liep voor hem uit het restaurant in.

Pas toen hij was gaan zitten en had besteld, kwam Tove binnen. Even later stond ze naast het tafeltje. Ze bracht een frisse vlaag winterkou mee.

"Neem me niet kwalijk, ik moest even zoeken naar een parkeerplaats."

"Je hebt deze keer weer gewonnen."

Ze glimlachte en nam plaats."

"Ik heb besteld."

Ze bleven naar elkaar zitten kijken. Zij goedlachs en afwachtend, elke keer opnieuw was ze in staat om een bepaalde vorm van zelfspot in hem op te roepen.

"Die reservering … betekent dat dat je de volgende keer Helen Keller bent?" vroeg hij.

"Zie ik eruit als Helen Keller?'

"Zie ik eruit als Carl von Linné?"

"Zo klink je af en toe wel, bovendien dacht ik dat je je wel vereerd zou voelen."

De ober kwam met de schalen sushi.

"Je zou iets meer op hem lijken als je iets met je haar zou doen. Je zou ook een pruik kunnen kopen, in plaats van het zo te kammen", zei ze. "Een man met een staartpruik is heel sexy."

"Dan zou ik misschien wel meer op Linné lijken", zei hij, "maar ik word er niet sexy van."

Ze glimlachte weer.

"Nou, vertel maar eens wie je de volgende keer wilt zijn."

"Nee, dat moet jij bepalen." Ze glimlachte speels, omdat ze wist dat hij niet van dat soort spelletjes hield.

"Meryl Streep", zei hij.

"Bedankt, maar ik weet niet zeker of de ober je gelooft. Trouwens", zei ze, "waarom eet je niet? Heb je geen honger?"

Hij keek naar de rode zalmsushi op het balletje rijst dat hij in zijn hand hield. De gelijkenis was beangstigend. "Kalfatrus is gisteren doodgegaan", zei hij en hij keek op.

Stom, dacht hij.

Tove was niet meer te stoppen, ze lachte tot de tranen over haar wangen liepen.

11

Frank Frølich vond Inge Narvesens privénummer op internet. Toen het acht uur was geweest, wachtte hij nog een halfuur voor hij belde.

"Met Emilie."

"Ik ben het weer, Frølich, de politieman."

Een hand werd over de hoorn gelegd. Mompelende stemmen op de achtergrond. Emilie kwam weer terug. "Inge is even bezig, kan hij terugbellen?"

"Het duurt maar even."

Hand weer over de telefoon. Meer gemompel. Daarna een opgewonden mannenstem: "Wat is er?"

"Tja, ik heb alleen maar een paar vragen over de inbraak van zes jaar geleden."

"Hoezo?"

"Een paar dingetjes die niet helemaal duidelijk zijn."

"Je zit niet op die zaak, wat jij duidelijk of niet duidelijk vindt, interesseert me helemaal niets."

"Ik wil alleen wat dingen duidelijk krijgen die een ander licht kunnen werpen op …"

"Dat heeft er helemaal niets mee te maken. Dit gaat er alleen maar over dat je hier in de buurt rondsnuffelt en iemand lastig valt van wie ik hou."

"Lastig vallen?"

"Je stelt vragen waar Emilie niets van weten kan, en dan kom je ook nog met insinuaties."

"Ik kijk alleen nog eens naar die inbraak omdat het geld nu terecht is."

"Fout", zei Narvesen kortaf. "Ik denk dat we dit gesprek nu maar afsluiten."

"Als u mij nu eens uit laat praten. Het gestolen geld is boven water gekomen via een persoon die niet bij de zaak betrokken was toen de inbraak werd onderzocht. Dat betekent dat de inbraak nu kan worden opgelost …"

"Je bent een privépersoon zonder wettelijke bevoegdheden en de zaak wordt NIET OPNIEUW GEOPEND!"

"Hoe komt u daarbij?"

"Van je baas gehoord. En laten we de dingen even duidelijk stellen, Frølich. Dit gesprek is uitsluitend bedoeld om het volgende onder je aandacht te brengen: BLIJF UIT MIJN BUURT."

"De inbraak destijds was te netjes", drong Frølich aan. "Er werd verder niets gestolen, er werd niets in uw huis vernield."

Het was stil geworden aan de telefoon.

"Iemand wist van het geld, wist waar het lag, en wist dat het huis verlaten was. Dat betekent dat iemand informatie aan Ilijaz en zijn bende had doorgegeven, die hun slag geslagen hebben toen u weg was."

"Waar woon je, Frank Frølich?"

"Waar ik woon?"

Hij zweeg. Narvesen had neergelegd.

Frank Frølich bleef voor zich uit staan kijken. Dit was niet de beste manier om een telefoongesprek af te sluiten. Maar het had geen zin om terug te bellen.

★

Toen hij die avond naar bed ging, bleef hij een tijd zitten kijken naar het kussen dat naast dat van hem lag. Elisabeths lange, zwarte haar krulde als een zwarte streep over de witte stof. Een poëziebundel, dacht hij, een boekenlegger, een haar. Hij opende het boek op dezelfde plek: *ik vergeet niemand*. Hij pakte de haar en legde hem voorzichtig, als een boekenlegger, tussen de pagina's. *Lange botstukken tussen de asresten.* Hij probeerde zich haar gezicht voor zijn geest te halen. Maar het beeld was flets. Ik ben een sentimentele idioot, dacht hij en hij liep naar de badkamer.

Toen hij zijn tanden poetste, werd er aan de deur gebeld.

Hij keek naar zichzelf in de spiegel, voor hij de kraan weer dichtdraaide en zijn tandenborstel weglegde. Hij keek op de klok. Het was al na middernacht.

Er werd nog een keer gebeld.

Hij liep de hal in en keek door het spionnetje in de deur. Niemand te zien. Hij opende de deur. Niemand. Hij liep naar de deur die toegang gaf tot het trappenhuis. Die opende hij ook. Weer niemand.

Hij luisterde, hoorde niets.

Hij liep terug naar zijn flat. *Waarschijnlijk gewoon een stelletje rotjongens dat aanbelt en er dan vandoor gaat. Maar het is al na middernacht.* Hij bleef staan kijken naar de knop waarmee hij de hoofdingang kon openen, maar hij aarzelde. In plaats daarvan pakte hij de intercom en zei: "Hallo?"

Niets te horen. Alleen gekraak.

Hij hing de intercom weer op, liep naar het raam en keek naar buiten. Als er iemand bij de bel stond, was het onmogelijk om diegene hiervandaan te zien. Alles leek normaal buiten, geparkeerde auto's, af en toe een auto op de ringweg verderop. Maar in de rij geparkeerde auto's lichtten rode achterlichten op. Een auto stond met draaiende motor.

Het hoefde niets te betekenen. Maar toch liep hij naar de slaapkamer en pakte de verrekijker uit de kast. Hij deed het licht in de kamer uit en liep terug naar het raam. De auto was een Jeep Cherokee. Het nummerbord was van hieruit niet te zien. De ramen waren matte, ondoordringbare oppervlakten.

Hij zette het van zich af, maakte zich klaar in de badkamer en ging naar bed. Hij bleef naar het plafond liggen staren tot hij voelde dat de vermoeidheid hem overmande. Hij deed het licht uit en ging op zijn zij liggen.

Toen ging de telefoon.

Hij deed zijn ogen open, staarde in het donker en luisterde naar de telefoon die maar niet ophield. Ten slotte stak hij zijn arm uit en pakte de hoorn eraf. "Hallo."

Stilte.

"Hallo", zei hij nog een keer.

Het kraakte in zijn oor tot degene aan de andere kant van de lijn de verbinding verbrak.

12

Hij sliep slecht en was moe toen de wekker ging. Hij werd wakker met maar één gedachte in zijn hoofd: hij wilde de beelden van het brandende huisje uit zijn lichaam verbannen. Hij wilde erheen om het met eigen ogen te zien. Hij vertrok vroeg, nog voor zeven uur, en al voor achten was hij bij Steinshøgda. Tot Hønefoss hield hij zich keurig aan de snelheid en pas toen hij langs Leira en door het Begnadal reed, trapte hij het gaspedaal dieper in. Chris Rea zong en speelde een nummer dat *The road to hell* heette. Ironisch, dacht hij en hij draaide het volume hoger. Het dal lag helemaal in de winterschaduw, de zon scheen alleen op de toppen van de bergen. In het Begnadal rezen de dennenstammen als vlaggenmasten aan beide zijden van de weg op. Hij probeerde zich Elisabeths gezicht voor de geest te halen, haar lichaam, maar hij kwam niet verder dan *lange botstukken*. Iemand had het huisje aangestoken en haar verbrand. Iemand had in de nacht staan toekijken hoe het vuur de planken had opgegeten, iemand had zijn arm afwerend opgeheven naar de muur van hitte, had de ramen horen exploderen in een crescendo van bulderende vlammen en knallend geknetter van brandende vezels in het hout dat door het vuur werd verslonden. Iemand had met open mond staan ademen om maar niet de geur te ruiken van verbrand vlees die opsteeg uit de geelzwarte rook van brandende dakbedekking, boeken, wollen stoffen en petroleumlampen die ontploften en een nieuwe stortvloed van vlammen produceerden die donzen dekbedden, keukeninrichting en de houtvoorraad in het schuurtje verslonden, vlammen die de bril van een biologisch toilet lieten smelten voor hij vlam vatte samen met allerlei rommel die in zo'n huisje wordt verzameld en een eenzame, omgevallen kaars.

Huid die zwart verkoolt, vlees dat smelt en vlam vat, haar dat met een onhoorbaar plofje in brand vliegt.

Het zweet brak hem uit. Zijn handen om het stuur kleurden wit en hij moest stoppen, de auto uit. Hij remde af bij een bushalte. Hij stapte uit en hapte naar lucht, buiten adem, alsof hij kilometers had gelopen met een zware vracht op zijn rug. *Wat gebeurt er, wat is er verdomme met mij aan de hand?*

Hij moest erheen, naar het uitgebrande huisje. Hij wilde het met eigen ogen zien. Hij leunde over het dak van de auto als een arrestant in een Amerikaanse film. Hij kon wel overgeven, maar zijn maag was leeg. Over de weg reed een auto voorbij, twee ogen keken verwonderd naar de man bij de auto, hij rechtte zijn rug en ademde diep in.

Toen hij ten langen leste weer in staat was om normaal adem te halen, stapte hij in en reed verder. Deze keer verdronk hij zijn melancholie in Latijns-Amerikaanse rock. *Mana – unplugged.* Voldoende gitaarriffs, voldoende emoties en omdat hij geen Spaans kende, was het onmogelijk om te begrijpen waarover ze zongen. Nog voor twaalf uur reed hij de markt van Fagernes op. Hij had honger, maar niet de rust om te eten. Hij kocht wat fruit bij een kiosk en ging snel verder. De decemberduisternis viel al in. Het zou hooguit tot halfvier licht zijn. Hij reed verder naar het noorden, deze keer in gezelschap van Johnny Cash, *The man comes around* en ruige gitaarriffs, het was net als vitamines eten, iedere versregel maakte hem-sterker. Hij sloeg af naar Vestre Slidre en reed over de Panoramavei naar Vaset. De sneeuw op de hoogste toppen had al een blauwe winterkleur. De berkenbomen stonden kaal, met hun takken in alle richtingen, aan beide kanten van de weg. Hij bereikte Vaset. Het was nog een klein stukje tot de boomgrens. Hij reed door tot hij bij de vakantiehuisjes kwam en liet de auto langzaam uitrijden, naar het afgebrande huisje toe.

Een schoorsteen van een meter of vijf stond nog overeind als een obelisk op een zwart slagveld.

Hier heb je je dus verborgen, hier ben je ingehaald. Hier heb je om hulp geroepen.

Het grondstuk rond het afgebrande huisje was afgezet met roodwitte politielinten. Er hing een zure geur van roet en dode rook. Hij keek om zich heen. Geen uitzicht. Het huisje lag in een soort sleuf. De afstand tot de andere huisjes was niet meer dan twintig tot dertig meter. De ondoordringbare haag van berkenboompjes die het huisje tegen inkijk moest beschermen, leek nu meer op een overvol, verschroeid speldenkussen. Hij schopte in de as. Zijn voet trof een beroet verfblik. Het rolde weg en kwam weer tot rust. Rond het blik lag een aantal zwartgeschroeide spiraalveren. *Hier, precies op deze plek had een bed gestaan.*

Hij voelde de misselijkheid opkomen en deed een stap terug.

Hij stond te kijken naar de zwarte hoop roet en ineens had hij er genoeg van: geweld, brand, dood.

Hij draaide zich om, liep terug naar zijn auto en startte. Hij had zelf een huisje. Daar kon hij heen gaan.

*

De man die terug reed naar Fagernes voelde zich een stuk rustiger. Hij stopte om te tanken. Toen hij met het benzinepistool in zijn hand stond, werd zijn naam geroepen. Frank draaide zich om, in eerste instantie herkende hij de man niet, maar toen begon het te dagen: knalrood gezicht, rood haar en overgewicht. Het was de Vossenbes, oftewel Per-Ole Ramstad, zoals zijn doopnaam luidde.

"Per-Ole", riep Frank terug. De man liep net het benzinestation binnen en wenkte hem. Frank beduidde dat hij snel klaar zou zijn.

Ze hadden samen op de politieschool gezeten, hij en Per-Ole. Per-Ole was in dienst bij het politiekorps van Nord-Aurdal. Iemand waar je op kon bouwen. De Noorse incarnatie van Pieter Post – iemand die iedereen in zijn werkgebied kende en met iedereen het beste voorhad. Frank schudde de laatste druppels uit het benzinepistool, draaide de dop op de tank, bereidde zich voor op vervelende vragen en liep naar binnen om te betalen.

"Ik hoor dat je een moeilijke tijd doormaakt", zei Per-Ole na het inleidende praatje.

"Hoe bedoel je?" vroeg Frank Frølich en hij stopte het wisselgeld in zijn zak.

"Ik hoorde dat jij een relatie had met de vrouw die is omgekomen bij de brand in Vaset."

"En wat nog meer?"

"Meer?"

Per-Ole grijnsde. "Ik hoorde iets over vakantie, een moord op een nachtwaker, een twijfelachtige vrijspraak en dat soort dingen Maar afgezien daarvan, gaat het goed met je?"

Per-Oles blik straalde bezorgdheid en oprechte betrokkenheid uit. Frank Frølich haalde opgelucht adem. "Kun je het echt zo goed zien?"

"Het lijkt wel alsof je aan vakantie van je vakantie toe bent."

"Klopt. En ik probeer al bijna twee weken tot rust te komen."

"En nu? Ben je in de bergen geweest?" Per-Ole maakte een beweging met zijn hoofd. "Bij het afgebrande huisje?"

Frank knikte.

Ze keken elkaar aan.

"Zal ik je een geheimpje vertellen?" vroeg Per-Ole. "Ik heb net iets gehoord wat jouw chef wel zal interesseren, ken je een vrouw die Merethe Sandmo heet?"

Frank knikte weer.

"Dacht ik al, de vraag kwam namelijk uit Oslo. Die mevrouw Sandmo is hier in Fagernes gesignaleerd op de dag dat het huisje afbrandde."

"Zeker weten?"

"Zeker weten", zei Per-Ole zacht. "Ze zat in een restaurant. Meer kan ik eigenlijk niet zeggen."

"Was ze alleen?"

Per-Ole schudde het hoofd. "Ze heeft gedineerd in het hotel, samen met een man."

"Logeerde ze in het hotel?"

"Nee."

"De identiteit van de man?"

"Nog niet duidelijk, maar jouw chef, ik herinner me niet hoe hij heet, dat opgewonden mannetje met dat fraaie kapsel, heeft een stapel foto's gefaxt."

Ze hadden weer even oogcontact.

"Je zou hier een paar dagen kunnen blijven", stelde Per-Ole voor, "we zouden de bergen in kunnen gaan, vissen in Vællers, een paar mooie bergforellen vangen, roken en eten, met een borrel erbij. Dat is de beste manier om je batterij weer op te laden."

"Klinkt verleidelijk, Per-Ole, maar ..."

"Maar?"

"Ik wil naar mijn eigen huisje gaan kijken. Ik ben nu onderweg naar Hemsedal."

Frank Frølich las in Per-Oles blik dat hij hem doorhad, maar Per-Ole was oké, hij zei niets. "Een andere keer", zei Frank Frølich, hij was nu niet in de stemming om sociaal te zijn. "Het was moeilijk om dat afgebrande huisje te zien."

*

Het was al donker toen hij over de bergweg naar het familiehuisje reed. De lichtkegels van de koplampen streken langs de muur van sparrenbomen aan beide kanten van de weg, waardoor het universum een smal pad leek, verpakt in sparrenmuren, maar hij wist dat het een uitgestrekt gebied was met verspreid staande woningen en boerderijen, wild en gevogelte. Hij was er vaak geweest. *Misschien is dat mijn probleem, ik kijk naar deze zaak zoals een chauffeur kijkt naar een werkelijkheid die wordt begrensd door de objecten die te zien zijn in het licht van de auto-lampen. Misschien moet ik overschakelen naar een ander perspectief, moet ik een ander standpunt vinden?*

Zoals altijd was het in het huisje kouder dan buiten. Hij zette alle ramen en deuren open om het huisje door te luchten en de koude lucht te verdrijven, terwijl hij naar de put liep om water te halen. Het was geen echte put, het was een ondergronds beekje dat was veranderd in een put. Samen met zijn vader had hij turf en aarde uitgegraven en een gat gemaakt waarin het water zich kon verzamelen nadat het was gezuiverd door een wal van zand. Ze hadden een ring van cement ingegraven die ze hadden gekocht bij een boer uit het dorp. Daarmee hadden ze een put gecreëerd met een diepte van anderhalve meter, een put die nooit droog stond en bovendien langer ijsvrij bleef dan het gebied eromheen. Op de cementring had hij een leien plaat gelegd en een hengsel gemonteerd met een gietijzeren handvat. Hij hoefde alleen de plaat maar weg te schuiven en de emmer in het donkere water te laten zakken. Kristalhelder water, smakelijk en vol mineralen.

Net als anders leste hij zijn dorst voor hij met de emmer terug naar het huisje liep. Daar sloot hij de deuren en ramen en maakte hij de oude kachel aan. Het was een hoge ruimte en het zou dus een tijdje duren voor de kamer warm zou worden. Daarom liep hij naar de veranda en draaide de deur van de sauna van het slot. De houtkachel die daar stond zou het binnen een uur gloeiend heet maken. Hij haalde een paar mooie stukken berkenhout en trok de schors eraf. Daarmee stak hij het vuur aan. Toen de vlammen vat kregen, legde hij de stukken hout erop en wachtte even tot ze goed brandden voor hij de kachel sloot met het trekgat helemaal open. Nu was het gewoon een kwestie van afwachten. Op de veranda stond hij even naar het meer te kijken dat nog niet helemaal was dichtgevroren. Hij liep naar het schuurtje en pakte een hengel, een paar spinners en een mes. Om de tijd te verdrijven ging hij naar het meer. De maan stond als een grote, witte lamp van rijstpapier aan de hemel. De berken hadden al hun bladeren laten vallen. De maan weerspiegelde in het zwarte oppervlak dat dampte van de vorstnevel. Het was waarschijnlijk te koud om vis te vangen, zelfs de bladeren van de waterlelies bereidden zich al voor op de winter. Hij wierp een paar keer in, de spoel gierde en de spinner spleet het wateroppervlak als een forel die even boven kwam. Maar geen beet. Het gaf niet. Hij ging gewoon door met inwerpen. Het water was koud, de vis stond diep. Hij liet de spinner zinken tot de lijn in slappe krullen op het water lag voor hij hem weer inhaalde. Langzaam. Dit was zijn favoriete spinner, met een rood kwastje en rode vlekken. Hij haalde lijn in, tilde de hengel op, gooide, liet de spinner zinken, haalde weer in – en kreeg beet. De harde ruk aan de hengel was overduidelijk. Een forel. Hij ging er met het aas vandoor en Frank liet hem zwemmen. De lijn zig-zagde over het wateroppervlak, tot hij de spoel vastzette en de lijn inhaalde. Raak. Misschien een halve kilo. Perfecte maat. Perfect om in de pan te bakken.

De vis zwom in de richting van de oever. Frank liet hem zwemmen, haalde toen weer in tot de lijn strak stond. Anderhalve minuut later trok hij hem op de wal. De forel spartelde, stuiterde en sprong, in een jeneverbesstruik. Hij legde zijn handen eromheen, hield hem vast. De vis had het hele aas ingeslikt. Hij brak snel de nek en woog het mooie beest in zijn hand. Hij keek op naar de maan en besefte dat hij alles had vergeten, voor zolang het duurde. Hij had nergens anders aan gedacht dan aan de vreugde van het moment, hier in het donker, aan het water.

Hij liep terug naar het huisje en hoopte dat de sauna al warm genoeg zou zijn, maar de thermometer aan de wand stond nog maar op zestig graden. Hij legde nog wat droog berkenhout en sparrenhout op het vuur. Droog sparrenhout brandde als een fakkel, snel en intens met vlammen die de temperatuur vlug omhoog zouden drijven. Daarna liep hij naar de put om water te halen dat hij op de stenen in de sauna-kachel kon gieten. Toen hij omhoog keek, zag hij dat de lucht was betrokken. Hij stond op de veranda en nam een slok uit een half flesje Upper Ten whisky. Toen de temperatuur in de sauna tachtig graden was, vielen de eerste regendruppels naar beneden.

Hij kleedde zich uit en ging naakt op de bank liggen. Het zweet kwam los. Hij dacht aan Elisabeth. Haar handen die als nerveuze eekhoorn-tjes over zijn lichaam hadden bewogen. Hij goot water op de stenen. Het siste en de damp kleefde kokendheet aan zijn huid. Hij dwong zichzelf stil te blijven liggen. Hij staarde in de vlammen door het glas van de kachel en stelde zich lange, brandende botstukken voor. Hij zou de warmte nu niet lang meer uithouden. Hij kwam overeind. De tem-peratuur liep naar de 95 graden toen hij de deur opende en naakt in de regen op een houtblok ging zitten. Dit was de helft van het saunaple-zier, je laten afspoelen door regendruppels die, als het één of twee gra-den kouder zou zijn, als sneeuwvlokken zouden neerdalen, terwijl je nog net zo warm was als je in de sauna was geweest. Regen en zweet werden dezelfde materie. De regen hield hem kletsnat, maar toen hij aan zijn arm likte, smaakte die zout. De druppels stroomden langs zijn lichaam naar beneden, over zijn buik en dijen, lieten dan los en bleven liggen op de blaadjes van de vossenbessenstruikjes. Een windvlaag trok over zijn lichaam, een nieuwe vorm van genot, waardoor zijn tempera-tuur een heel klein beetje zakte, genoeg om hem op te laten staan en naar het meer te lopen. Hij liet zich in het ijskoude water glijden en zwom een paar tellen tussen de waterlelieblladeren, een wuivend wit patroon. Afgekoeld en rillend rende hij op gevoelloze voeten terug, de sauna en de hitte weer in. Hij ging weer liggen en mijmerde over de maaltijd die hij straks zou bereiden. Gebakken forel met zout en peper, een paar meegebrachte champignons en een beetje room. Daarna zou hij zichzelf wat opkrikken met een biertje of een glas witte wijn uit de voorraadkelder onder de vloer. Liggend op de bank dacht hij weer aan Elisabeth, hij had haar hierheen moeten meenemen, haar dit moeten laten zien, want dit was hij, dit was een toestand waar hij af en toe naar verlangde en die hij met een bepaalde regelmaat opzocht om weer helemaal tot rust te komen.

Hij was weer drijfnat van het zweet. Zijn lichaam kon de hitte haast niet meer verdragen toen hij op de veranda een geluid hoorde. Hij hief zijn hoofd op en luisterde. Het klonk alsof er iets gevallen was, maar er had niets gestaan. Of toch, de hengel. Het flesje Upper Ten. Hij kwam overeind en wilde de deur open duwen. Het ging niet. Hij duwde harder. De deur bleef dicht. Toen hoorde hij het geluid weer. Voetstappen. Hij ging op de bank zitten. Naakt, op het toppunt van hitte, drijfnat van het zweet. Het was 98 graden. Buiten was frisse lucht, kou, autosleutels, kleren, geld. Een vreemde had de deur afgesloten. *Wat is er aan de hand?* Hij stond op en duwde met zijn schouder hard tegen de deur. Geen beweging in te krijgen. De deur was gebarricadeerd. *Iemand heeft me opgesloten. Maar hoe?* Hij duwde weer. De deur bleef dicht. Hij keek omhoog naar het kleine raampje van vijftien bij dertig centimeter. Onmogelijk. *Ik kán niet meer!* Hij gooide zijn hele lichaamsgewicht tegen de deur. Hij bewoog niet. Toen merkte hij het: de geur van rook!

Hij keek uit het raampje. Het was in een keer duidelijk. Vlammen likten langs de wanden omhoog. *Ze proberen me hier te verbranden.* Hij knipperde het zweet uit zijn ogen. De gele deur trilde voor zijn ogen. Hij schopte ertegenaan. Er gebeurde niets. Door de kieren in de vloer sijpelde geelgrijze rook. De vloerplaten waren nu warmer dan twee minuten geleden. Ze schroeiden tegen zijn voetzolen. *Lange botstukken.* Hij zag de krantenkoppen al voor zich: MAN OMGEKOMEN BIJ BRAND IN VAKANTIEHUISJE. Hij nam een sprint en gooide zich tegen de deur. Zijn hele schouder deed pijn, maar de deur kraakte. *Mij maak je niet gek. Dit is verdorie mijn huisje! Dat zal verdomme niet verbranden!* Hij gooide zich weer tegen de deur. De rook prikte in zijn neus en ogen. Hij zag niets, wankelde en viel tegen de gloeiend hete kachel. Hij schreeuwde van pijn toen het vlees op zijn schouder verschroeide. Maar de brandwond schudde hem ook wakker. Weer een sprint. Nu gaf de deur mee. Hij kraakte met een dieper, holler geluid. Hij zoog zijn longen vol met de lucht die naar binnen sijpelde, spande alles wat hij aan spierkracht had, legde al zijn 95 kilo achter de klap en sloeg zijn vuist dwars door het deurpaneel. Hij bloedde uit zijn knokkels en onderarm. Maar hij had een hand vrij en tastte naar de klink aan de buitenkant.

Het was de sneeuwschep. De steel was klem gezet onder de deurklink. Het blad van de schep was in de kier tussen twee vloerplaten op de veranda geklemd en met de deurklink als slot was de deur gesperd.

Maar degene die dit had gedaan, had niet geweten hoe gammel de deur was, wist niet hoe zuinig Franks zus was, wist niet dat ze de deur in de aanbieding had gekocht, een deur met panelen van fineer en geen planken. Nu er een gat in zat, was de rest een fluitje van een cent. Hij tastte naar de steel, kreeg die te pakken, trok hem weg en schopte de deur open. Happend naar lucht strompelde hij de veranda op. Hij rende weg en wreef de rook uit zijn ogen. Hij wachtte op de klap. Maar die kwam niet. Hij keek om zich heen. De brandhaard onder de vloer van de sauna bestond uit bij elkaar geraapte stukken karton en halfverrotte planken uit de stapel naast het schuurtje. Frank rende naar zijn kleren en gebruikte die om het vuur te doven. Hij was alleen met een brand, naakt, in de bergen, een koude dag in december. Hij trok de stapel karton en planken uit elkaar en kreeg hulp van de regen. *Hoe konden die verrotte planken zo branden?* Tegelijk rook hij de geur van petroleum. Het duurde een tijdje voor de kou door zijn voetzolen heen wist te dringen, terwijl hij zijn energie aanwendde om het vuur te doven. Zijn jas, het dikke jack, verslond de vlammen. Hij voelde niet dat de tijd verstreek. Zijn voeten werden gevoelloos. Maar toen hij uiteindelijk naar lucht hapte, bloedend, zwart van het roet en naakt als een pasgeboren kind, en constateerde dat het vuur geen andere schade had aangericht dan een zwartgeschroeide buitenwand van de uitbouw waarin de sauna was ingericht, een beroet raampje en vernielde vloerplaten, was hij zo blij als een kind. Hij rilde van de kou, trok zijn natte kleren aan en bedacht dat hij een tijdlang het gemakkelijkste doel ter wereld was geweest voor iemand die hem kwaad wilde doen.

Hij keek waakzaam om zich heen, maar zag niets anders dan de contouren van zwarte bomen in de duisternis. Het was onprofessioneel gebeurd: het hele plan, het blokkeren van de saunadeur, het vuur van planken en petroleum, het aansteken en er vervolgens vandoor gaan voor de klus was geklaard. Toch voelde hij dat de dader er niet vandoor was. *Iemand houdt me op dit moment in de gaten.*

Verkleumd en huiverend draaide hij in het donker om zijn eigen as en brulde: "Kom dan tevoorschijn! Laat je dan zien, klootzak!"

Stilte. Zwarte sparrenbomen, het geruis van de regen.

"Lafbek! Kom tevoorschijn!"

Niets.

Frank Frølich rilde van de kou. Hij perste zijn natte, opgezwollen voeten in zijn bergschoenen die veel te krap leken. Zijn vingers trilden en hij luisterde. Toen hoorde hij het geluid: autogebrom. Achter de muur van sparrenbomen zag hij de weerschijn van autolichten.

Hij sprintte naar zijn eigen auto, struikelde over een wortel en krabbelde weer overeind. Hij rukte aan het portier. Verdomme! De sleutels! Had hij de sleutels in het contactslot laten zitten? Hij wist het niet, maar rende over het pad. Het was een slechte weg, de dader moest langzaam rijden. Het gebrom van de auto verdween. De weerschijn van de autolampen achter de bomen verdween. Hij viel, hapte naar lucht, kreeg een bloedsmaak in zijn mond. Toen voelde hij het gewicht van zijn mobiele telefoon in zijn broekzak. Wie moest hij bellen? Hij had geen idee welk politiedistrict dit was. Maar hij graaide in zijn zak naar zijn telefoon. Hij hield hem met twee trillende handen vast. De display lichtte op. Geen bereik. Hij liet zijn handen krachteloos zakken.

Hij bleef een hele tijd liggen, trillend en verlangend naar warmte en droge kleren. Een uur, misschien anderhalf? Hij wist het niet. Hij probeerde zich te vermannen, ging overeind zitten en haalde het flesje whisky uit zijn jaszak. Daar vond hij ook de autosleutels.

13

De ochtendzon balanceerde op de bergtoppen. Toen hij naar huis reed, tekende de zon scherpe lichtmeridianen langs de hellingen tot in het dal.

Het was onwerkelijk, een mengelmoes van een kater, beginnende verkoudheid, gebrek aan slaap en brandende pijn. Uiteindelijk kwam hij terecht in de file naar Sandvika, staarde naar frisgeschoren mannengezichten, bovenlichamen verpakt in kantoorkleding met een fijne snit, zelfverzekerde, rustige blikken die vrijmoedig de ochtend tegemoet traden, mystieke schoonheden achter gerookt glas, donkere groepjes mensen die langs de weg wachtten op de bus, studenten en scholieren op weg naar nieuwe verveling, nieuwe lange uren met ondraaglijke plicht en zinloosheid van het bestaan. En in het centrum hijzelf, niet wakker, niet lusteloos, niet ziek, niet gezond, niet door schade en schande wijs geworden, alleen maar moe, verward, beu en bang.

Toen de file eindelijk oploste en hij over de Ryenbergveien reed, ging zijn telefoon. Hij stopte bij een bushalte. Het was Gunnarstranda. "Kom je vandaag op het werk?"

"Dat staat niet op mijn lijstje."

"Je moet komen."

"Ik moet eerst een aantal formaliteiten afhandelen."

"Dan zien we je morgen."

Frank keek naar zijn eigen armzalige verschijning en zei: "Ik zal erover nadenken."

"Moet ik mijn mond houden over de laatste ontwikkelingen?"

"Het klinkt wel verleidelijk om weer te beginnen, maar heeft Lystad van de landelijke recherche daar ook iets over te zeggen?"

"Ik heb wat druk uitgeoefend. Als hij vindt dat jij ergens van beschuldigd kan worden, had hij voor gisteravond een verzoek in moeten dienen bij de Rijksrecherche voor een apart onderzoek, en dat is niet gebeurd."

Frank Frølich haalde diep adem. "Oké. Ik zal proberen om morgen te komen."

"Dan wil ik dat je hierover nadenkt", zei Gunnarstranda. "Ik heb contact opgenomen met de DnB NOR-bank in Askim. Een spontane ingeving. Het bleek dat ze een vaste procedure hanteren als er iemand met een volmacht naar de bankkluizen gaat, die volmacht wordt dan namelijk gecontroleerd in het machtigingsregister van de bank."

"Ja, en?"

"Er komen niet vaak mensen met een volmacht. Maar er zijn veel personeelsleden die allemaal op verschillende tijden aan het werk zijn. De manager heeft gesproken met een vrouw die op onregelmatige tijden werkt. Zij zegt dat iemand met een volmacht ruim een week geleden de bewuste kluis heeft bezocht."

"Wie?"

"Ilijaz Zupac."

"Dat is onmogelijk."

"Niets is onmogelijk."

"Zupac zit zijn straf uit in Ullersmo, hij heeft verpleging nodig, verlof is absoluut niet aan de orde. Hij kan er niet geweest zijn."

"Toch is hij er geweest", zei Gunnarstranda toonloos. "Dus je begrijpt dat we je hier nodig hebben, als we dit soort onmogelijke problemen op moeten lossen. Ik ben nieuwsgierig of de man iets in de kluis heeft gelegd, of er iets uit heeft gehaald. Denk daar maar eens over na, dan zien we elkaar morgen."

*

Hij reed niet rechtstreeks naar huis. Toen hij eindelijk de Oslotunnel door was, reed hij door de stad en verder over de Mosseveien. Hij sloeg af naar Ulvøya en reed door naar de Måkeveien. Hij stopte voor het huis van Narvesen. Vandaag stond er geen Porsche langs het hek geparkeerd, maar op de oprit, voor de garagedeur, stond een Jeep Cherokee.

Frank Frølich bleef er een tijdje naar zitten kijken. Het was een decembermorgen. Een vrouw in een winterjas en een dikke, bruine sjaal om kwam een eindje verderop met een wandelwagen de hoek om. Het kind droeg een blauw skipak en had een fopspeen in de mond. Ze passeerden de auto. Frank Frølich zag de vrouw steeds kleiner worden in de spiegel terwijl hij terugdacht aan eergisteravond, toen hij met een verrekijker naar een geparkeerde auto voor zijn eigen flat had staan kijken.

Narvesens jeep had dezelfde kleur en hij was modderig en vies als na een lange rit over met zout gestrooide winterwegen, net als zijn eigen auto.

Hij pakte zijn mobiele telefoon en zocht Narvesens privé-nummer op. Hij belde. De telefoon ging lang over. Eindelijk antwoordde een onduidelijke mannenstem: "Hallo."

Frank Frølich verbrak de verbinding. *De superinvesteerder was niet aan het werk. Misschien een heftige nacht achter de rug?*

Hij startte de auto. Even later zag hij een schaduw achter de ramen op de eerste verdieping. Hij zette de auto in de versnelling en reed weg.

14

Ze vreeën. Het flakkerende kaarslicht tekende grote, vage schaduwen op de wand. Ze lag op handen en voeten op het bed, haar linkerwang op het kussen. Golvend, zwart haar. Hij draaide haar op haar rug, hij ging maar door. Elisabeths lichaam trilde toen ze een orgasme kreeg, maar hij deed alsof hij het niet merkte. Hij wilde haar in stukken hakken, haar met zijn onderlichaam kapot rammen, hard, genadeloos, stoot na stoot. Toen ze voor de tweede keer klaarkwam, voelde hij ergens in zijn buik het begin van een kreet langzaam uit een omhulsel vrijkomen. Ze merkte het direct en opende haar ogen alsof ze ontwaakte in een andere werkelijkheid, ze bedekte zijn mond met de hare, probeerde het geluid te vinden terwijl ze zijn geslacht stevig bij de wortel beetpakte en zich vastklampte. De kreet was niet te stoppen, het prille geluid veranderde in een trillende kramp die wortel schoot in zijn tenen, zich een weg zocht door zijn lichaam en de controle over de spieren in zijn benen, dijen, rug en buik overnam – maar die in beginsel werd gestuurd door het gevest in haar hand, daar ontketende zij de brul die door zijn luchtpijp naar zijn mond schoot, waar zij met haar mond en lippen wachtte om hem hongerig in zich op te zuigen. Hoewel ze onder lag, was zij degene die reed, ze bereed hem in al zijn wildheid, al zijn woede, tot hij doodstil tussen haar benen lag. Haar derde orgasme was een blasé trekken van haar onderlichaam, uitgevoerd in een trage triomf, zoals een ruiter op het laatste moment een getemd wild paard naar de zon wendt om te bevestigen dat de klus is geklaard.

Frank Frølich opende zijn ogen.

De kaars brandde niet. De schaduwen op de wand waren er niet. Het was een droom geweest. Toch rook hij haar geur, haar parfum, zweet, geslacht. Hij deed het licht aan. Hij was alleen. Over een paar uur moest hij aan het werk. Alles wat restte was Elisabeths zwarte haar in een boek op het nachtkastje. Hij deed het licht uit en legde zijn hoofd terug op het kussen. Hij staarde met wijdopen ogen in het donker en dacht: *waarom was ik kwaad?*

*

Er klonk gepaste jubel in de gang toen hij 's morgens om acht uur op het werk verscheen. Emil Yttergjerde boog diep en Lena Stigersand zei: "Je ziet er vreselijk uit, sorry, dat meende ik niet."

Frank Frølich wreef over zijn gezicht. "Ik ben de laatste dagen tegen een aantal problemen opgelopen."

"Nou ja", zei Lena Stigersand, "vandaag mag ik het eerste gebod van het feminisme breken. Frank, welkom terug. Kan ik je een kop koffie inschenken?"

Op dat moment stak Gunnarstranda zijn hoofd om de deur. Hij schraapte zijn keel en zei: "Frølich, ik moet even met je praten."

Toen ze alleen waren, zei Gunnarstranda: "Ik heb een bespreking gehad met het Openbaar Ministerie en we zijn het erover eens dat we gaan voor de link tussen Jim Rognstad en de moord op Loenga. Dat betekent dat de moord op de nachtwaker onze enige zaak is: de dood van Elisabeth Faremo is een zaak voor de landelijke recherche, en de dood van Jonny Faremo is ook een zaak voor de landelijke recherche. En zij willen niets met ons te maken hebben, voorlopig niet in elk geval. Het Openbaar Ministerie is eigenlijk voor gezamenlijk onderzoek, maar we zullen wel zien. Tot die tijd houden we ons alleen bezig met de moord op Arnfinn Haga, begrepen?"

Frank knikte.

"Voor ons, met name voor jou, zijn Reidun Vestli, haar huisje en sporen van botstukken in de as perifere zaken en alleen interessant als we bewijzen vinden dat Rognstad of Ballo degene was die Reidun Vestli in elkaar heeft geslagen en/of het huisje in brand heeft gestoken. De zaak Elisabeth Faremo, voor zover het een zaak is, ligt nog steeds bij de landelijke recherche."

"Op de dag dat het huisje is afgebrand, is Merethe Sandmo in Fagernes gezien", zei Frank Frølich.

"Elisabeth Faremo en Jonny Faremo zijn zaken voor de landelijke recherche", herhaalde Gunnarstranda langzaam en nadrukkelijk.

Frølich gaf geen antwoord.

Ze bleven naar elkaar staan kijken.

Gunnarstranda verbrak de stilte: "De inbraak bij Inge Narvesen is opgelost. Het ís niet onze zaak en het is nooit onze zaak geweest."

"Ze dineerde samen met een man in het hotel."

"Weet ik", blafte Gunnarstranda geïrriteerd. "Maar het is niet onze zaak. Wil je dat ik je nu al met verlof stuur, twee minuten nadat je bent begonnen?"

Ze keken elkaar weer behoedzaam aan.

"Omdat je een relatie had met Elisabeth Faremo was er sprake van persoonlijke betrokkenheid bij de Loenga-moord, zo lang zij leefde. Sommigen zeggen dat je er nog steeds bij betrokken bent. Anderen, onder wie ikzelf, vinden dat je te emotioneel reageert in deze zaak. De conclusie is dat het je in dit onderzoek níét is toegestaan persoonlijke acties te ondernemen. Van nu af aan ben je mijn loopjongen. *No more, no less.*"

Frank Frølich gaf geen antwoord.

"En als we moeten uitzoeken wat Rognstad te maken heeft met de moord op Arnfinn Haga kunnen we niet met oogkleppen op lopen", zei Gunnarstranda. "We moeten werken, we moeten getuigen verhoren, en dan richten we ons op de meest actuele."

"Het zou kunnen dat Rognstad met Merethe Sandmo heeft gedineerd."

Gunnarstranda zuchtte diep. "Iets zegt me dat het fout was om jou vandaag weer aan het werk te laten gaan."

Frank Frølich zei: "Ik ben er gisteren geweest, bij het afgebrande huisje. Ik wilde het zien. In Fagernes liep ik Vossenbes Ramstad tegen het lijf ...'

"Dat weet ik, hij heeft mij e-mails en faxen gestuurd, en al dat soort dingen. Doe nu je oren goed open", zei Gunnarstranda en hij brulde: "JA, IK WEET DAT MERETHE SANDMO MET EEN ONBEKENDE MAN IN FAGERNES HEEFT GEDINEERD, MAAR DAT GAAT ONS NIETS AAN!"

"Van Fagernes ben ik naar mijn eigen huisje in Hemsedal gereden. Iemand heeft geprobeerd brand te stichten, terwijl ik in het huisje was."

Gunnarstranda ging zitten.

Frank Frølich pakte zijn mobiele telefoon en zocht de foto's op die hij had gemaakt. Hij stond op. "Kijk", zei hij. "Zijn deze verschroeide planken genoeg bewijs?"

Gunnarstranda haalde diep adem en hoestte. "Vertel", zei hij moeizaam.

Tien minuten later kwam Lena Stigersand met de koffie die ze had beloofd. Ze had direct in de gaten hoe de stemming was en kwam op haar tenen binnen. "Stoor ik?"

Geen van beiden zei iets.

"Nou ja", zei Lena Stigersand en ze sloop de kamer weer uit.

Gunnarstranda wachtte tot ze de deur achter zich had gesloten voor hij zei: "Ga verder."

"Na Fagernes ben ik naar Hemsedal gereden, daar heeft iemand geprobeerd mij levend te verbranden."

"Iemand heeft je gevolgd."

"Dat lijkt er wel op."

"Helemaal vanuit Oslo?"

"Vanuit Oslo of vanuit Fagernes."

"Kan iemand achter je aan gereden zijn, dat hele stuk, zonder dat je iets hebt gemerkt?"

"Alles kan. Ik was ver weg met mijn gedachten. Ik was helemaal gefocust op het afgebrande huisje, op haar, ik heb niet in de spiegel gekeken."

"Maar waarom wil iemand jou verbranden?"

"Weet ik niet. Ik zie het motief ook niet."

"Ik onderzoek al meer dan dertig jaar moorden, motieven daarvoor zijn zelden rationeel."

"Maar er moet wel degelijk een motief zijn. Of het was wraak, of iemand heeft geprobeerd mij een halt toe te roepen."

"Waarom een halt toeroepen?"

"Ja, weet ik veel. Wraak is in elk geval ook onzinnig."

"Maar kan het Ballo of Merethe Sandmo zijn geweest?"

"Wat levert mijn dood hen op? De moord op Arnfinn Haga is jouw zaak."

"Je hebt de man op de motorfiets gezien die jou heeft aangevallen. Misschien wil iemand je voorgoed het zwijgen opleggen."

"Maar die man op de motorfiets was Rognstad. Hij zit vast in verband met een andere zaak, en die zaak is kat in 't bakkie. Bovendien, als ik uit de weg geruimd moest worden voor die overval met die motorfiets, hadden ze dat ook direct kunnen doen. Wat mij vooral is opgevallen is de onprofessionele manier. Verrotte planken, stukken isolatiemateriaal en vochtige dakbedekking met petroleum erover ..."

"Wie hebben we nog meer?"

"Ik weet er één die helemaal niet blij is met mijn activiteiten."

"Wie?"

"Inge Narvesen."

Ze bleven elkaar aankijken. Gunnarstranda met een twijfelende grijns om zijn mond.

"En dat klopt ook met het amateuristische concept", zei Frølich.

"Ik wilde sowieso al eens een praatje met Narvesen maken", zei Gunnarstranda bedachtzaam. "Je kunt net zo goed meegaan."

15

Frank Frølich ging achter het stuur zitten. Hij wachtte tot Gunnar-stranda was ingestapt en startte toen de motor. "De situatie komt me bekend voor", zei hij en hij zette de auto in de versnelling.

"Kijk vooruit", zei Gunnarstranda droog. "Het enige positieve dat je over het verleden kunt zeggen, is dat het voorbij is. Ik hoop dat jij leert dat dat ook wat vrouwen betreft zo is."

Ze reden langs het busstation de Ibsenring op en toen ze uit de tun-nel kwamen, sloegen ze af in de richting van het park rond het Konink-lijk Slot en de Fredriks gate.

"Vanmorgen, onderweg naar het bureau", zei Frølich, "moest de metro in de tunnel stoppen. Er stond een man op de rails."

Gunnarstranda keek hem aan. "Het is inderdaad lang geleden", zei hij, "ben je vergeten dat we niet per se hoeven te praten?"

Frølich glimlachte even. "De man op de treinrails was een Indiër, een oudere man. Hij droeg alleen witte, katoenen kleding, en het was van-morgen vroeg verschrikkelijk koud, dik in de min."

"Dus hij had het koud?"

"Hij verzette geen stap. Het was echt een oude man, met een grijze baard, en grijs haar. Hij babbelde wat, maar kende geen woord Noors. Bij mij in de wagon zat iemand die de taal kende en die vertaalde. Het bleek dat de man onderweg was naar huis, naar Calcutta. Hij had het in Noorwegen slecht naar zijn zin, hij had het de hele tijd koud en hij had geen vrienden."

"Tja, wat dat betreft is hij niet de enige."

"En die oude man had besloten om naar huis te gaan, naar Calcutta. Hij wist niet welke kant hij op moest, maar hij wist dat je met de trein naar India kon reizen. Hij dacht dat als hij gewoon de rails zou volgen, hij ten slotte wel in Calcutta zou komen. Maar hij wist niet dat de rails waarover hij liep geen treinrails waren, maar van de metro. Hij had dus de rest van zijn leven over die rails kunnen lopen, en niet verder dan Stovner kunnen komen." Frølich grijnsde.

"Vestli", zei Gunnarstranda.

"Wat?"

"Het eindstation van de Grorudbaan heet Vestli, niet Stovner."

Frank Frølich draaide de Munkedamsveien op. "Het is echt goed om weer terug te zijn", mompelde hij en hij draaide de parkeerplaats op om achter het oude Vestbane-station te parkeren.

Ze stapten uit en wandelden naar het Vika Atrium-gebouw.

Gunnarstranda legitimeerde zich bij de receptie. Even later werden ze ontvangen door een donkere vrouw van even in de twintig. Ze droeg een bril met een dik, zwart designmontuur. Daardoor leek het haast alsof de bril háár had aangetrokken, in plaats van andersom. Ze stevende voor hen uit naar Narvesens kantoren. Het contrast was enorm. De gladde glazen wanden met het stijlvolle stalen decor kregen plotseling een tegenhanger in overdadig gedecoreerde gouden lijsten met donkere schilderijen. Frank Frølich bleef een paar tellen staan en keek om zich heen. Het was alsof hij een museum binnenliep.

De jonge vrouw opende een deur. Ze liet hen binnen in een kleine vergaderkamer en maakte, voor ze verdween, een kleine reverence.

"Ik denk dat Narvesen het hard wil spelen", zei Frank Frølich.

"Je bedoelt dat we moeten wachten?"

"Dat is toch een klassieke methode om overwicht te tonen? Ik heb het zelf ook weleens gedaan, ik geloof zelfs dat ik het van jou heb geleerd."

"We zullen zien hoe lang we het volhouden", zei Gunnarstranda. "Omdat we hier zelf veel ervaring mee hebben, kennen we ook een paar effectieve tegenzetten."

Op het tafelblad stond een leeg kartonnen bekertje met een verdroogd theezakje erin. "Eerste offensief", mompelde hij. "Hoofdinspecteur op zoek naar koffie."

Daarmee verdween Gunnarstranda uit de vergaderkamer en liep brutaal een kantoor binnen, zonder aan te kloppen. Frank Frølich zag hoe de vrouw daarbinnen opschrok. Hij schudde het hoofd, liep naar de hal en bestudeerde de schilderijen die daar hingen. Het was oude kunst, voor het merendeel madonna's en vliegende kinderen met pijl en boog, motieven die hem deden denken aan de poëzieplaatjes uit zijn jeugd.

Plotseling merkte hij dat Gunnarstranda naast hem stond. In zijn hand hield hij een dampend bekertje.

"Zie jij hetzelfde als ik?" vroeg Gunnarstranda.

"Hm?"

"Inge Narvesen zit daar en doet alsof wij niet bestaan."

Frank Frølich volgde zijn blik. Inderdaad. Narvesen zat achter een glazen deur en had hen ogenschijnlijk nog niet ontdekt. "Je hebt dus koffie gekregen?"

"Vannacht droomde ik over een duivel", zei Gunnarstranda en hij hief zijn beker op. "Het was een lief, klein duiveltje met zwart, krullend haar, een onzekere blik en hij zoog op een fopspeen. Ik herinner me nog dat ik dacht dat het geen goed duiveltje kon zijn. Hij wekte geen vertrouwen."

"Ik zal maar niet vertellen wat ik heb gedroomd", zei Frank Frølich.

Op dat moment kreeg Narvesen hen in de gaten. Eerst schrok hij, daarna aarzelde hij een paar tellen voor hij opstond en in de richting van de glazen deur liep.

"Dus u bent weer terug in het warme nest?" zei Narvesen kil. Hij staarde naar Frank Frølich.

"Ik heb een paar vragen", zei Gunnarstranda en hij zette zijn koffie weg.

"Ik ben bezig."

"Het duurt niet lang."

"Maar ik heb geen tijd."

"Het alternatief is dat u een dagvaarding ontvangt met het verzoek u te vervoegen op het politiebureau. Dat betekent dat wij hier nu onverrichter zake vertrekken en dat u zich bij mij moet melden op een moment dat mij past en bovendien dat u zult moeten blijven zolang als het mij goeddunkt. De keuze is aan u."

Narvesen wierp een geïrriteerde, ongeduldige blik op zijn horloge. "Wat wilt u weten?"

"Is het geld dat u hebt gekregen na de arrestatie van Jim Rognstad, alles wat u miste na de inbraak in 1998?"

"Ja, het bedrag klopt."

"Er bevond zich verder niets in de safe die in 1998 uit uw slaapkamer werd gestolen?"

"Beslist niet."

"Bent u bereid een dergelijke verklaring te ondertekenen?"

"Dat heb ik al gedaan en ik zal het graag nog een keer doen. De zaak is opgelost en ik ben uitermate tevreden."

"Kent u de naam Jim Rognstad al van vroeger?"

"Ik had nog nooit van de man gehoord."

"De reden dat Rognstad een aantal dagen geleden in staat van beschuldiging is gesteld, is een tip die zijn naam in verband bracht met een inbraak in een goederencontainer in de haven van Oslo en de moord op een nachtwaker."

"Ja?"

"In dat licht is het van belang om te kijken of er andere verdachten met Rognstad in verband kunnen worden gebracht."

Narvesen knikte ongeduldig.

"Kent u de naam Vidar Ballo?"

"Nee."

"Merethe Sandmo?"

"Nee."

"Jonny Faremo?"

"Nee."

"Zeker weten?"

"Absoluut. Was er verder nog iets?"

"Nog één vraag."

"Kom maar op."

"Dat destijds de hele safe uit uw huis is verwijderd, terwijl er verder niets is meegenomen, lijkt erg doelgericht. Hebt u daarover nagedacht?"

"Nee."

"U was het land uit, op vakantie, toen de inbraak werd gepleegd. Dat betekent dat de daders waarschijnlijk op de hoogte waren van het feit dat uw huis verlaten was, is de gedachte in u opgekomen dat iemand hen van dat feit op de hoogte heeft gebracht?"

"Nee, ik laat het aan de politie over om dat soort hypothesen te verzinnen."

"Maar als dat het geval is geweest, dan moet dat betekenen dat u een onbetrouwbaar persoon in dienst had, baart dat een man als u geen zorgen?"

"Dat zou het geval zijn geweest, als ik reden had om een dergelijke hypothese te geloven. Maar dat heb ik niet. Sinds 1998 is er niet meer in mijn huis ingebroken, noch op mijn kantoor. Ergo, zoals detectives dat zo mooi weten te zeggen, ik heb geen onbetrouwbare personeelsleden. Bent u tevreden, wilt u me nu verontschuldigen?"

Zonder te wachten liep hij langs hen heen de gang door.

Frank Frølich hield hem tegen.

Narvesen bleef staan. Hij keek afkeurend naar Frølichs hand.

"De laatste tijd nog in Hemsedal geweest?" vroeg Frank Frølich.

"Mag ik erlangs?"

Frank Frølich stapte opzij. "Ja of nee?"

Narvesen gaf geen antwoord. Hij liep naar een deur verderop in de gang.

"Misschien moet ik die vraag aan Emilie stellen?" riep Frank Frølich. Hij kreeg geen antwoord. De deur sloeg dicht. Narvesen was weg.

Ze keken elkaar even aan. "Kun jij je nog herinneren dat ik je dat chantageverhaal heb verteld?" vroeg Gunnarstranda.

"Die dronken kapitein die informatie naar de pers zou lekken als Narvesen niet over de brug zou komen?"

Gunnarstranda knikte. "Ik heb geprobeerd die kapitein te vinden. Hij kreeg drie jaar en zat daarvan twee jaar uit in Bastøy."

"En daarna?"

"Hij is dood", ging Gunnarstranda verder. "Hij raakte in een bar betrokken bij een vechtpartij op de dag dat hij werd vrijgelaten. Hij is vermoord. Door een onbekende aan het mes geregen."

"Narvesen is niet te vertrouwen", zei Frølich.

"Niemand kan hard maken dat Narvesen erachter zat, net zomin als jij kunt beweren dat hij jouw huisje in brand heeft gestoken."

"Hij was het."

"Hoe weet je dat?"

"Ik weet het gewoon.

Gunnarstranda keek hem twijfelend aan. "Als jij zeker weet dat het Narvesen was, dan ben je aan jezelf verplicht om uit te vinden waarom, vóór je hem ergens van beschuldigt."

Toen ze weer buiten in de koude ochtendlucht stonden, bleef Frank Frølich staan.

"Wat is er?"

"De man heeft een grens overschreden toen hij mij opsloot en mijn huisje in brand stak."

Ze bleven even staan kijken naar de langs razende auto's.

"Wacht maar rustig af", zei Gunnarstranda en hij kwam weer in beweging. "We krijgen Narvesen wel, geloof mij maar."

"Waarom denk je dat?"

"Ik vertrouw op mijn instinct. Ik heb ook de fiscale recherche en Kippenkop Sørli nog achter de hand."

16

Frank Frølich had Birgitte Bergum een keer eerder ontmoet. Het was al een paar jaar geleden, in Rechtszaal 4. Ze had een drankzuchtige timmerman verdedigd die officier was bij de Vrijwillige Burgerwacht. De man had zich lazarus gezopen in zijn vakantiehuisje, waar hij ook zijn dienstwapen, een AG3, bewaarde. Daar was hij in de loop van de nacht mee gaan schieten. Helaas hadden twee toeristen vlak in de buurt hun tent opgezet. Ze werden doodsbang en nadat ze in een boom waren geklommen, belden ze met hun mobiele telefoon de politie. Het lokale politiebureau was buiten kantooruren echter niet bemand, daarom moesten ze de alarmcentrale bellen, die een auto uit een ander district stuurde. De politiemannen konden het niet vinden en belden terug naar de toeristen om de weg te vragen. De man met het geweer, die ondertussen helemaal door het dolle was, hoorde de telefoon van de toeristen overgaan. Hij dacht dat het de vijand was die overleg pleegde hoe ze hem te pakken konden krijgen. Daarom kroop hij in camouflagepak over de grond, terwijl hij de toeristen steeds dichter naderde – geholpen door de politiemannen die met regelmatige tussenpozen terug belden. Toen de politie eindelijk op de plaats delict arriveerde, draaide de man helemaal door. Na een schotenwisseling die eindigde met een gewonde politieagent, werd hij gearresteerd. Frank Frølich was bij de rechtszaak opgeroepen als getuige, om informatie te verstrekken over de algemene gang van zaken bij arrestaties. Birgitte Bergum had zich vanaf het eerste moment als een bloedzuiger in hem vastgebeten. Daar zat hij aan te denken terwijl hij door de doorkijkspiegel in de verhoorkamer naar haar keek. Ze was een vrouw van een jaar of vijftig, met een enorme bos haar, een grote neus en een boezem als een operazangeres. Haar gezicht vertoonde een ongeduldig en zelfverzekerd trekje. Ze zat naast Jim Rognstad, die op zijn stoel zat te balanceren als een boeddha met een pruik, slap en zwijgend, in een zwart T-shirt, met zijn handen gevouwen en zijn pasgeborstelde haar golvend over zijn schouders.

Rognstad en zijn advocaat hadden twee anonieme kijkers: Frølich zat naast Fristad, die duidelijk onder de indruk was van de situatie. De officier van justitie mompelde voor zich uit: "Allemachtig, dit bevalt me niet, nee, dat moet ik wel zeggen, deze situatie bevalt me niet, Frølich ..."

Hij zweeg toen Gunnarstranda de kamer die ze zaten te observeren, binnenkwam. Rognstad wilde opstaan, als een schoolkind wanneer de rector binnenkomt. Bergum beduidde hem te blijven zitten. Daarna wierp ze een felle blik op de doorkijkspiegel.

"Ze heeft ons ontdekt", zei Fristad en hij zette nerveus zijn bril recht. "Bibbi is scherp."

"Wie zit daar achter?" was het eerste dat Bergum vroeg terwijl ze naar de spiegel knikte.

Gunnarstranda gaf geen antwoord, maar Fristad en Frølich keken elkaar even aan. "Demp het geluid", mompelde Fristad. Frølich draaide het geluid zachter zodat Bergums volgende woorden nauwelijks te verstaan waren: "Dit kan niet, Gunnarstranda. Alle verhoren gebeuren in volledige openheid."

Frølich draaide het geluid weer iets hoger.

"Dit is geen verhoor", zei Gunnarstranda kort. "Deze bespreking is op jullie verzoek."

"Ik wil weten wie er achter de spiegel zitten."

"Ook goed. Rognstad kan terug naar zijn cel en in zijn dromen verder praten. Hij heeft iets te vertellen, of anders maar niet."

Birgitte Bergum keek Gunnarstranda boos aan.

Daarna wendde ze zich tot Rognstad en zei: "Wat vind jij?" Ze leunde naar haar cliënt toe. "Een moment." Ze overlegden fluisterend.

Frank Frølich en Fristad keken elkaar weer aan.

"Wedden dat ze weggaan", siste Fristad. "Bibbi is keihard."

In de verhoorkamer gaapte Gunnarstranda en hij keek op zijn horloge. "Wat zal het worden?"

"Er lag een schilderij in de kluis", zei Rognstad kortaf.

"Welke kluis?"

"De bankkluis."

"Dat lag er niet, er lag alleen geld in de kluis."

"Precies. Maar er had een schilderij moeten liggen."

Frølich en Fristad keken naar elkaar. Fristad zette zijn bril recht, een beetje opgewonden.

"Wat voor schilderij?" vroeg Gunnarstranda.

"Een oud schilderij, duur."

"Oké", zei Gunnarstranda vermoeid. "We beginnen bij het begin. De kluis waar we over praten is betrekkelijk klein. Wat voor schilderij paste in die kluis en hoe is het er terechtgekomen?"

Rognstad leunde naar zijn advocaat en fluisterde weer. Birgitte Bergum nam het woord en zei: "De voorgeschiedenis is niet interessant. Maar er is geen twijfel mogelijk dat er samen met het geld een gestolen kunstwerk in de bankkluis is gelegd."

"Je vergeet dat ik bepaal wat interessant is. Deze informatie is toch bedoeld als verzachtende omstandigheid, hè?"

"Mijn cliënt wil in deze zaak niet op de voorgeschiedenis ingaan."

Frank Frølich grijnsde naar Fristad en fluisterde: "Dat schilderij komt vast uit Narvesens safe. Jim Rognstad was bij de inbraak betrokken, maar hij is bang dat er meer bezwarende omstandigheden worden ontdekt."

Gunnarstranda stond op en liep naar de doorkijkspiegel. Daar bleef hij staan om zijn haar te kammen terwijl hij duidelijk mimede: "Hou je mond daarbinnen!"

"Over welk schilderij praten we?" vroeg hij met zijn rug naar de advocaat en Rognstad toe.

"Italiaanse renaissance", zei Bergum kort. "Een gestolen schilderij: Madonna met kind, van Giovanni Bellini. Het is een klein schilderij, maar het is miljoenen waard. Mijn cliënt vertelt je dus dat het in de bankkluis lag, maar dat iemand het daar weg heeft gehaald."

Gunnarstranda draaide zich om. "We beginnen bij het begin. Je zegt dat iemand, dus niet jouw cliënt, naar de kelder met de bankkluizen is gegaan, de kluis heeft geopend en een schilderij eruit heeft gehaald, maar het geld, een half miljoen kronen, heeft laten liggen?"

"Ja."

"Wie?"

"We weten niet wie."

"Maar die persoon moet een sleutel hebben gebruikt. Jouw cliënt had de sleutel."

"Er zijn twee sleutels."

"Hoe heeft jouw cliënt zijn sleutel in handen gekregen?"

Fristad en Frølich keken elkaar aan.

Birgitte Bergum en Rognstad fluisterden samen.

Bergum zei: "Dat heeft niets met de zaak te maken."

"Ik heb reden om te geloven dat dat op onwettige wijze is gebeurd."

Birgitte Bergum zei: "We hebben geen commentaar op jouw bewering. Maar we willen er wel aan herinneren dat mijn cliënt rechtmatig toegang had tot de kluis."

Gunnarstranda richtte zich nu rechtstreeks tot Rognstad: "Er zijn twee sleutels voor de bankkluis. Er zijn vier personen die toegang hebben tot de kluis. Dat ben jij, dat is Jonny Faremo, dat zijn Ilijaz Zupac en Vidar Ballo. Jonny Faremo is dood. Zupac zit in Ullersmo. Jij zit hier en je beweert dat iemand anders dan jij dat kunstwerk uit de bankkluis heeft gegapt. Je zegt dus dat Vidar Ballo daar is geweest en het schilderij heeft meegenomen. Als hij dat heeft gedaan, waarom liet hij dan een half miljoen kronen liggen?"

"Dat is irrelevant", onderbrak Bergum.

"Irrelevant?" Gunnarstranda begon te lachen. "Is het irrelevant als een notoire crimineel legitiem een bankkluis opent, er een schilderij uit haalt, maar een half miljoen kronen laat liggen?"

"Natuurlijk."

"Waarom is dat natuurlijk?"

"De persoon in kwestie zou gewoon terug kunnen komen om het geld later op te halen. Het feit is, Gunnarstranda, dat zich een kunstwerk in de kluis bevond. Dat kunstwerk is verdwenen."

"En het mannetje in de maan eet elke dag kaas", zei Gunnarstranda kort. Hij draaide zich om en liep terug naar de tafel.

Bergum glimlachte verachtelijk. Ze had weer interesse opgevat voor de spiegel en toen ze sprak, richtte ze zich tot de glasplaat: "We praten over een van de meest gezochte kunstwerken ter wereld, Gunnarstranda. Ga terug naar je kamer, zoek de verslagen op van onopgeloste zaken, gestolen kunstwerken. Daar vind je gegarandeerd een vermelding van het schilderij van Giovanni Bellini, de grote meester van de Italiaanse renaissance. Het schilderij werd gestolen uit de kathedraal Santa Maria dell'Orto in Venetië in 1993. Stel je voor wat het oplossen van een dergelijke zaak kan betekenen voor jou en dit politiedistrict, en dan kunnen jij en ik daarna samen met de officier van justitie bespreken wat kan worden verstaan onder verzachtende omstandigheden." Ze stond op en liep naar de spiegel toe. Daar bleef ze staan om haar bh recht te trekken en ze vervolgde kil: "Ja toch, Fristad?"

*

Twee uur later waren Gunnarstranda en Fristad alleen. De laatstgenoemde krabde geïrriteerd op zijn hoofd. "Bellini, wie is in 's hemelsnaam Bellini? Wat mij betreft kon het net zo goed gaan over een bergtocht in Rondane."

"De Bellini's waren een hele dynastie", zei Gunnarstranda.

"Hoe weet jij dat?"

Gunnarstranda draaide zich om en liet de encyclopedie zien die hij van de boekenplank had gepakt en zei: "Hier staat dat er een vader was en twee zonen. Renaissanceschilders aan het eind van de vijftiende eeuw. Ze hadden ook nog een beroemde zwager, Andrea Mantegna." Hij sloeg de bladzij om en las verder: "Gebroeders Bellini: Gentile en Giovanni."

Hij schraapte zijn keel en ging verder: "Giovanni Bellini is van grote betekenis geweest voor Giorgione en Titiaan, die allebei bij hem in de leer waren. Aan het eind van zijn leven was Bellini zelf in staat te leren van deze ... bla ... bla ... in zijn productie van altaarpanelen zijn twee dominerende motieven te onderscheiden. Het ene motief verbeeldt de mooie, jonge Madonna met kind tegen de achtergrond van een sfeervol landschap. Giovanni Bellini's schilderijen hangen in alle grote galerieën ter wereld. In de kathedralen van Venetië hangen diverse schilderijen ..." Gunnarstranda keek over zijn bril heen. "Kijk daar eens, dat heb ik gezien." Hij liet een foto zien, een portret van een bleke man met een hoed. Met zijn bril op zijn neus bepaalde Gunnarstranda de leesafstand. "Dat dacht ik al, National Gallery in Londen. In elk geval staat er in dit boek niets over diefstal, maar aan de andere kant is deze encyclopedie al lang voor 1993 uitgegeven." Hij zocht het jaar van uitgave voor hij het boek op de plank terugzette. "Al in 1978. Misschien moet je een goed woordje voor ons doen, zodat we hier wat actuelere naslagwerken krijgen."

"Tegenwoordig worden er geen bijgewerkte drukken uitgegeven. Er wordt gebruik gemaakt van internet, maar jij weet misschien niet wat dat is ..."

Op dat moment stak Lena Stigersand haar hoofd om de deur. Ze zei: "Ik heb een paar feiten van Rognstads verhaal gecontroleerd. Het klopt dat een schilderij van Giovanni Bellini met daarop een Madonna met kind is gestolen uit de kerk Santa Maria dell'Orto in Venetië in 1993. Heel simpel. De kerk werd gerestaureerd. Iemand is onder het afdekzeil gekropen, heeft het schilderij in zijn tas gestopt en is weggewandeld."

"Het is dus een klein schilderij", zei Gunnarstranda.

Stigersand knikte. "Het is nooit gevonden, en het moet heel waardevol zijn. Dergelijke schilderijen worden bijna nooit verkocht. Een vergelijkbaar schilderij van een Madonna met kind van Bellini werd in 1996 voor 826.500 pond verkocht op een veiling in Londen."

"Hoeveel kronen is dat?" vroeg Fristad.

"Ongeveer tien miljoen."

"Dankjewel", zei Gunnarstranda.

Stigersand vertrok en deed de deur achter zich dicht.

"Moderne mensen zoals ik gebruiken jongeren om moderne zaken als internet te controleren", zei Gunnarstranda en hij voegde eraan toe: "Als zo'n schilderij in 1996 voor tien miljoen kronen is verkocht, is het vandaag de dag vast veel meer waard. De prijzen van kunstwerken schieten nog harder omhoog dan de prijzen van appartementen hier in Oslo."

"Maar geloof jij het?" onderbrak Fristad hem. "Is het mogelijk dat dat schilderij jarenlang in een bankkluis in Askim heeft gelegen? Dat is toch belachelijk."

"Als het bluf is, dan is het in elk geval een sterk verhaal", antwoordde Gunnarstranda. "Er moet bewijs te vinden zijn om dit verhaal te onderbouwen. Rognstad zou er nooit mee gekomen zijn, als hij geen bewijs had, hij eist tenslotte strafvermindering. Hij moet nog iets achter de hand hebben. En dat zou bijvoorbeeld kunnen zijn waar het schilderij vandaan komt. Ik gok dat het in Narvesens safe lag, samen met het geld. De vraag waar het schilderij vandaan kwam voor het in de bankkluis lag, is het enige dat Rognstad achter de hand heeft. Maar hij wacht om die troef uit te spelen."

"Hoe heeft Narvesen het schilderij in handen gekregen?"

"Ik heb geen idee. Ik maak me er ook niet druk over. Wat belangrijk is, is de volgorde van handelingen van de kerels die wij proberen te pakken. In 1998 breken ze bij Narvesen in en stelen een safe. In de safe liggen een kunstwerk en geld. Alleen Ilijaz Zupac wordt door de buurvrouw gezien, en zij pikt zijn foto uit het politiearchief. Als ze dat niet had gedaan, zou de diefstal van de safe waarschijnlijk nooit zijn aangegeven, omdat er een beroemd gestolen schilderij in lag. Dat er zoiets waardevols in de safe lag, kan ook verklaren waarom alleen de safe werd gestolen. Zupac wordt gepakt. Tijdens de arrestatie lost Zupac een schot, een man sterft en Ilijaz wordt veroordeeld voor moord. De safe wordt nooit gevonden. Die wordt waarschijnlijk door de andere daders geopend en de inhoud wordt in een bankkluis gelegd. Als je kijkt naar wie er allemaal een machtiging hadden voor de bankkluis, ligt het er dik bovenop dat Ilijaz' medeplichtigen behoorden tot de bende van Faremo: Jim Rognstad, Vidar Ballo en Jonny Faremo zelf. Een tijdje geleden hebben deze kerels ingebroken in een container op Loenga in Oslo ..."

"Er waren toch vier personen betrokken bij die kraak?" onderbrak Fristad.

"We hebben een getuige die dat beweert, maar laten we ons bij de bekende feiten houden. Het drietal wordt gearresteerd na een tip van Merethe Sandmo. Alle drie worden ze uit voorlopige hechtenis ontslagen, op basis van Elisabeth Faremo's getuigenis. Haar uitspraak wordt in twijfel getrokken door Frank Frølich die bereid is te zweren dat zij zich na één uur 's nachts in zijn tweepersoonsbed bevond. Maar, omdat hij sliep toen zij naar huis ging, kan ze theoretisch gezien de waarheid spreken. Ze kan gekeken hebben hoe Frølich lag te slapen, voor ze naar huis ging om te pokeren met haar broer en zijn twee kameraden."

"In elk geval moeten we voorkomen dat Frølich in deze zaak als getuige wordt opgeroepen", zei Fristad bezwaard.

"Het is de vraag of we dat kunnen voorkomen", bracht Gunnarstranda ertegenin. "Birgitte Bergum zal haar uiterste best doen voor Rognstad. Ze heeft genoeg kruit om een enorm vuurwerk te maken: een vakantievierende smeris die persoonlijk bij de zaak betrokken raakt doordat hij neukt met de zus van een crimineel, en een verhaal over een mysterieus en wereldberoemd kunstwerk dat ze gegarandeerd aan de pers zal verkopen – om maar iets te noemen."

Fristad poetste zwijgend zijn bril. Hij ademde met open mond op de brillenglazen en wreef ze enthousiast op. "Ga door, Gunnarstranda."

"Direct na de behandeling van de zaak bij de rechter-commissaris gaat Elisabeth Faremo naar huis en pakt haar koffer. Ze neemt contact op met haar vrouwelijke minnaar Reidun Vestli."

"Arme Frank Frølich", zuchtte Fristad, "wat een treurig verhaal."

"Kan ik verdergaan?" vroeg Gunnarstranda beleefd.

"Natuurlijk." Fristad zette zijn bril weer op zijn neus.

"Elisabeth Faremo verbergt zich in het vakantiehuisje van Reidun Vestli. Dan raakt alles in een stroomversnelling. Jonny Faremo verdrinkt in de Glomma. Een mogelijke theorie kan zijn dat Faremo heeft begrepen dat ze zijn gearresteerd omdat er iemand uit zijn omgeving loslippig is geweest. Nadat zijn zus hem een alibi heeft verstrekt, gaat Faremo op zoek naar de verklikker. Misschien pikt hij Merethe Sandmo eruit. Ze loopt onmiddellijk over naar Ballo, die Faremo vermoordt. Ballo heeft dan Merethe Sandmo in zijn macht. Elisabeth Faremo kan een en ander hebben vermoed, en is er daarom vandoor gegaan. Als een soort verzekering, en om zichzelf tegen de mannen te beschermen, heeft ze de sleutels van de bankkluis meegenomen. De twee overgebleven mannen, Rognstad en Ballo, zijn koortsachtig naar die sleutels op zoek."

"Waardoor ik me één ding afvraag", zei Fristad. "Waarom hebben ze niet aan Frølich gevraagd waar Elisabeth Faremo was?"

"Frølich was ook naar haar op zoek. Hij heeft zowel bij de buurman als bij Faremo navraag gedaan. Bovendien is hij politieman. Nee, die twee kiezen de gemakkelijkste weg, Ze weten het antwoord uit Reidun Vestli te slaan. Ten minste een van hen gaat samen met Merethe Sandmo naar het vakantiehuisje. Ze nemen de tijd om in Fagernes te gaan eten, waar Merethe samen met een man wordt gesignaleerd. Ze gaan verder naar het huisje ..."

"Dan klopt de chronologische volgorde niet helemaal", onderbrak Fristad hem. "Ik heb in een van jouw verslagen gelezen dat de brand in het huisje plaatsvond voordat Reidun Vestli in het ziekenhuis terecht kwam."

"Het is niet zeker hoe lang ze daar gewond heeft gelegen. Helaas hield ze daarna haar mond stijf dicht. Ze wilde niets vertellen over de overval. Daarom weten we niet wanneer ze werd overvallen. Aan de andere kant, ik zie niet hoe Ballo en Rognstad anders dan via Reidun Vestli dat huisje hadden moeten vinden."

"En de hele tijd proberen ze alleen de sleutels te vinden van de bankkluis met het schilderij en het geld?" onderbrak Fristad hem weer.

"Ja. Ze weten dat Elisabeth Faremo weet waar de sleutels zijn. Maar zij is hen te slim af, ze heeft de sleutel bij Frølich thuis achtergelaten."

"Waar is de andere sleutel?"

"Weten we niet. Daarom heeft Elisabeth Faremo geen sleutel als Merethe Sandmo en haar reisgenoot bij het huisje aankomen. Het loopt uit in een ruzie met brandstichting, en Elisabeth Faremo verbrandt in het huisje."

"Waar kan de andere sleutel zijn?"

"We weten dat die werd gebruikt door iemand die zich heeft uitgegeven voor Ilijaz Zupac, dezelfde dag dat het drietal uit voorlopige hechtenis werd ontslagen. De persoon in kwestie noemde zich Ilijaz Zupac, opende de kluis, nam waarschijnlijk het schilderij mee en verdween."

"Kan het Ballo zijn geweest, zoals Rognstad denkt?"

"Natuurlijk. Maar het probleem is dat Ballo zelf toegang had tot de kluis. Waarom moest hij zich uitgeven voor Zupac?"

Ze bleven na zitten denken. "Waarom pakte de persoon in kwestie alleen het schilderij, en niet het geld, uit de kluis?"

Gunnarstranda maakte een gebaar met zijn handen. "De eenvoudigste verklaring is dat hij het geld later wilde halen. Of hij liet het geld liggen zodat we ons juist díé vraag zouden stellen, voor het geval het verhaal van het schilderij boven water zou komen. Het lijkt onwaarschijnlijk dat een dief met vrije toegang tot een half miljoen het geld zou laten liggen. Want als het schilderij nooit weer tevoorschijn komt, zal degene die beweert dat er een dergelijk schilderij in de kluis lag, niet kunnen bewijzen dat het er lag, en zelfs niet waarschijnlijk kunnen maken dat het er lag. De beslissing om het geld te laten liggen, is eigenlijk verschrikkelijk slim, als we ervan uitgaan dat Rognstad de waarheid spreekt."

"En we lijken er wel vanuit te gaan dat hij de waarheid spreekt. Dus wie heeft het schilderij meegenomen?"

"Ik weet het niet. Maar ik ga ervan uit dat het diezelfde vierde overvaller is, de man die samen met de drie anderen op Loenga werd geobserveerd toen Arnfinn Haga werd vermoord."

"Kan hij het zelf niet zijn geweest? Ilijaz Zupac in eigen persoon?"

"De man heeft sinds zijn veroordeling vijf jaar geleden de gevangenis niet meer verlaten."

"Tja", zei Fristad met een diepe zucht. "Een onbekende op de plaats delict. Zou het de man kunnen zijn die Jonny Faremo heeft vermoord?"

"Dat zou best kunnen. Waarom denk je dat?"

"Ik denk dat helemaal niet", zei Fristad. "Maar dat verhaal van die sleutels is interessant. Laten we zeggen dat die twee, Elisabeth en Jonny Faremo, elk een sleutel hadden. Elisabeth verbergt haar sleutel in Frølichs flat. De onbekende vierde man vecht met Jonny Faremo, krijgt zijn sleutel te pakken en Jonny verdrinkt. De vierde man gaat naar de bank in Askim. Hij geeft zich uit voor Zupac en neemt het schilderij mee. Maar dat weten de anderen niet. Ze weten alleen dat Jonny dood is. Ze kunnen zijn sleutel niet vinden. Daarom willen ze per se de laatste sleutel in handen krijgen, ze weten dat Elisabeth die heeft, en ze weten dat zij een relatie heeft met een vrouw die bij de universiteit werkt. Ze slaan haar in elkaar om te ontdekken waar Elisabeth Faremo zich verbergt, enzovoorts?"

"Alles is mogelijk", zei Gunnarstranda. "We weten dat er twee sleutels zijn. Een van die sleutels lag de hele tijd bij Frølich thuis. De andere werd gebruikt door die 'zogenaamde' Ilijaz Zupac. We weten dat Merethe Sandmo vlak na de dood van Jonny Faremo met Vidar Ballo ging. Ik heb zelf met hen gesproken. Diezelfde Ballo is nog steeds verdwenen, en wij hebben geen betrouwbare aanwijzingen over zijn verblijfplaats. Ik neig ernaar te stellen dat Jonny Faremo werd vermoord vanwege de rel die hij veroorzaakte nadat Merethe Sandmo hen had verraden."

"Dan ziet het er echt naar uit dat er een soort alliantie was tussen Ballo en Merethe Sandmo. Het zou kunnen dat ze samen werkten, het schilderij jatten en met de noorderzon zijn vertrokken, denk jij niet?"

"Maar waarom zou Ballo zich uitgeven voor Zupac als hij ook als zichzelf naar de kluis had kunnen gaan?"

"Om zijn identiteit te verbergen. Het schilderij wordt tenslotte over de hele wereld gezocht. Misdadigerslogica: incognito in het bezit komen van het schilderij en bovendien het geld laten liggen, zodat de anderen ongeloofwaardig overkomen met hun verhaal over een gestolen schilderij als het Openbaar Ministerie het niet weet te achterhalen."

"Misschien heb je gelijk. Maar we zitten nog steeds met die getuige die beweert dat er vier personen op de plaats delict waren toen Arnfinn Haga werd vermoord."

"Dat is dus een man van wie we de identiteit tot op dit moment niet kennen. Wie denk jij dat het is, de vierde overvaller?"

"Ik heb geen idee", zei Gunnarstranda kort.

"Kan het zijn, neem me niet kwalijk, maar mijn fantasie is in dit werk vaak nuttig gebleken, dat het Frank Frølich is geweest?"

Het werd stil in de kamer. De zon scheen door de lamellen van de luxaflex en Gunnarstranda nam de tijd om een sigaret op te steken. Hij stak hem op zonder dat Fristad protesteerde.

17

Gunnarstranda en Fristad zaten in de kamer van de eerstgenoemde. Frank Frølich werd opgeroepen zonder dat hij wist waarom. Gunnarstranda en de officier van justitie hadden allebei op een stoel plaatsgenomen.

Er vielen hem twee dingen op. Gunnarstranda rookte en Fristad protesteerde niet. Hij keek van de een naar de ander.

"We willen graag de ontwikkelingen in deze zaak met je doornemen", zei Fristad kort.

"O?"

"Vind je dat vreemd?"

"Niet vreemd, gewoon anders."

"Tja ..." Fristad sloeg zijn ogen neer en gaf geen commentaar op het antwoord. In plaats daarvan zei hij: "Wat is volgens jou het belangrijkste dat we nu moeten doen, in dit stadium van het onderzoek?"

"Ik denk dat het verstandig is om nog een keer met Narvesen te praten", zei Frølich.

"Nu moet je ophouden over die Narvesen", viel Fristad hem geïrriteerd in de rede.

"Jij hebt gevraagd wat ík zou doen", diende Frølich hem van repliek, "en ik denk dat we Narvesen moeten vragen naar dat schilderij waar Rognstad het over heeft."

"Jij denkt dus dat Rognstad de waarheid spreekt, dat Ilijaz en de rest van de groep het schilderij in handen hebben gekregen toen ze in 1998 de safe stalen?"

"Dat zei Rognstad niet. Hij zei dat het schilderij in de bankkluis lag. Hij heeft de inbraak in 1998 bij Narvesen met geen woord genoemd. Ik geloof dat hij daar zijn mond over houdt, zodat hij in die zaak niet kan worden aangeklaagd, maar als Rognstad de waarheid spreekt over het schilderij, dan is de kans groot dat het uit Narvesens safe komt. Ik geloof dat zowel het schilderij als het geld in de safe lag toen die in 1998 werd gestolen. Ik geloof dat Jonny Faremo bij de diefstal van de safe was betrokken. Er lag dus niet slechts een half miljoen in de safe, maar veel meer miljoenen. En die inhoud stopten ze in een bankkluis."

"Maar waarom hebben ze dat gedaan?" vroeg Fristad.

"Ze wilden wachten tot Ilijaz vrij kwam, voor ze de buit verdeelden – de gangbare musketierretoriek in het gangstermilieu: één voor allen, allen voor één, en dat soort flauwekul."

"Een tijdje geleden werd het schilderij door een ... een onbekende persoon uit de kluis gehaald. Waarom? Het schilderij is niet te verkopen."

"Jawel hoor. Er is een markt voor dat soort kunst. En er is wel degelijk een koper. Een man die nog geen twee weken geleden een bedrag opnam van vijf miljoen kronen.'

"Narvesen? Zou hij het schilderij terug kopen? Van wie?"

"Van Vidar Ballo en Merethe Sandmo."

Een tijd lang zei niemand iets.

Frølich verbrak uiteindelijk de stilte. "Laten we bij het begin beginnen: na de moord op de nachtwaker op Loenga wordt het drietal uit voorarrest ontslagen. Dan wordt Jonny Faremo vermoord. Ineens is zijn vriendinnetje Merethe verliefd op Ballo, en bovendien wordt ze gesignaleerd in Fagernes op dezelfde dag dat Jonny Faremo's zus levend in een vakantiehuisje verbrandt."

"Je bent nog wel steeds erg gefixeerd op die Elisabeth Faremo, maar het idee dat Narvesen het schilderij terug heeft gekocht, staat me wel aan", zei Fristad. "Aan de andere kant: vijf miljoen is geen groot bedrag, tien jaar geleden werd een vergelijkbaar schilderij voor tien miljoen verkocht."

"Ja, maar het bedrag is waarschijnlijk het resultaat van onderhandelingen", zei Frølich. "Na de diefstal van de safe in 1998 had de inbrekersbende Narvesen in de tang. Ze openden zijn safe en ontdekten dat Narvesen in het bezit was van een gestolen schilderij, dat over de hele wereld werd gezocht, een kunstwerk dat wordt beschouwd als een van de nationale heiligdommen van Italië. Tegelijk had Narvesen iets tegen hen: ze hadden veel geld van hem gestolen, en dat soort diefstallen wordt zwaar bestraft. Beide partijen waren er dus mee gediend om te zwijgen. Het schilderij is vandaag de dag misschien wel vijftien of twintig miljoen waard, dat is niet te zeggen. Maar het kan alleen verkocht worden aan heel speciale verzamelaars. Het groepje Faremo, Ballo en

Rognstad kende geen andere verzamelaars dan Narvesen."

"Wacht, wacht, wacht." Fristad hief afwerend zijn handen op. "Je denkt dus dat Narvesen het schilderij inmiddels weer in zijn bezit heeft?"

"Dat denk ik wel", zei Frølich. "Ik denk dat de reden dat hij mij is gevolgd naar Hemsedal en heeft geprobeerd brand te stichten ..."

"Wacht nu even. Geen ongegronde beschuldigingen.'

"Oké. Ik zal het anders formuleren. Dat Narvesen het schilderij nu in zijn bezit heeft, verklaart waarom hij zo geïrriteerd op mij reageert. Hij wil de aandacht afleiden van de inbraak in 1998 én van zichzelf. Omdat hij het schilderij heeft, misschien bewaart hij het wel in zijn eigen huis, komt het hem verschrikkelijk slecht uit dat ik hem opzoek, bij hem thuis kom en maar blijf graven en vragen."

Fristad keek naar Gunnarstranda die traag en intens zat te roken. "Wat denk jij, Gunnarstranda?"

"Ik weet dat Narvesen mij heeft gebeld om te controleren of we bezig waren met een onderzoek in verband met de diefstal van de safe. Als hij het schilderij heeft is dat heel logisch. Maar zelfs als Narvesen het schilderij in handen heeft", zei Gunnarstranda, "kunnen wij nog niets bewijzen."

"Wie heeft het schilderij aan Narvesen terug verkocht?" vroeg Fristad.

"Ballo", zei Frank Frølich. "Alles wijst erop dat hij en Merethe Sandmo de anderen tegen elkaar hebben uitgespeeld. We weten dat ze de dag na Jonny Faremo's dood een stel waren. Zelfs Jim Rognstad, die hem het beste kent, verdenkt Ballo. Dat hebben we hem allebei horen zeggen."

Fristad keek Frølich aan. "Bedankt, Frølich", zei hij.

*

Toen Frølich was vertrokken, bleven de beide anderen naar elkaar zitten kijken.

"Wat denk je?" vroeg Fristad.

"Ik denk nooit iets."

"Zelfs geen voorgevoel?"

"Zelfs dat niet."

"Maar als we nu eens vergeten dat hij erbij betrokken kan zijn en dat wat hij zegt serieus nemen: als Narvesen het schilderij in handen heeft, kunnen we dan actie ondernemen om dat uit te vinden, bijvoorbeeld een huiszoeking in Narvesens woning?"

"Wij niet, maar Sørli wel. De fiscale recherche kan hem ervan beschuldigen dat de vijf miljoen kronen die hij heeft opgenomen, bedoeld zijn voor het witwassen van geld. Dan kunnen zij een huiszoeking doen bij hem thuis en op zijn kantoor."

"Maar zullen we het schilderij vinden?"

"Twijfelachtig. Hij kan het zelfs in een bankkluis hebben gedeponeerd." Gunnarstranda grijnsde.

"En dan komt hij met een advocaat die al onze argumenten van tafel veegt door te zeggen dat wij een of ander wild verhaal van Jim Rognstad hebben gekocht en dat Rognstad het verhaal waarschijnlijk zelf heeft verzonnen om een lagere straf te krijgen."

"Maar als de fiscale recherche en Sørli de actie ondernemen, hoeft dat aspect niet eens in de openbaarheid te worden gebracht. Er kan gewoon een van onze mensen deelnemen aan de actie."

"Wie?" vroeg Fristad snel. "Frank Frølich komt niet ter sprake."

"Ik dacht aan Emil Yttergjerde", besloot Gunnarstranda. "Ik zal een goed woordje voor hem doen bij Sørli."

*

Fristad vertrok. Gunnarstranda was net achter zijn eigen schrijftafel gaan zitten, toen Lena Stigersand binnen kwam met een stapel papieren. "Ik heb midden in de roos geschoten", zei ze en ze liet zich zo hard op de stoel vallen dat die minstens een meter achteruit schoof.

"Vertel."

Lena Stigersand wuifde met de papieren. "Merethe Sandmo. Op 30 november heeft ze het vliegtuig van Oslo naar Athene genomen. Ze is met Lufthansa, via München, gereisd."

Gunnarstranda stond op. "En Ballo?" vroeg hij.

Lena Stigersand schudde het hoofd. "Hij staat niet geregistreerd."

"Ze reisde dus alleen?"

"Dat is niet zeker. Hij kan onder een andere naam hebben gereisd."

"Welke datum is het huisje afgebrand?"

Lena Stigersand zocht in de papieren. "De nacht van 28 op 29 november, dus de nacht van zondag op maandag."

"Zondags dineert Merethe Sandmo met een niet nader geïdentificeerde man in Fagernes. Dezelfde avond brandt het huisje af, en Elisabeth Faremo sterft. Het is de juiste tijd van het jaar, eind november zijn alle vakantiehuisjes verlaten. En de mensen die wel in de omgeving waren, zijn beslist op zondagavond weer naar huis, naar Oslo vertrokken. Ze slaan 's nachts toe. Het eindigt met de moord op Elisabeth Faremo, die ze proberen te camoufleren met de brand. Maandag zijn ze terug in Oslo. Dinsdag zit Merethe Sandmo in het vliegtuig naar Athene, waarschijnlijk samen met Ballo."

Gunnarstranda dacht even na voor hij verderging: "Heb je contact opgenomen met de Griekse politie?"

"Gewone procedure. Interpolkantoor van de landelijke recherche. Ik denk dat de foto en het signalement van Merethe Sandmo nu naar Athene zijn gefaxt. Ze had toch een baan in een stripteaseclub gevonden?"

Gunnarstranda haalde zijn schouders op. "Een bar. Dat is in elk geval de officiële verklaring voor haar vertrek, volgens Frølich. Heb je de passagierslijsten nog?" vroeg hij.

"Ja."

"Misschien kunnen we Ballo vinden onder een schuilnaam. Controleer de naam Ilijaz Zupac eens."

"Komt in orde."

18

Frank zocht naar het papiertje dat ze in zijn hand had gestopt. Uiteindelijk vond hij het in elkaar gefrommeld in de achterzak van een broek in de mand met vuil wasgoed in de badkamer. Het cijfer acht bestond uit twee keurig, boven elkaar getekende cirkels. Wat zegt een handschrift over iemand? Hij belde het nummer.

"Hallo, dit is het antwoordapparaat van Vibeke. Ik ben bezig, maar laat een telefoonnummer achter, dan bel ik straks terug."

Nu weet ik in elk geval hoe je heet. Hij wachtte geduldig op de pieptoon. "Hallo Vibeke, je spreekt met Frank. Ik hoop dat je tijd hebt om ..."

Verder kwam hij niet. Ze nam de hoorn van de haak. "Hallo Frank, wat leuk dat je belt."

"Ik had zin om even met je te praten", zei hij.

"Gaat het goed met je?"

"Waarom zou het niet goed met me gaan?"

Ze bleef het antwoord schuldig en hij verbrak de stilte niet.

"Ben je er nog?"

"Zullen we iets afspreken?"

"Op dit moment ben ik bezig, maar een andere keer graag. Ik sta meestal om een uur of twaalf op."

Hij keek op zijn horloge. Het was laat in de middag. "Morgen om één uur?" stelde hij voor. "Wat dacht je van een lunch?"

"Als jij een lunch neemt, neem ik een ontbijt. Waar?"

Frank Frølich zocht in zijn hoofd naar namen van cafés en koos het eerste dat hem te binnen schoot: "Het Grand Café?"

"Cool. Ik ben niet meer in het Grand Café geweest sinds ik er met

mijn oma tompoezen heb gegeten. En dat is minstens vijftien jaar geleden."

*

Lena Stigersand kwam binnen met een enorme stapel papieren en
vroeg: "Waar kan ik dit neerleggen?"
Gunnarstranda keek afwezig op.
"Waar?" herhaalde ze.
Hij knikte naar de tafel in de hoek. Ze wankelde erheen.
Op dat moment ging de telefoon. Gunnarstranda pakte hem op. Het
was Yttergjerde.
"Er komt schot in de zaak, Gunnarstranda!"
"O, ja?"
"Geen schilderij te vinden."
"Dat was toch ook niet te verwachten?"
"Nee. Ik kom nu rechtstreeks van de huiszoeking bij effectenmake-
laardij Inar A/S. Die vijf miljoen cash. Hij beweerde toch dat die in een
archiefkast lagen, hè?"
"Bedoel je dat er geen geld is gevonden?"
"Precies."
"Tja ..." zei Gunnarstranda en hij keek op zijn horloge "... dan heeft
hij een probleem."
Hij hing op en bleef zitten wippen op zijn stoel.
Lena Stigersand, die met de rug naar hem toe stond en papieren aan
het uitzoeken was, wierp een blik over haar schouder. "Je ziet er tevreden uit. Kun je hem in staat van beschuldiging stellen?"
Gunnarstranda trok aan zijn vingers tot zijn gewrichten knakten. "In
boter gebakken investeerder, gemarineerd met moord en gekruid met
witwas!" Hij grijnsde. "Allemachtig, af en toe hou ik van dit werk. Dat
wordt nog moeilijk als ik met pensioen ga!"

*

Gunnarstranda bleef die avond een tijdje doorwerken. Een voor een
gingen de anderen naar huis. Hij had een afspraak om bij Tove te gaan
eten. Ze had gevraagd of hij om acht uur wilde komen, en hij had niets
anders te doen om de tijd te verdrijven. Toen hij zich eindelijk uitrekte
om op de klok te kijken hoe laat het was, ontdekte hij het jack van
Frank Frølich over de rug van de stoel bij de deur. Hij stond op en keek
om de deur.
"Frølich?"

Frank was bezig bij het kopieerapparaat, hij draaide zich om en zei: "Ik stop ermee. Het is al laat."

Gunnarstranda trok zijn jas aan en zei: "Ik dacht dat je allang weg was."

Hij keek naar de jongere man die zijn jas haalde en zijn sjaal om deed. Hij zei: "Hoe lang werken wij al samen, Frølich?"

De ander haalde zijn schouders op. "Tien jaar? Twaalf? Dertien? Ik weet het niet, hoezo?"

Het was Gunnarstranda's beurt om zijn schouders op te halen.

Frølich zei: "Ik ga er nu vandoor."

"Ik ook."

Ze bleven naar elkaar staan kijken. "Is er iets?" vroeg Frank Frølich zich af.

"Vind jij dat we het anders hadden moeten aanpakken?" vroeg Gunnarstranda.

"Hoe bedoel je?"

"Hebben we iets nagelaten, in deze zaak?"

"We hadden misschien iets alerter op Narvesen moeten reageren."

"We houden Narvesen al dagen in de gaten", zei Gunnarstranda. "Narvesen is nog niet naar de wc geweest, zonder dat daar notitie van is gemaakt. Volgens de verslagen doet Narvesen 's avonds helemaal niets. Hij zit thuis. Af en toe gaat hij naar het souterrain. Dat is alles."

"Knutselt hij?"

"Geen idee."

"En Emilie?"

"Emilie?"

"Zijn vriendin. Vietnamees uiterlijk, mooi."

"Met die Porsche? Ze is spinninginstructeur en zelden thuis."

"Wat doet een spinninginstructeur?"

"Ze gaat vier avonden in de week naar de sportschool en gaat dan op een hometrainer zitten voor een groep anderen op een hometrainer, en dan fietsen ze terwijl er muziek wordt gedraaid en om iedereen aan te sporen roept zij uit volle borst allerlei kreten in een microfoon."

"O."

Ze verlieten samen het gebouw. Ze zeiden geen van beiden een woord. Buiten stonden ze elkaar weer even aan te kijken.

Gunnarstranda schraapte zijn keel. "Nou ja", zei hij. "Goed weekend, dan maar."

Frank knikte terug. "Goed weekend."

*

Tove had een koolschotel gemaakt. Dat was een schot in de roos. Het gerecht smaakte naar zijn jeugd; het droeg de geur van zijn kindertijd. Tijdens zijn jonge jaren kon je op zondagmiddag in het hele huizenblok ruiken wat er op het menu stond. Het gevecht van hem en zijn broers om de lekkerste stukjes vlees als het gerecht voor de tweede keer rondging. Maar hij zei het niet tegen haar, hij had het al een keer verteld. Al een paar keer. Dat ze dit gerecht serveerde, was een hommage aan zijn jeugdherinneringen.

Ze hadden gegeten en het eten weggespoeld met een rode wijn die zij had uitgekozen, een stevige Italiaanse wijn van Barolo. Nu verdeelden ze het laatste restje. Louis Armstrong zong *Makin' Whoopee*. Gunnarstranda keek naar Tove die zwijgend, in gedachten verzonken, in de leunstoel zat.

Hij vroeg: "Waar denk je aan?"

Zij zei: "Een patiënt. Vidar. Hij is gek, nou ja, misschien niet echt gek, maar hij woont bij ons in het verpleeghuis, de arme jongen, nog maar net dertig jaar. Hij heeft een mager, scheef gezicht, hij kijkt de hele tijd naar boven, met open mond, terwijl hij met een hand zijn oorlelletje vasthoudt. Zijn moeder vertelde dat hij naar Gods stem luistert."

"Heftig", zei Gunnarstranda en hij nam een slok.

"Als je je ogen sluit, wordt het dan helemaal zwart?" vroeg ze.

Hij sloot zijn ogen: "Nee, ik zie geel geflikker, sterren."

"Niet iedereen ziet sterren, maar ik geloof wel dat veel mensen gele kleuren zien in de duisternis. En als je je concentreert en met gesloten ogen recht voor je uit kijkt, dan centreert het geflikker als een lichtend punt op een plek precies tussen je ogen, en als je dan nog beter kijkt, dan is dat punt een deel van een groot, zwart oog. Dat is je derde oog dat naar je kijkt."

Gunnarstranda sloot zijn ogen en hief zijn glas. Hij slikte weer. "Een oog? En wie kijkt er dan naar mij, in mijn hoofd?"

"God."

"Wie zegt dat het God is?"

"Vidar."

"Die gekke jongen?"

"Hm."

"Ik denk dat hij gelijk heeft. Wil je nog wat wijn?"

"Ja, als je mij vertelt waar jij aan denkt."

"Doe gewaagd, schone jonkvrouw, maar niet te gewaagd."

"Komt dat niet uit een sprookje?"

"Zeker."

"Kom op, probeer er niet onderuit te komen", zei Tove. Ze stond op en liep naar het rek waar ze een nieuwe fles wijn pakte en opende.

"Waar onderuit komen?"

"Waar je aan denkt."

"Ik zit eraan te denken dat ik twee personen zoek voor een moord."

Tove schonk beide glazen in en zei: "Dat doe je toch de hele tijd?"

Gunnarstranda wees met zijn vinger naar de muziekinstallatie. Ella Fitzgerald zong de eerste regels van *Autumn in New York*.

Ze luisterden beiden.

"Nu heb jij mij onderbroken", concludeerde hij na een tijdje.

"Ik, en Ella."

"Die twee worden gezocht voor de moord op een nachtwaker, Arnfinn Haga, en voor brandstichting met een dodelijk slachtoffer."

"Allemachtig, wat zijn dat voor mensen?"

"Een lingeriemodel van 29 en een arbeidsongeschikte crimineel die al meer dan de helft van zijn leven in de cel heeft doorgebracht."

"Maar waarom zit je aan hen te denken?"

"Dat zit ik mezelf af te vragen."

Ze zwegen weer. Ella liet de microfoon aan Louis Armstrong over.

Tove zat naast hem op de bank. Ze legde haar hoofd op zijn schouder. Zo bleven ze in het halfdonker zitten. De autolichten die ergens buiten een hoek om kwamen, tekenden gele driehoeken op de muren. In de luidsprekers speelde Louis Armstrong trompet.

19

Het leek een scène uit een middelmatige film. Het was avond. De slanke vrouw met het zwarte haar liep met veerkrachtige, hooggehakte stappen door het smeedijzeren hek naar de lage auto. Haar silhouet tekende zich af tegen het licht van de straatlantaarn een eindje verderop. Ze stapte in. Toen het portier dichtging, klonk het alsof iemand een foto nam met een geavanceerde camera. Toen de auto wegreed, gromde de motor als een verzadigd en bedaard wild beest. Frank keek de rode achterlichten na. Hij had de tijd. Hij was geduldig. Hij liep door het tuinhek en stapte naast het grindpad, op het grasveld. De hond binnen begon te blaffen. Toch liep hij door. Hij ging op zijn hurken onder een oude appelboom zitten wachten. Er verscheen een schaduw voor het raam. De persoon in kwestie keek de duisternis in. De hond bleef maar blaffen. De persoon bleef achter het raam staan. Ten slotte liep de schaduw bij het raam vandaan. Na een tijdje werd de hond stil. Frank Frølich dacht aan de hond. Een magere, zenuwachtige jachthond.

Wat wil ik eigenlijk? Waarom zit ik hier?

Hij knipperde met droge ogen in de duisternis. Knipperde de zelfkritiek weg, de twijfel, de bezwaren.

Het was koud. Een gure lucht. De hemel zwart, geen sterren, geen maan. De koude lucht voorspelde neerslag, sneeuw. Frank Frølich zat op zijn post alsof hij op elandenjacht was: onbeweeglijk, zijn blik strak naar voren gericht. Na een uur ging het licht in het souterrain aan. Frank Frølich keek op zijn horloge en nam een besluit. Zeven minuten. Het licht in het souterrain bleef branden. Er werd nog een van de lage raampjes verlicht. Vier minuten verstreken. Meer lichten werden niet ontstoken. Vijf minuten. De secondewijzer kroop de bochten door. Zijn adem ging sneller. Zes minuten. Hij kwam overeind. Hij moest zich bedwingen om niet naar voren te stormen en de deur plat te lopen, hij moest oppassen dat hij niet ging hyperventileren. Zeven minuten. Hij liep op een draf over het gazon, de trap op en drukte drie keer op de bel. De hond begon te blaffen. Hij liep de trap weer af en om het huis heen naar het terras – geluidloos. Hij keek weer op zijn horloge. *Rustig aan! Haal diep adem.* De hond stond nu voor de terrasdeur. Het bruine, grauwende dier kwijlde en kefte achter het doorzichtige gordijn. Hij hoorde binnen voetstappen de trap opkomen, een stem ging tekeer tegen de hond die als een idioot stond te blaffen. Hij wachtte tot de voordeur werd geopend. Toen het licht uit de deuropening op het gazon aan de andere kant viel, trapte hij de ruit in. Hij hoorde de man vloeken terwijl hij de glassplinters weg schopte. De hond greep naar zijn voet. Frank gaf hem een schop zodat hij tegen een stoel vloog en jankend over de vloer rolde. Hij was binnen. De man kwam uit de hal en liep op hem af. Franks gebalde vuist raakte hem midden in zijn gezicht. Hij zei geen woord. Hij sloeg alleen maar. Hij kreeg de man onder, rolde hem op zijn buik, hield zijn handen met zijn knieën tegen en greep naar de plastic strips aan zijn riem. De hond besprong hem weer. Hij jankte als een waanzinnige en greep hem in zijn zij. Frank gaf hem een opstopper zodat hij weer over de vloer rolde. Toen had hij de handen van de man met strips gebonden. Hij kwam overeind. Nu was de hond aan de beurt. Het dier sprong op hem af. Hij greep hem in de sprong en kneep zo hard zijn bek dicht dat hij half stikte en door zijn achterpoten ging toen hij de grond weer raakte. Toen liet hij hem weer los. De hond kroop onder de tafel met zijn staart tussen de poten. Hij overzag de situatie: de man lag op zijn knieën met zijn handen op zijn rug gebonden. De man ging tekeer, maar hij luisterde niet. Hij zag dat de open haard brandde. Aan het plafond hing een grote kristallen kroonluchter. Verder was de kamer ingericht met zware meubelstukken en schilderijen aan de wand.

Waarom doe ik dit?

Hij liep snel naar de voordeur die de man open had laten staan. Hij deed hem dicht en op slot. Hij vond de trap naar de eerste verdieping. Hij liep met grote passen naar boven. Het geschreeuw van Narvesen achtervolgde hem. Hij zweette. Hij kwam in een smalle gang en opende een deur. De badkamer. Nieuwe deur. Slaapkamer. Nieuwe deur. Werkkamer. Bureauladen, papieren. Dichtslaan van laden. Ziek gelach van beneden. *Hij is er niet vandoor gegaan. Maar hij is me ook niet achterna gekomen. Dus hier is niets te vinden.*

Hij liep snel terug, de trap af. Narvesen hield op met lachen: zittend op de vloer. Koppige blik, half triomfantelijk, een blik die loerend langs hem heen ging. Hij volgde Narvesens blik. Een deur. Hij draaide zich om. Liep naar de deur. Narvesen schreeuwde weer, harder, lelijker.

De deur leidde naar het souterrain. Hij liep de trap af. Het souterrain was niet afgewerkt. Er hing een muffe geur. De muren en de vloer waren van grijs beton. De diepvries maakte een zoemend geluid. Hij liep verder, langs de vriezer, een deur door. De wijnkelder. Langs de muur waren kleine nissen gemetseld waarin een paar honderd donkere flessen lagen. Hij liep de volgende deur door. Het was de stookkelder. Een enorme stalen tank bedekte bijna een hele muur. Ertegenover hing een moderne verwarmingsketel. Buizen liepen alle kanten op. Hij hoorde zachte vioolmuziek en liep op het geluid af. De verwarmingsketel begon te bulderen. Er klonk een ploffend geluid toen de brander de vlammen aanstak. Hij liep verder, door de lage deur achter in de ruimte. Hij kwam in een gemeubileerde kamer. De kamer was klein en werd voor een groot deel in beslag genomen door een ligstoel van Italiaans design. Een kleine muziekinstallatie speelde muziek, hij dacht dat het Mozart was. Een barkast. Een halfvolle fles Camus VSOP, één glas. En voor de stoel een safe. De deur van de safe stond open. In de safe stond een schilderij. Frank Frølich bukte zich.

"Raak het niet aan."

Frank Frølich rechtte zijn rug. Narvesens stem klonk helder en scherp. Het was net alsof hij wakker werd uit een droom. Hij draaide zich om.

Inge Narvesen, met zijn handen op zijn rug gebonden, stond op de drempel. Hij had bloeduitstortingen in zijn gezicht.

Frank Frølich pakte het schilderij.

"Leg het weg."

"Waarom?"

Ze keken elkaar aan.

"Je bent een nul", siste Narvesen. "Hierna ben je niets meer."

"Ik heb al gehoord dat je erg wraakzuchtig bent", zei Frølich. "Maar je bent te laat. Je hebt je kansen vergooid toen je mijn huisje in brand stak. Nu is het mijn beurt."

Narvesen leunde tegen de muur. Zijn gezicht verdween in de schaduw, zijn ogen versmalden tot twee vochtige strepen.

Frank Frølich wierp een blik op het schilderij. Het was groter dan hij had gedacht. Het had een brede lijst. "Laten we naar boven gaan." Hij wees naar de trap. "*After you.*"

"Eerst leg je het schilderij terug."

"Ik neem hier de beslissingen."

"Heb je het niet begrepen? Je bent helemaal niets. Je hebt geen baan.

Morgen word je ontslagen. Ik zal daarvoor zorgen. Jij, politieman? Je bent een grote grap ..."

Frank Frølich knipoogde.

Narvesen, met zijn hoofd naar voren, agressief, kwam waggelend op hem af.

Frank Frølich knipoogde weer. Hij zag zijn eigen hand naar voren schieten. "Naar boven!" Narvesen wankelde naar de muur. Frank Frølich pakte de fles cognac en tilde hem op. Narvesen was niet langer agressief. "Voorzichtig met het schilderij!"

"Ja, naar boven!"

Narvesen wankelde de trap op, zijn handen op de rug, zijn schouder raakte de muur en hij moest zijn best doen om zijn evenwicht te bewaren.

"Loop door!"

Ze bleven elk aan een kant van de open haard staan. Het kostte Frank Frølich moeite om normaal adem te halen. Hij knipperde de mist uit zijn gezichtsveld. In zijn handen hield hij een stuk houtwerk. Een abnormaal brede vergulde lijst rond een klein plaatje: een vrouw met een hoofddoek en een dik klein kind met krullend haar. *Zo ziet het er dus uit.* Hij concentreerde zich op zijn ademhaling, in, uit, diep in, uit. Narvesens blik was waakzaam en bang. *Hij weet niet wat hij aan mij heeft, hij twijfelt aan mijn stabiliteit.* Frank Frølich hoorde zijn eigen stem, hol, uit de verte: "Ik snap niet dat dit in een bankkluis paste."

"De lijst was uit elkaar gehaald. Maar wees voorzichtig, ik heb hem net weer in elkaar gezet."

"Het is mooi geschilderd, maar is het vijf miljoen waard?"

"Vijf miljoen is geen prijs voor zo'n schilderij, er zijn verzamelaars die er het tiendubbele voor willen geven."

"Waarom?"

Narvesen aarzelde. Zijn blik, eerst gericht op het schilderij, ging naar de vernielde deur, daarna weer naar het schilderij en uiteindelijk naar Frølichs gezicht.

Haal nu diep adem, adem uit, adem in.

Narvesen zei: "Alle kunst ..."

Hij hield zijn mond weer toen Frank het schilderij tegen het licht hield.

"Ga door."

"Alle kunst is op een bepaald moment goedkoop aan te schaffen. Pas als de kunst de wereld zijn waarde heeft getoond, zal de prijs stijgen ... maar ik word nerveus als ik zie hoe jij het vasthoudt! Wil je het wegleggen!"

"Leg eens uit wat je bedoelt."

Nu was het Narvesens beurt om geconcentreerd adem te halen. De ogen strak op Frølich gericht. De handen vastgebonden op de rug. "Voor mij als verzamelaar zijn kunst en de belevenis van kunst niet hetzelfde. Het is een deel van mijn leven, een ondeelbaar stuk van mij. Mijn belevenis van kunst is net zo intellectueel als emotioneel. Je moet bedenken dat kunst een beeldspraak is, die ons helpt de wereld om ons heen te begrijpen, die ons definieert als mensen ..."

"Et cetera, et cetera", onderbrak Frank hem. "Maar waarom juist dit schilderij, Bellini, Madonna met kind?"

Narvesens gedaante was duidelijker geworden. Frank focuste zich op hem. Narvesen had het zweet op zijn voorhoofd staan, hij schraapte zijn keel om zijn stem kracht te geven. "In 1420 is er iets met de schilderkunst gebeurd, een architect, Alberti, gaf een leerboek uit in perspectief. De Bellini's behoorden tot de eerste grote kunstenaars – Giovanni Bellini was het best in staat om de menselijke beleving van de aardse dimensies in zijn schilderijen, in de kunst, weer te geven. Hij was niet alleen een van de eersten, maar ook een van de besten van zijn tijd. Hij vertolkte de wereld in een geheel nieuwe beeldspraak. Hij heeft dus bijgedragen aan het vormgeven van de voorwaarden en basis van de huidige esthetica. Daarom is dit schilderij een van de beste die ik als verzamelaar kan bezitten. In dit kleine schilderij is al het wezenlijke geconcentreerd in één studie: het leven en het goddelijke, de mensenzoon en Gods moeder. Ik word er nooit moe van om naar dat schilderij te kijken. Het is mijn Mona Lisa, Frølich."

"Het is niet van jou."

"Het is in mijn bezit."

Frank pakte het schilderij op. "Het wás in jouw bezit."

Narvesen zweeg, Zijn blik stond nu angstig.

"Hoe heb je dit schilderij in bezit gekregen?"

"Dat zul jij nooit te weten komen."

"Wie heeft jou het schilderij verkocht?"

"Stel geen vragen. Je zult het nooit te weten komen."

"Wat moet je met een schilderij dat je nooit kunt laten zien? Als je alleen maar beneden in dat hol kunt zitten om er in je eentje naar te gluren? Je moet wachten tot je vrouw weg is, voor je je geheim kunt opzoeken."

"Begrijp je het dan niet? Ben jij nooit ergens bezeten van geweest?"

"Jawel", zei Frank Frølich. *Lange botstukken. De geur van rook. Pijn.* Hij pakte de cognacfles en nam een slok. Daarna pakte hij zijn zakmes, sneed de strips rond Narvesens polsen door en vouwde het mes weer dicht.

Narvesen wreef over zijn polsen en zei: "Zeg maar wat je wilt. Ik heb geld genoeg."

"Vast wel."

"Zeg maar een prijs."

"Dat van die bezetenheid snap ik", zei Frank Frølich. Hij greep Narvesen bij zijn haar en trok zijn hoofd achterover.

Narvesen viel kreunend op zijn knieën.

"Maar ik pik het niet dat je hebt geprobeerd mij levend te verbranden."

Hij liet hem weer los.

Narvesen zakte in elkaar.

Frank Frølich pakte de cognacfles. Hij sprenkelde alcohol over het schilderij en gooide het in de open haard. Het schilderij vatte vlam. Explosief. Twee seconden verliepen. Narvesen ontdekte de brand. Nog een seconde. Hij begreep wat er was gebeurd. Toen schreeuwde Narvesen en hij dook erop af. Frank Frølich zette zijn voet naar voren zodat Narvesen struikelde in zijn duik. De man viel en krabbelde op handen en voeten verder. Hij graaide met zijn vingers in het vuur. Frank schopte hem weg. Het schilderij brandde als een fakkel. Er kwamen blaren op de verf, ze sprongen kapot, het kindergezicht verdween in de vlammen. Het hout knetterde. Vurige, roodoranje vlamtongen sloegen door de vrouwengedaante heen, likten aan haar gezicht. Narvesen jammerde, krabbelde weer in de richting van de haard. Het schilderij verbrandde. De hele afbeelding was opgegeten. Alleen het houtsnijwerk op de lijst onderscheidde het nog van een gewoon stuk hout. De hond, die onder de tafel had gelegen, werd driftig. Hij begon weer te blaffen. Hij sprong naar voren en beet Narvesen in zijn broekspijp. De man kroop verder naar de haard. Frank grijnsde, liet hem kruipen, liet hem naar de restanten in het vuur graaien. De man blies op het verkoolde schilderij als een kind dat probeert de kaarsjes op zijn verjaardagstaart uit te blazen. Frank bleef een paar tellen naar hem staan kijken. De hond deed hetzelfde. Hij hield verbaasd zijn kop scheef.

"Nu staan we quitte", zei Frank Frølich. "Wees blij dat ik jou niet in brand heb gestoken."

*

Het was bijna één uur 's nachts toen Gunnarstranda de deur van Tove's appartement achter zich dichttrok, op een drafje de trappen afliep en naar buiten ging. Het was gaan sneeuwen. Een mooi, wit tapijt van een paar centimeter dik lag op het trottoir. Hij wandelde in de richting van de Sandakerveien, op zoek naar een taxi. Het was een chaos op de weg.

Auto's slipten en schoven. Een stukje verder in de straat wierp een sneeuwschuiver oranje lichtvlekken op de muren. Het geluid van Gunnarstranda's telefoon stond uit, maar hij voelde dat de mobiel in zijn binnenzak begon te trillen.

Het was Lystad van de landelijke recherche. Hij had een mededeling. Er was een lijk gevonden. Naam: Vidar Ballo. Doodsoorzaak: overdosis. Plaats delict: Ballo's eigen flat in Holmlia.

Gunnarstranda wist niet wat hij moest zeggen. Hij stond als verlamd in de nachtelijke kou op het trottoir in de Sandakerveien.

Lystad ging verder: "Een conciërge heeft de deur opengebroken omdat een paar buren klaagden over de stank. Dat verklaart ook waarom hij al dagenlang de deur niet opendoet."

Gunnarstranda zag een Mercedes met een verlicht taxibordje langzaam voorbij rijden.

"Je bent stil", zei Lystad, "heb ik je wakker gemaakt?"

"Nee, ik ben buiten, onderweg naar huis. Is er niemand die weet hoe lang hij al dood is?"

"De patholoog-anatoom van het Gerechtelijk Laboratorium kan pas over een paar dagen iets zeggen. Ik hoorde het toevallig. Ik heb gebeld met zijn moeder in Kvenangen. Ze had het gisteren van de dominee gehoord. Het sterfgeval wordt als een gewone overdosis beschouwd, zo ziet het er in elk geval uit."

"Dan ben ik misschien wel de laatste die hem in leven heeft gezien", zei Gunnarstranda somber.

"Ga je een onderzoek starten?"

"Dat bepaal ik niet."

"Toch is er een aantal hypothesen die we nog eens moeten doornemen", zei Lystad, "zowel bij ons als bij jou, neem ik aan."

"Daar heb je gelijk in."

Er kwam een nieuwe taxi aan rijden.

"Misschien moeten we het samen doen?" vroeg Lystad.

Gunnarstranda stak zijn arm uit. De auto stopte. De chauffeur stak een arm over de rugleuning naar achteren en opende het achterste portier.

"Morgen bijvoorbeeld", zei Lystad.

"Waar ben je nu?" vroeg Gunnarstranda terwijl hij in de taxi stapte.

"Op kantoor."

"Ik ben er over tien minuten", zei Gunnarstranda kort. Hij brak het telefoongesprek af en knikte naar de chauffeur. "Het hoofdbureau van de landelijke recherche in Bryn."

20

Frank Frølich bleef de volgende morgen lang liggen. Hij stond pas om elf uur op, at wat muesli en maakte zich klaar om naar het Grand Café te gaan.

Het had in de loop van de nacht hard gesneeuwd. De auto's langs de Havreveien stonden goed ingepakt, op daken en motorkappen lagen dikke sneeuwkussens. Het leken wel slagroomtaarten. Een enkele autorijder was het gelukt door de hoop sneeuw aan de kant van de weg heen te rijden, diepe sporen achterlatend.

Op het metrostation was een tractor met rammelende kettingen bezig met sneeuwruimen. Frank nam de eerste de beste trein, stapte uit bij het Storting en wandelde rustig door de Karl Johans gate, waar warmtekabels het trottoir sneeuwvrij hielden en de neerslag op de rijbaan in een kleffe, bruine smurrie veranderden.

Ze ging juist zitten aan een tafeltje bij het raam toen hij door de zware deuren het Grand Café binnen kwam. Ze droeg hoge laarzen, een strakke spijkerbroek en een wollen trui. De afrovlechten leken misplaatst bij de typisch Noorse outfit. Het leek alsof ze een te grote hoed droeg.

Hij kende haar bijna niet terug. Misschien omdat ze kleren droeg, dacht hij en hij liep naar het tafeltje toe. Ze keek op.

"Ik heb naar je uitgekeken", zei ze.

"Waar?"

"Dat weet je wel."

Hij ging zitten, zag haar uitdagende blik, maar die raakte hem niet. Het lukte hem niet door haar façade heen te dringen, die vooral associaties opriep met de ongeïnteresseerde uitstraling van een willekeurige tv-bekendheid. *Zwaar opgemaakt en een voor de spiegel ingestudeerde blik. Haar glimlach niet meer dan een geforceerde spierbeweging met lippen en wangen. Geen masker vandaag.* De magie van de vorige keer was ver te zoeken.

In een korte glimlach liet ze even haar tanden zien. "Ik heb een tompoes en cola besteld."

Hij keek haar even aan, maar ze maakte geen geintje.

De ober kwam. Frank bestelde koffie.

"Je hebt iets met je gezicht gedaan", zei ze met neergeslagen blik.

"Dat was die sleutel waar ik het over had."

"Je hebt me zelf gevraagd om het te zeggen." Ze keek nog steeds naar het tafelblad.

"Geeft niets. Vergeet het maar."

"Vraag me niet naar hem", zei ze snel. "Ik weet niets en als ik het wist, zou ik het niet zeggen."

"Vragen naar wie?" vroeg hij.

"Jim", zei ze.

De ober kwam met de koffie. Frank bleef in zijn kopje zitten roeren. Zij kreeg haar tompoes en cola. Ze probeerde het gebakje met haar lepel te snijden. De room stroomde over het bordje. Ze grijnsde en mompelde: "Dit valt niet mee."

"Mijn baas zegt dat als je wilt weten hoe mensen in het leven staan, je moet kijken hoe ze een tompoes eten."

"Ik ben blij dat je baas hier niet is", zei ze en ze knoeide nog meer room op het bordje.

"Ik heb een keer een accountant een tompoes zien eten", zei hij. "Dat ging keurig systematisch. Hij haalde eerst de bovenkant er met zijn lepel vanaf, legde hem keurig op het bordje, toen at hij de room op en daarna de bodem. De bovenkant met glazuur bewaarde hij tot het laatst."

Ze verzamelde een partij room en glazuur op haar lepel, propte het in haar mond en sloot verheerlijkt haar ogen. "Die man weet niet wat hij mist", mompelde ze.

"Vibeke", zei hij.

Ze keek op. "Ja, Frank?"

Ze bleven naar elkaar zitten kijken.

Ze at nog een lepel room en glazuur, slikte en zei: "Jij weet ook niet wat je laat schieten."

Hij keek de andere kant op. Niet omdat ze lomp was, maar meer om niet dwars door haar banale uitdrukking heen te kijken. "Ik ben weer aan het werk", zei hij langzaam. "Ik ben politieman."

Ze gaf geen antwoord.

"Ik ben nu aan het werk."

"Slecht excuus om geen gebak te eten", zei ze ten slotte.

Ze glimlachte, maar de glimlach verdween toen ze zijn blik ontmoette.

"Vibeke", herhaalde hij.

"Ja, Frank?" Ze glimlachte weer scheef en uitdagend.

"Ik moet iets weten over Elisabeth."

"Ik denk dat jij meer van Elisabeth weet dan ik."

"Maar jij kende haar in de tijd dat ze met Ilijaz ging."

"Ben je jaloers?"

"Nee, en tussen Elisabeth en mij is ook niets meer." Hij dacht over de woorden na, terwijl hij om zich heen keek. De meeste gasten waren hotelgasten op doorreis. De rest bestond uit broze vrouwen met blauwwit haar en rimpeltjes in het gezicht. De lage winterzon sneed door de hoge ramen naar binnen. Mensen liepen gehaast door de Karl Johans gate. Een auto van de hondenpatrouille stond voor het Stortinget. Een oudere man zat op een kruk onder een van de leeuwen voor het parlementsgebouw en speelde blues op een elektrische gitaar, het geluid drong zelfs in het café door. Toen hij haar weer aankeek, was ze klaar met eten.

Ze zei: "Ilijaz is Elisabeths grote liefde. Ze gaat voor hem door het vuur, hoe ziek hij ook is."

Hij dacht over haar woorden na. In een flits zag hij een brandend huisje voor zich. Hij schraapte zijn keel, nam de gok en vroeg: "Is Elisabeth biseksueel?"

"Waarom vraag je dat?"

"Ik geloof dat ze dat is."

"Biseksueel?" Ze liet het woord bezinken. "Dat klinkt erg stigmatiserend."

"O?"

"Een beetje denigrerend, eigenlijk."

"Elisabeth heeft een relatie gehad met een vrouw."

"Dat geloof ik best", zei ze en ze zat even na te denken. "Ik denk dat Elisabeth ..." Ze grijnsde even en zei: "Heb jij nooit met die gedachte gespeeld? Om met een goede vriend die vriendschap ook lichamelijk te onderzoeken?"

"Nee."

Ze glimlachte. "Ik geloof je. Maar wat Elisabeth betreft ... ik kan me goed voorstellen dat zij met vrouwen naar bed gaat. En dat botst niet met die allesoverheersende passie tussen haar en Ilijaz."

"Vertel", zei hij.

"Ik weet niet zo veel", ging ze verder.

"Was het stormachtig?"

"Of ze ruzie maakten? Dat gebeurde weleens. Je weet hoe dat tussen sommige mensen gaat ... als een relatie zo hevig wordt dat de negatieve gevoelens haast even intens zijn als de positieve."

In een glimp zag hij Elisabeths naakte voeten voor zich. De nagels donkerrood gelakt. Zijn eigen hand greep om haar enkel met het dunne gouden kettinkje.

"Het had er ook mee te maken dat Ilijaz niet helemaal goed was."

"Wat bedoel je met niet helemaal goed?"

"Hij had ook vaak andere vrouwen."

"Dus wat hem betreft was het geen vaste en duurzame relatie?"

"Toch wel. Ik geloof dat hij net zo verslaafd was aan haar als zij aan hem. Maar hij was in die tijd ook heel erg macho, haast kinderachtig, hij moest continu zijn mannelijkheid bewijzen door vrouwen te versieren. Uiteindelijk was zij het zat, en ze vond een andere man."

Een andere man. Frank dacht aan Gunnarstranda's woorden over een vierde overvaller. "Wie?"

"Een echte kerel."

"Weet je zijn naam nog?"

"Nee."

"Weet je nog wat voor werk hij deed?"

"Geen idee."

"Wanneer was dat?"

"Dat kan ik me niet herinneren."

"Doe eens een poging. Het moet vijf of zes jaar geleden zijn, misschien wel langer. Ilijaz belandde zes jaar geleden in de gevangenis."

"O ja? De tijd gaat snel. Ik kan dat soort dingen nooit onthouden. De tijd dat ik nog naar school ging, kan ik me beter herinneren, maar ..."

"Waar werkte jij toen?"

"In een bar. Ik heb altijd in een bar gewerkt."

"Welke bar?"

"Zes jaar geleden? Een bar aan de Bogstadveien, die is er nu niet meer."

"En kende je Elisabeth in die tijd?"

"Ze werkte in een winkel. Bij Ferner Jakobsen." Ze maakte met haar hoofd een beweging in de richting van de Stortingsgate. "In de kelder. Elisabeth is zo iemand die alles staat wat ze aantrekt. Elke kledingwinkel weet dat een dergelijke verkoopster goud waard is. Ik geloof dat ze die man daar leerde kennen, hij was een klant. Iemand met veel geld."

"Een crimineel?"

"Misschien wel, daar winkelen alleen maar rijke mensen. Die man vroeg steeds of ze met hem uit eten ging, en hij gaf niet op. Dus toen Ilijaz weer eens met een andere vrouw ging, heeft ze ja gezegd en toen zijn ze bij elkaar gekomen. Dat moet ongeveer geweest zijn in de tijd dat Ilijaz werd opgepakt."

"Duurde die relatie lang?"

"Dat weet ik niet."

"Heb jij die andere man ontmoet?"

"Nooit. Ik geloof dat niemand hem heeft gezien."

"Waarom niet?"

"Dat weet je toch. Zo is Elisabeth. Ze houdt van geheimpjes, ze heeft jou waarschijnlijk ook nooit meegenomen naar haar eigen huis."

Hij richtte zich wat op. Ze praatte in de tegenwoordige tijd over Elisabeth. "Elisabeth is dood", zei hij. "Heeft Jim dat niet gezegd?"

Ze zat met neergeslagen blik, schudde het hoofd.

De stilte duurde voort. *Waarom vraagt ze niet naar Elisabeth, hoe Elisabeth is gestorven, wat er is gebeurd?* Hij dacht na, formuleerde voor zichzelf een antwoord en zei: "Heb je een relatie met Jim?"

"Een relatie? Nee." Het leek of ze met haar ogen gesloten zat, zo geconcentreerd bestudeerde ze het tafeloppervlak.

"Maar je hebt Jim verteld wat ik gezegd had over de sleutel. Je wist wie ik was, toen ik je heb zien dansen."

"Ja, ik praat met Jim, af en toe. Maar ik ben vrijgezel."

"Hij wordt aangeklaagd voor moord."

"Jim?" Haar blik rustte nog steeds op het tafelblad.

"Iemand heeft een vakantiehuisje in brand gestoken. Elisabeth zat in dat huisje."

"Wanneer?"

"De nacht van 28 op 29 november, van zondag op maandag."

"Dan was het Jim niet." Ze keek eindelijk op van de tafel, in gedachten, afwezig. Ze zei: "Die nacht was Jim bij mij."

Ze zeiden een hele tijd niets. De cafégeluiden kregen de overhand: gerinkel van bordjes, bestek, het gezoem van gedempte stemmen.

"Weet je het zeker?" vroeg hij en hij moest zijn keel schrapen om zijn stem kracht te geven.

Ze glimlachte even: "Natuurlijk weet ik dat zeker."

"Ik bedoel het tijdstip?"

Ze knikte.

Zij verbrak de stilte. Nadat ze nog een keer scheef had geglimlacht, haast verlegen, zei ze: "Het spijt me, maar ik wil niet tegen je liegen."

*

Ze liepen samen naar het centraal station. Hij bleef bij de kruising met de Kirkegata staan en wees naar de Domkerk. "Ik moet die kant op."

Ze bleef een paar seconden naar hem staan kijken. "Zeker weten?" Hij knikte.

Ze ging op haar tenen staan, haar lippen zweefden even over zijn wang voor ze zich omdraaide en wegliep, verder over de Karl Johans gate. Hij bleef haar lenige gestalte staan nakijken tot ze in de mensenmassa werd opgenomen. Toen draaide hij zich om en wandelde weg, langs de andere kant van de kerk.

*

Hij holde naar het metrostation en ging naar huis, vol ongeduld. Hij liep onmiddellijk naar zijn auto, schoof de sneeuw van de kofferbak en pakte er een veger en een sneeuwschep uit. Hij schepte een deel van de sneeuwwal langs de straat weg. Hij stapte in, startte en reed de ringweg op. Hij volgde de weg helemaal tot het eind en reed toen via de Drammensvei de stad uit. Bij Sandvika sloeg hij af in de richting Steinshøgda. Hij voelde zich onrustig en keek strak voor zich uit, naar het asfalt, de sneeuw tussen de bomen, de winter die op komst was. Hij reed door het Begnadal in de richting van Fagernes. Nu doken er geen visioenen van vlammen op, geen beelden van lange botstukken. Hij had alleen een onbestemd, knagend gevoel in zijn maag. Hij nam alle gebeurtenissen nog eens door, probeerde alle details nog eens te bekijken, te luisteren naar de woorden die waren gezegd, wat ze betekenden.

Toen hij bij het politiebureau aankwam, stond Vossenbes Per-Ole op hem te wachten, zoals beloofd.

"Wat zie je eruit, Frank, het lijkt wel alsof je rechtstreeks van een werkweek van de officiersopleiding terugkomt."

"Ik moet weten wie een paar weken geleden Merethe Sandmo hier in Fagernes heeft gezien", zei Frank Frølich.

"Dat geloof ik wel", zei de Vossenbes. "Het is je aan te zien, maar ik weet niet of ik je daarmee kan helpen ..."

"Toe", zei Frank snel, "ik heb geen tijd te verliezen. Kijk eens", hij gaf Per-Ole een krantenknipsel. "Ga naar je getuige toe en vraag of Merethe Sandmo samen met deze man heeft gegeten."

De Vossenbes pakte het knipsel aan en bestudeerde het. "Wat een weekdier", zei hij kort. "Hoe heet hij?"

"Inge Narvesen."

"Wat doet hij?"

"Koopt en verkoopt op de beurs van Oslo. Multimiljonair."

"Vette hap", zei de Vossenbes en hij gaf het knipsel terug. "Het antwoord is ja."

"Geen flauwekul", zei Frank. "Ik wil dat je dit knipsel ..."

"Hoeft niet", zei de Vossenbes. "Ik ben de getuige. Ik heb Merethe Sandmo met deze man in het hotel zien dineren."

"Maar waarom hou je daar je mond over?"

De Vossenbes glimlachte triest. "Dat heeft niets met jou te maken. Het heeft met mijn vrouw te maken en met de vrouw met wie ik in het hotel dineerde toen ik ze zag."

Frank Frølich haalde diep adem. "Dank je wel, Per-Ole", zei hij zacht. "De volgende keer gaan we vissen in Vællers, bedankt."

Hij nam afscheid van de Vossenbes en reed naar huis. Rustiger. Hij zette muziek op: Johnny Cash zong een cover van U2's *One*. Akoestische gitaar en illusieloze stem. Sloot perfect aan bij zijn eigen gevoel.

21

Frank Frølich zat weer achter de doorkijkspiegel, deze keer in gezelschap van Gunnarstranda. In de verhoorkamer nam Lystad van de landelijke recherche een verhoor af. Tegenover de inspecteur zaten Inge Narvesen en zijn advocaat. De laatstgenoemde was een man van een jaar of vijftig die beslist meer ervaring had met zakelijk recht dan met strafzaken. Hij had een bol, maanvormig gezicht onder een haardos van verwilderde krullen. Noch de advocaat, noch Narvesen leek de situatie te bevallen.

"Ontkent u dat?" vroeg Lystad.

"Dat ik in dat hotel heb gedineerd? Absoluut niet."

"Alleen?"

"Nee."

"Met wie?"

"Ik weet niet hoe ze heet."

"Doe eens een poging."

"Het is waar, ik weet het niet. Ze noemde zich Tanja, maar ik betwijfel of dat haar doopnaam was."

"Daar hebt u gelijk in. Wie was die 'Tanja'?"

"Een hoer. Zij verkocht, ik kocht."

"Kocht wat?"

"Wat koop je bij hoeren?"

"Geef gewoon antwoord op de vraag."

"Ik kocht seks van haar."

"U bent naar Fagernes gereden om seks te kopen van een vrouw die als serveerster in Oslo werkt?"

"Het begrip serveerster is niet bepaald dekkend voor de werkzaamheden van die vrouw."

"Oké, laten we het over iets anders hebben. In 1998 hebt u een verhouding gehad met een jonge vrouw, klopt dat?"

"Dat zou kunnen. Wat bedoelt u met jong?"

"Elisabeth Faremo. Ze werkte als verkoopster bij Ferner Jakobsen, waar u klant was. U bent een verhouding begonnen."

Inge Narvesen keek zijn advocaat even aan. Deze knikte. "Een verhouding is wel wat veel gezegd", zei Narvesen langzaam.

"Wilt u beweren dat u van haar ook alleen seks kocht?"

"Nee. We hadden een relatie. Maar het was geen langdurige relatie."

"Dat weet ik", zei Lystad. "Er kwam een eind aan toen de man waar ze echt een relatie mee had, werd gearresteerd voor een inbraak in uw huis."

Narvesen zweeg. Hij keek even naar de advocaat die langzaam het hoofd schudde.

Gunnarstranda en Frølich keken elkaar even aan. Wat voor choreografie dit ook is, dacht Frank Frølich, het is van tevoren ingestudeerd.

Lystad stond op en liep naar het raam aan de andere kant van de kamer. Hij bleef naar de straat staan kijken. "U zegt dat u seks hebt gekocht van die vrouw in Fagernes", zei hij tegen het raam. "Waar bent u met haar naar bed geweest?"

"In het hotel."

"U had geen kamer in het hotel."

"Zij wel."

"Dat had ze niet."

"Dan heeft ze misschien een andere naam gebruikt. We waren op haar kamer, in bed."

"Welk kamernummer?"

"Dat kan ik me echt niet herinneren."

"Welke verdieping?"

Narvesen glimlachte gegeneerd. "Het spijt me."

Lystad keek hem strak aan. "Het is misschien niet zo vreemd dat uw geheugen u in de steek laat, omdat noch de vrouw, noch haar alias 'Tanja' ooit in dat hotel heeft ingecheckt. Maar laten we voorlopig maar zeggen dat uw bewering niet direct overeenkomt met de werkelijkheid ..." Lystad tilde een hand op toen de ander hem wilde onderbreken. Hij zei: "Waar was haar vriend toen jullie seks hadden?"

"Weet ik niet. Zij en ik waren alleen.'

"Maar ze was samen met haar vriend in Fagernes."

"Dat is nieuw voor mij, ik wist niet dat ze een vriend had."

"Had u seks met haar voor of na het diner in het restaurant?"

"Ervoor."

"Ik heb een getuige die het volgende verklaart: u kwam het restaurant binnen. Toen zat de vrouw er al. Die vrouw heette trouwens niet Tanja. Ze is geïdentificeerd als Merethe Sandmo uit Oslo. U ging bij Sandmo aan tafel zitten."

"Ze noemde zich Tanja. Ik had geen idee wat haar echte naam was en ik wilde het ook niet weten. Het klopt dat we elkaar in het restaurant ontmoetten … nadat we met elkaar naar bed waren geweest. We gingen apart naar beneden. Zij ging eerst."

"Deze vrouw is nog nooit eerder met dit soort werkzaamheden in verband gebracht."

"Een keer moet de eerste keer zijn."

"U denkt dat dit de eerste keer was dat ze seks verkocht?"

"Geen idee."

"Hoe hebt u de afspraak gemaakt?"

"Via internet. De gewone gang van zaken."

"Ik ben niet bekend met die gang van zaken, hoe hebt u de afspraak gemaakt?"

"Een internetsite die contacten bemiddelt tussen prostituees en klanten. Ik ken het adres niet uit mijn hoofd, maar u kunt het later van me krijgen."

"Hebt u elkaar ontmoet voor u naar haar kamer bent gegaan?"

"Nee."

Frølich en Gunnarstranda keken elkaar weer aan. De advocaat van Narvesen reageerde ook. Hij fluisterde Narvesen iets in het oor.

"U bent alleen naar haar kamer gegaan, maar u kunt zich niet herinneren welke kamer het was of op welke verdieping?"

"Het spijt me, maar ik heb me verkeerd uitgedrukt."

"Geef antwoord op de vraag."

"Ik was het even vergeten. Ze wachtte me op in de receptie en we gingen samen naar haar kamer. Ze was een mooie vrouw, ik was opgewonden en herinner me niet welke verdieping of …"

"Genoeg", zei Lystad en hij draaide zich om. "Het is duidelijk dat u liegt", ging hij verder. "U geeft alleen maar blijk van minachting voor mij en voor het Openbaar Ministerie als instituut. Ik raad u aan in de rechtszaal iets slimmer te zijn. Op die rechtszaak komen we trouwens later nog wel terug. Wat betreft uw ontmoeting met Merethe Sandmo denk ik dat u helemaal niet in een hotelkamer bent geweest. Ik geloof dat u haar hebt betaald. Maar ik denk dat ze u informatie heeft verkocht, geen seks. Ik geloof dat u daarna verder ben gegaan naar een vakantiehuisje in Vestre Slidre. Daar hebt u Elisabeth Faremo ontmoet en haar vermoord."

De stilte bleef in de kamer hangen. Narvesen was bleek geworden. De advocaat keek hem onrustig aan, schraapte zijn keel en nam het woord.

"Kunt u dat bewijzen?" vroeg hij.

"Ik werk eraan", zei Lystad. "U bent van het wraakzuchtige soort, hè, Narvesen?"

"Lystad", onderbrak de advocaat. "Ik moet u vragen iets concreter te worden en minder insinuerend."

"Natuurlijk word ik concreet. Narvesen, kunt u iets meer vertellen over uw relatie met Halvor Bede?"

Narvesen bleef de politieman zwijgend aankijken. De advocaat boog zich naar hem toe. Ze fluisterden samen. Daarna nam de advocaat het woord. Hij zei: "U kunt niet zomaar nieuwe en onbekende informatie op tafel leggen zonder dat we ons daarop hebben kunnen ..."

"Dit is geen rechtszaak", onderbrak Lystad. "Dit is een verhoor. Maar u hebt recht op informatie. Narvesen, vertelt ú uw advocaat over Halvor Bede of doe ik dat?"

Narvesen gaf geen antwoord. Zijn gebalde vuisten lagen voor hem op het tafelblad.

"Halvor Bede was een Noorse scheepsofficier die ooit heeft geprobeerd uw cliënt te chanteren", zei Lystad tegen de advocaat. Hij ging verder: "Hij werd veroordeeld en zat zijn straf uit. Op de dag dat hij vrij kwam, werd hij helaas door een onbekende met een mes doodgestoken."

"En wat heb ik daarmee te maken?" snauwde Narvesen. "Bede werd vermoord tijdens een vechtpartij in een kroeg. Een ruzie om een vrouw of God mag weten wat. Ik ben nog nooit in de buurt van die bar geweest en de zaak is al jaren geleden geseponeerd."

"Geseponeerd, ja, maar niet verjaard. U bent nogal wraakzuchtig van aard, hè?"

"Waar wilt u heen?"

"Daar komen we zo op. U houdt er toch ook van om vakantiehuisjes in brand te steken?"

"Geef geen antwoord op dat soort insinuaties", onderbrak de advocaat bars. Hij wendde zich weer tot Lystad: "Als u geen getuigenverklaringen of concrete bewijzen hebt die mijn cliënt met de vermeende moord of andere denkbeeldige misdaden in verband brengen, verzoek ik u nu met het verhoor te stoppen."

"We gaan door zo lang ik dat noodzakelijk vind", zei Lystad en hij keek op zijn horloge.

"Is mijn cliënt in staat van beschuldiging gesteld?"

"Nee."

"Is hij een verdachte?"

"Hoofdverdachte."

"Dan moet u meer informatie geven. U moet bewijzen hebben voor de aanklachten."

"Met alle plezier", zei Lystad en hij opende zijn tas. "Het heeft te maken met een huiszoeking die de fiscale recherche op uw kantoor heeft gehouden, Narvesen. Een kleine bijzaak in dat verband is een geldopname van vijf miljoen kronen. Ik kan u vertellen dat de biljetten die u bij de bank hebt gekregen, geregistreerd zijn. Een aantal van deze biljetten is opgedoken in Fagernes, op de dag waarop u samen met Merethe Sandmo in Fagernes bent geweest. Mijn stelling luidt als volgt: u hebt vijf miljoen kronen aan Merethe Sandmo gegeven."

Narvesen keek hem zwijgend aan.

Lystad ging verder: "Ik ben benieuwd wat zij u te bieden had dat vijf miljoen kronen waard was. Ik ben ervan overtuigd dat zelfs uw advocaat niet gelooft dat u haar zo veel hebt betaald voor een nummertje in een hotelkamer."

Het werd stil in de verhoorkamer.

De advocaat schraapte zijn keel.

Lystad keek hem aan. "Uw cliënt heeft op dit moment maar één keuze: hij legt een verklaring af, of hij weigert een verklaring af te leggen. Dat laatste is niet verstandig. U krijgt een paar minuten om de zaak samen te bespreken. We nemen even pauze."

Hij liep de kamer uit.

*

Frank Frølich en Gunnarstranda bleven een paar seconden naar de verhoorkamer zitten kijken.

"Lystad is goed", zei Frank Frølich. "Maar het is nu het belangrijkste om met Merethe Sandmo te praten."

Ze stonden op en liepen naar de gang.

"Zoals je weet, zit ze in Griekenland", zei Gunnarstranda.

"Maar we moeten haar te pakken krijgen."

"Waarom?"

"Omdat zij degene is die kan vertellen wat er eigenlijk gebeurd is toen ze Narvesen ontmoette. En nog iets: Merethe Sandmo zou de vierde overvaller geweest kunnen zijn."

"O?"

"Ik heb wat met die gedachte zitten spelen", zei Frank Frølich. "Het zou een logische verklaring kunnen zijn. Merethe had geen ervaring, ze raakte in paniek. Of misschien deed ze wel tegen haar zin mee. Dat verklaart waarom ze er niet vandoor ging toen de nachtwaker kwam. Toen er uiteindelijk een moord werd gepleegd, kreeg ze last van haar geweten en daarom tipte ze de politie. Dat is ook de reden dat ze maar drie namen doorgaf in plaats van vier. Wat weer verklaart waarom Elisabeth

Faremo zich gedwongen voelde haar broer en de beide anderen een alibi te geven. Misschien liep daarom ook de onderlinge verhouding spaak. Het kan zelfs verklaren waarom het fout ging tussen Merethe Sandmo en Jonny Faremo en zij zich in Vidar Ballo's armen stortte."

"Het is natuurlijk een optie. Maar er is één ding dat haar eventuele medewerking aan de overval niet verklaart."

"En dat is?"

"Vidar Ballo is dood."

Frank Frølich schrok. "Hoe lang al?"

"Lang. Heel erg lang. Hij is gevonden omdat buren reageerden op de lijklucht. Misschien is hij na het gesprek met mij naar huis gegaan en gestorven."

"Dus hij was dood toen het huisje is afgebrand?"

"Waarschijnlijk wel, ja."

"Waaraan is hij doodgegaan?"

"Overdosis. Standaard uitvoering, heroïne, passende outillage, hoge dosis, enzovoorts, geen greintje twijfel aan de doodsoorzaak."

Frølich zweeg weer, hij stond nog steeds op dezelfde plek.

Gunnarstranda schraapte zijn keel en maakte met zijn hoofd een beweging in de richting van Lystad die bij de tafel op hen stond te wachten: "Nemen we die kop koffie nog voor de pauze om is? We zijn gevraagd om aan de volgende ronde iets actiever deel te nemen en mee te gaan naar de verhoorkamer."

Frølich schudde het hoofd. "Ik geloof niet dat het verstandig is dat ik deelneem aan dat verhoor."

Gunnarstranda trok zijn wenkbrauwen op.

"Zo gauw ik me vertoon, gaan Narvesen en zijn advocaat met modder gooien."

Gunnarstranda's ogen schoten vuur. "Wat heb je gedaan?"

"Hij zal me waarschijnlijk beschuldigen van vernieling."

"Wat heb je gedaan?"

Frank Frølich haalde de schouders op. "Ik heb het raam van zijn terrasdeur gebroken."

"Idioot!"

"Rustig maar. Hij had nog wat van mij tegoed, omdat hij mijn huisje in brand heeft gestoken. Ik geloof niet dat hij de ballen heeft om iets anders te doen dan met modder te gooien. Wat hij ook zegt, het zijn alleen maar loze beschuldigingen. Hij komt met wat opmerkingen, en verder niets. Daarom ga ik nu. Dan hoeven jullie je niet op die kant van de zaak te concentreren, en kan ik in alle rust nadenken."

Gunnarstranda ging naast Lystad zitten, die loom Frølichs gestalte nakeek.

Lystad zei: "Wat is er met hem?"

Gunnarstranda haalde de schouders op. "Zo is hij al een hele tijd. Het gaat wel weer over."

*

Frank Frølich reed doelloos in de richting van het centrum. Toen hij de Hausmannsgate in reed, kreeg hij een ingeving en hij reed door naar de Mariboesgate. Hij vond een plaatsje tegenover de ingang van Rockefeller en slenterde naar de Torggata.

Hij liep weer in de richting van Badirs winkel. Hij kocht een broodje worst bij een kiosk in de Osterhausgate, eerder uit gewoonte dan omdat hij honger had. Hij liep verder naar de Torggata, en bleef staan voor de trappen van het gebouw dat vroeger het Torggata zwembad was geweest. Hij stond te denken aan Narvesen die op dit moment zijn opname van vijf miljoen moest verantwoorden. Misschien raakte hij zelf op dit moment zijn baan wel kwijt. Hij hief zijn hoofd op en voelde hoe de gedachte vanbinnen vorm kreeg. *Het kan me niet schelen.*

Hij glimlachte voor zich uit, nam een hap van zijn broodje, keek naar de wirwar van donkere gedaanten die in de richting van de Storgata liepen. *Positief: het kan me niet schelen. Negatief: het kan me niet schelen. Wat kan je wel schelen? Uitvinden wie Elisabeth vermoordde en waarom.*

Maar zal Narvesen eigenlijk wel iets over het schilderij vertellen?

Als hij dat doet, dan moet hij ook vertellen hoe hij het schilderij in eerste instantie in handen heeft gekregen. Dus zal hij wel niets vertellen, zolang hij dat tenminste niet móét doen om zichzelf vrij te pleiten van iets anders; van moord bijvoorbeeld. En als de waarheid mij mijn baan kost, dan is het dat waard.

Hij wierp een blik op Badirs winkel en dacht aan Elisabeth en aan Narvesen. De winkel was nog steeds gesloten – op datzelfde moment moest hij uitwijken voor een opgewonden fietser die het er niet mee eens was dat hij als voetganger op het fietspad in de Torggata stond. Hij nam nog een hap en keek de vrouw op de fiets na – van schrik verslikte hij zich bijna. Hij had haar eerder gezien. Nee, niet haar, een ander. Het beeld kwam terug. De dag van de actie tegen Badir: hij kwam de trap van het voormalige zwembad af en wachtte op het signaal. Toen had hij haar gezien – niet deze vrouw – maar een vrouw op een fiets, die met haar bovenlichaam voorover gebogen door de Torggata trapte. Hij had met één voet op het fietspad gestaan, het gerinkel van een fietsbel gehoord en snel een stap achteruit gedaan, weg van het fietspad, voordat krakend het geluid uit de radio had geklonken en hij zijn plaats, verderop in de straat, tegenover de winkel van Badir, had ingenomen. *Ze was van die kant gekomen.* Ze was Badirs winkel voorbij gereden, verder gefietst, ze moest dus eigenlijk ergens anders heen. Toen was ze Frank Frølich gepasseerd die de trap afkwam. Was dat Elisabeth geweest?

Frank Frølich, objectief nu: ze zou het geweest kunnen zijn. Hij was op de actie gefocust geweest, had helemaal niet op haar gezicht gelet. Maar zij had misschien wel opgelet. Ze had hem misschien gezien: een gezicht uit de rechtszaak tegen Ilijaz Zupac. In dat geval was ze gestopt zonder dat hij het had gezien, ze moest haar hoofd hebben omgedraaid en hem een paar tellen hebben nagekeken. Toen had ze een beslissing genomen en was ze terug gefietst, ze had haar fiets langs de afzetting gereden die op dat moment werd opgezet. Daarna had ze de fiets verder geduwd en had ze zichzelf in zijn gezichtsveld geplaatst, bij de winkel van Badir. Alles kwam terug: het piepende geluid van de verroeste fietsstandaard. Ze liep naar binnen, hij stak de rijbaan over en rende haar achterna.

Maar wat had het te betekenen?

Hij wist wat het moest betekenen.

De woorden van Gunnarstranda klonken nog na in zijn oren: *Frølich! Wees toch niet zo naïef! Er is iets met die juffrouw aan de hand. Hoe je de dingen in deze zaak ook wendt of keert, de enige conclusie is dat je in de luren bent gelegd.*

De oude vos had zoals altijd gelijk gehad, en ineens had Frank Frølich weinig tijd.

*

Hij belde Gunnarstranda op zijn mobiel.

"Ik dacht dat je ging nadenken", zei Gunnarstranda enigszins spottend.

Frølich zei: "Daarom bel ik ook. Heeft Narvesen bekend?"

"Nog niet, maar we zijn net in een interessante fase van het verhoor, om het zo maar te zeggen. Het gaat over Narvesens huis, een vernielde terrasdeur en een zekere politieman die eigenlijk vakantie heeft."

"Heeft hij het ook over kunst gehad?"

"Kunst? Nee. Hoezo?"

De gedachten schoten door Frank Frølichs hoofd.

"Hoezo?" herhaalde Gunnarstranda ongeduldig.

"O … gewoon iets waar ik aan dacht. Maar waarover ik bel: de bankdirecteur in Askim vertelde toch dat Ilijaz Zupac iets uit de bankkluis had gehaald?"

"Dat weet je."

"Ik bedacht dat Ilijaz een naam is die erg exotisch klinkt", zei Frank Frølich langzaam.

"We werken niet aan die zaak, Frølich. Niet voordat we antwoord krijgen op het opsporingsbericht."

"Ben je daar tevreden mee?"

"Het gaat er niet om waar ik tevreden mee ben."

"Als Lystad Narvesen in hechtenis wil nemen voor de moord op Elisabeth, dan heeft hij een motief nodig. Dat motief heeft te maken met de inbraak in 1998. En die zaak heeft te maken met de bankkluis. Dan kan het toch geen kwaad om even met de bank te bellen?"

"Afgezien van één ding, waar moet ik het met die mensen over hebben?"

"Vraag eens van welk geslacht de persoon was die zich uitgaf voor Ilijaz Zupac."

Het werd stil aan de telefoon.

"Meneer Gunnarstranda", zei Frølich hooghartig. "U bent traag van begrip."

"Ik denk dat je een punt hebt, Frølich, wat dat geslacht betreft, hoe kwam je op dat idee?"

"Een paar dingen. Onder andere dat jij zei dat Ballo dood was. En hoe moeilijk is het voor jou om de bank te bellen en het signalement te achterhalen van de persoon die zich uitgaf voor Ilijaz Zupac?"

Gunnarstranda dacht na. "Ik zou je die dienst kunnen bewijzen", ging hij eindelijk overstag. "De vraag is dan: wat zet jij daar tegenover?"

"Een bewijs."

"Wat voor bewijs?"

"Een bewijs dat Narvesen vrijpleit. Dan hoef je je ook niet langer druk te maken over die vernielde terrasdeur."

"Kom op, wat voor bewijs?"

"Een haar", zei Frank Frølich.

22

De warmte sloeg hem tegemoet toen hij uit het vliegtuig stapte.

De politieman die hem in de aankomsthal opwachtte, heette Manuel Komnenos.

"Ik ben vernoemd naar de keizer", verklaarde hij glimlachend. Hij stond in de aankomsthal te wachten met een stuk wit karton in zijn handen. De man had zijn naam verkeerd gespeld: F Ö R L I C H.

Frank gaf hem een hand, maar moest bekennen dat hij geen idee had over welke keizer het ging.

"Mooi", zei Manuel glimlachend. Hij droeg een kreukelig grijs linnen pak en een wit T-shirt. Hij had een enorme spleet tussen zijn voortanden. Hij ging verder: "Elke keer dat je nu de naam Manuel hoort, zul je denken: welke keizer?"

Frank mocht hem onmiddellijk. Ze liepen samen de aankomsthal uit, naar de parkeerplaats. De wieltjes van Franks koffer rammelden over het asfalt. Manuel bleef staan bij een achteloos geparkeerde Toyota Corolla en opende de kofferbak. Frank legde zijn bagage erin en vertelde dat hij thuis dezelfde soort auto had. "Bijna, een Avensis."

Ze bleven achter de auto staan. Een vliegtuig rolde in een crescendo van geluid naar de startbaan. Manuel stak een sigaret op en wachtte tot het geluid weer minder werd. Het vliegtuig steeg op en vloog als een hongerige haai op het licht af.

Manuel vertelde dat Merethe Sandmo op 1 december een auto had gehuurd bij Hertz. "Een Toyota." Hij gooide de kofferbak dicht. "Ze heeft in elk geval verstand van auto's."

Ze grijnsden allebei.

Frank Frølich wierp een blik naar het noorden. Een vliegtuig was bezig te landen. Hoog in de lucht kon hij tegen de blauwe hemel vliegtuig nummer twee onderscheiden, ook onderweg naar beneden.

"Ze is naar het noorden gereden en heeft de auto weer ingeleverd bij het kantoor in Patras", ging Manuel verder.

"Heeft ze geen nieuwe auto gehuurd?"

"Nee."

"Ze is gewoon verdwenen?"

Manuel knikte. "Ze heeft niet ingecheckt in een hotel."

"En die ander?"

Manuel grijnsde weer en inhaleerde diep. "Zíj is weer boven water gekomen."

"Waar?"

"Op de veerbootkade. Ze kocht een kaartje naar Bari."

"Bari? Dat is toch in Italië?"

Manuel zwaaide met de autosleutels. "Nog geïnteresseerd in de auto?"

Frank knikte en pakte de sleutels aan. "Rustig maar", zei hij. "Ik weet waar ik heen moet."

*

Als een geelwitte maansikkel omringde het strand de blauwgroene baai. Grote golven verzamelden zich vlak voor de kust, strekten zich daarna uit, spoelden verder, likten over het zand voor ze zich terugtrokken en in een rollende muur veranderden die de volgende golf stuk sloeg. Ritmisch, de likkende deining, elke golf die werd gebroken door de vorige, steeds weer opnieuw. Frank Frølich bekeek het schouwspel en bedacht dat als je er maar lang genoeg naar stond te kijken, je misschien op het laatst zou geloven dat het schouwspel nooit op zou houden.

Geen mens had zich in het water gewaagd, maar verspreid op het zand lagen lichamen uitgestrekt op ligstoelen. Een enkeling zat overeind en keek in het rond met een zonnebril voor zijn ogen. Mensen smeerden zonnebrandcrème over hun uitgestrekte armen. Dikke mannen in shorts, met een zonnepet op hun hoofd, slenterden langs de waterkant waar het zand wat harder was en koel aanvoelde door het zeewater. Een vrouw liep in zijn richting. Ze droeg een lange, mouwloze, hemelsblauwe jurk die fladderde in de wind. Ze droeg een bijpassende blauwe haarband. Hij bedacht dat hij dat nooit tegen haar had gezegd – dat blauw haar goed stond.

Hij bleef staan wachten tot ze hem ontdekte. Het beviel hem dat ze niet aarzelde, maar in hetzelfde rustige tempo doorliep terwijl de golven over haar voeten en enkels spoelden.

Toen ze nog anderhalve meter van hem af was, bleef ze staan. Ze keken elkaar in de ogen.

"Ik wilde eigenlijk gaan zwemmen", zei ze. "Ga je mee?"

Een beoordelende blik, maar rustig. Hij schudde het hoofd. "Ik heb iets voor je", zei hij en hij gaf haar het opgevouwen papier – Reidun Vestli's afscheidsbrief.

Ze nam het blad papier aan. Tijdens het lezen bleef haar blik strak op de woorden gericht. Ten slotte vouwde ze de brief weer op en scheurde hem in kleine stukjes terwijl ze naar een punt in de verte staarde. De wind nam de witte papiersnippers mee, ze verdwenen in het schuim van de golven.

"Ontroerend om te zien hoeveel indruk het maakt", zei Frank Frølich.

"Ik kan me niet concentreren."

Frank Frølich volgde haar blik, naar de beide geüniformeerde mannen die elk met een voet op het muurtje langs de weg stonden terwijl ze naar hen keken.

"Horen ze bij jou?" vroeg ze.

"Ja."

Haar blik was onderzoekend. "Waarom?"

Hij gaf geen antwoord. De wind kreeg vat op haar haar. Ze moest het met haar hand weg strijken. "Ik heb haar gevonden", zei hij ten slotte. "Ze had pillen ingenomen. De brief stuurde ze mij per post. Ze vraagt je om vergiffenis, maar waarvoor?"

"Geen idee. Reidun was af en toe heel moeilijk te begrijpen."

"Je moet je concentreren om lief te hebben", zei hij.

Ze keek hem van opzij aan. "Het spijt me", zei ze.

"Wat?"

"Dat jij je zo rot voelt, zo hoeft het tussen ons niet te zijn."

Hij keek haar een tijdje aan, voor hij antwoord gaf. "Dat wat er tussen ons was, is al lang geleden in rook opgegaan."

"Dat geloof ik niet. Je bent naar me toe gekomen."

"De Elisabeth die ik kende, is dood", zei hij zacht. "Ze is verbrand in een vakantiehuisje, maar ik ben er wel overheen."

"Praat niet zo."

"Het spijt me", zei hij. "Ik weet dat het lichaam van Merethe Sandmo in dat huisje is verbrand, en dát feit, plus nog een heleboel andere dingen, kan ik onmogelijk negeren als we het over ons gaan hebben."

Bedachtzaam vervolgde hij: "Ik ben wat wijzer geworden sinds ik je de laatste keer heb gezien. Ik weet bijvoorbeeld dat je Inge Narvesen hebt leren kennen toen je zes jaar geleden bij Ferner Jakobsen werkte. Ik weet dat jullie een relatie zijn begonnen, dat jullie een liefdesvakantie naar Mauritius hebben gemaakt. Zover zijn wij twee niet gekomen, maar ik heb ook niet zo veel te makken."

"Betrek Inge Narvesen niet bij onze relatie. Inge en ik … dat was gewoon dom. Het stelde niets voor."

"Ilijaz was er waarschijnlijk ook niet gelukkig mee?"

Ze zweeg. Haar blauwe blik was ondoorgrondelijk.

"Ik ben bij Ilijaz op bezoek geweest, in Ullersmo."

"Vroeger was hij niet zo."

"Hoe was hij vroeger?"

"Sterk, leuk, een man die het leven nam zoals het was." Ze zocht naar woorden. Hij wachtte. Ze draaide haar gezicht naar de wind en vervolgde: "Die mij nam zoals ik was", ze dacht even na, "maar Ilijaz moest eraan herinnerd worden dat ook ik kwetsbaar was, dat ook ik gevoel had."

Ze liepen verder over het strand. De golven stroomden over hun voeten. Frank Frølich bleef staan en rolde zijn broekspijpen op. Haar voeten en benen waren bruin van de zon. Haar nagels waren roodbruin gelakt. Een fractie van een seconde zag hij haar beeld voor ogen terwijl ze met gebogen knieën in de zon geconcentreerd haar teennagels zat te lakken.

De wapperende jurk kleefde aan haar lichaam. Met elke stap die ze deed, tekenden haar benen zich onder de stof af. Ze liep met opgeheven hoofd, zodat de wind ook met haar zwarte haar speelde.

Hij zei: "Misschien ben je een relatie met Inge Narvesen begonnen om Ilijaz te straffen, maar ik geloof niet dat Narvesen dat begreep. Zeker niet toen jij Ilijaz over de safe met het schilderij vertelde."

"Ilijaz is een van Gods zoekgeraakte knikkers", zei ze. "Hij is verloren."

"Ilijaz was destijds volledig toerekeningsvatbaar en verantwoordelijk voor zijn eigen handelen. Hij was degene die een man doodschoot, dat had hij niet hoeven doen."

"Hij is kapot. Je hebt Ilijaz ontmoet en je weet dat hij gebroken is. Hoe voelt het om te werken in dienst van een systeem dat zoiets met mensen doet?"

"Er is maar één iemand verantwoordelijk voor het feit dat Ilijaz gevangen zit, dat is hij zelf. Hij hoefde de safe niet te stelen. Hij hoefde niet te schieten."

"De gevangenis hoeft iemand alleen maar van zijn vrijheid te beroven, mensen hoeven niet van binnenuit te verrotten."

"Ik begrijp dat je iemand de schuld wilt geven. Maar dat je jezelf verheft tot een soort engel der wrake om je geliefde te wreken, is ziek."

"Waar heb je het over?"

"Ik heb het over jou."

"Neem je mij kwalijk dat ik mijn gevoel in handelen heb omgezet?"

"Jouw handelingen zijn juist het probleem, Elisabeth, omdat er mensen aan doodgaan."

"Ik ben aan niemand verantwoording schuldig, alleen aan mezelf."

Hij bleef glimlachend staan.

"Waarom lach je?"

"Om die hoogdravende woorden van jou." Hij deed haar na: "*Ik ben aan niemand verantwoording schuldig, alleen aan mezelf* ... Jij hebt Ilijaz en je broer gevraagd om het schilderij te stelen, zodat jij het daarna aan Narvesen terug kon verkopen. En jij bent alleen verantwoording schuldig aan jezelf?"

Ze gaf geen antwoord, keek hem alleen even vanuit haar ooghoek aan. Ze liepen zwijgend verder. Frank Frølich verbrak de stilte: "Ik begrijp dat de verkoop werd uitgesteld toen Ilijaz gevangen werd genomen. Maar om de een of andere reden vatte jij het plan op om het schilderij aan Narvesen terug te verkopen zonder dat de anderen dat wisten. Waarom?"

Ze gaf weer geen antwoord.

"Ik heb begrepen dat je ging samenwerken met Merethe Sandmo, tegen de jongens, die nacht in november toen zij als chauffeur meeging, toen jouw broer en zij getuigen waren van een moord."

Ze bleef staan.

"Ik werd wakker toen jij met Merethe telefoneerde. En ik heb begrepen dat zij geen uitweg meer wist toen ze vertelde over de nachtwaker die was neergeslagen, maar hoe kreeg je haar zover om de politie te tippen?"

"Je hebt het mis", zei ze fel. "Wat denk je eigenlijk van mij?" Haar blauwe ogen schoten vuur. "Merethe was een stomme koe. Zou ik haar vragen om mijn broer te verraden? Waarom zou ik dat doen? Toen Merethe belde, had ze al met de politie gepraat. Ze belde om er met mij over te praten, om getroost te worden. Alleen daaruit blijkt al hoe stom dat mens was. Ze had de hele tijd gezeurd of ze mee mocht doen aan dat soort klussen, ze ging voor de kick. Toen ze eindelijk haar zin kreeg, ontdekte ze ook hoe het er echt aan toe ging. En dus besloot dat stomme mens de politie te bellen en te vertellen wat er was gebeurd!"

"Misschien wilde ze dat iemand die man zou helpen die daar lag dood te gaan", bracht Frank Frølich er rustig tegenin. "Hij lag in een plas bloed op de grond."

"Als dat de bedoeling was, had ze geen namen hoeven noemen. Maar ze vertelde aan de politie wie had meegedaan, ze gaf alle namen behalve die van zichzelf. Toen moest ik wel voor mijn broer getuigen. Dat begrijp je toch wel?"

Haar blauwe blik was weer zacht geworden. Drie tonen blauw, dacht hij. De hemel, de jurk en haar ogen.

Ze stonden ineens dicht bij elkaar. "Ik ging die nacht bij je weg", fluisterde ze, "omdat ik Jonny moest helpen. En daar wilde ik jou niet bij betrekken, dat snap je toch wel? Ik kon toch ook niet weten dat juist jij op die zaak zou worden gezet?"

Frank Frølich keek naar beneden, naar haar handen. De lange, slanke vingers streelden over zijn onderarm.

"Ik zie het iets anders", fluisterde hij terug.

De vingers hielden op met strelen.

"Je had de sleutel van de bankkluis bij mij laten liggen."

"Daar lag hij veilig."

"Bovendien was dat erg praktisch. Toen de jongens vast zaten, heb jij de tweede sleutel ook ingepikt. Toen ze werden vrijgelaten, was jij al onderweg naar Askim met één sleutel in je zak en de andere veilig bij mij. Je ging direct na je getuigenis bij de rechtbank naar Askim. Bij de bank legitimeerde je jezelf als Ilijaz Zupac en je pakte het schilderij uit de kluis."

Ze keek naar de horizon, zwijgend.

"Heeft Jonny begrepen wat je van plan was?" vroeg hij.

Ze gaf geen antwoord.

"Hij had het dus begrepen", stelde hij vast.

"Heb jij er weleens over nagedacht", zei ze, "dat een vliegtuig, dat eenmaal over de startbaan rijdt om op te stijgen, niet meer te stoppen is. De snelheid neemt toe, het gaat steeds harder. Maar de startbaan is zo kort dat als de snelheid hoog genoeg is, het niet meer mogelijk is om te stoppen. Afremmen leidt tot een catastrofe, er is maar een oplossing en dat is doorgaan, het vliegtuig moet de lucht in."

"Jonny kwam ook naar de bank, hè?"

"Wat wil je eigenlijk?" vroeg ze, opeens geïrriteerd. "Ben je hier gekomen om mij te vertellen hoe goed je bent?"

"Voor mij persoonlijk is het belangrijk om de feiten boven tafel te krijgen ..."

"Waarom?"

"Omdat het uiteindelijk om jou gaat, om mij, om ons."

Ze keken elkaar weer aan. "Weet je dat zeker?" vroeg ze lief.

"Ik weet dat Jonny naar Askim is gereden toen jij daar was. Ik weet dat hij samen met iemand anders is gezien op een karrenpad dat naar de Glomma leidt. Ik weet dat je broer is uitgegleden en in de rivier is gevallen of dat hij erin werd gegooid door de persoon met wie hij samen in Askim was. Wil jij me helpen om het plaatje verder in te kleuren?"

"Wat bedoel je als je zegt dat het om ons gaat?" herhaalde ze.

"Jonny was in Askim", hield hij vol. "Jij was er ook."

Ze draaide zich om. De blauwe ogen keken hem afwezig aan, dromerig. "Ik geloof je niet. Dit gaat niet om ons. Het gaat alleen om jou."

"Was het een ongeluk dat hij verdronk?"

"Natuurlijk! Wat dacht je dan?"

"Wie stelde voor om een wandeling naar de rivier te maken?"

"Ik."

"Waarom?"

"Om hem te kalmeren."

"Ik weet niet of ik je geloof."

"Je mag geloven wat je wil. Niemand is in staat om tussen mij en mijn broer te komen."

"Maar je hebt geen alarm geslagen toen hij viel, hoewel de rivier snel stroomde en het water ijskoud was. Jonny zou onderkoeld zijn, maar had wel kunnen worden gered. De ambulancehelikopter was er binnen een paar minuten geweest."

"Je weet niet waar je over praat. Jij focust je alleen maar op jezelf en je eigen zelfmedelijden."

"Misschien weet ik niet wat daar aan de oever van de rivier is gebeurd, maar ik weet wel dat jij alleen terugging naar zijn auto, dat je wegreed, contact opnam met Reidun Vestli en haar om hulp vroeg. Je hebt haar ontmoet nadat je Jonny's auto had verborgen, je mocht in haar huisje onderduiken. Ik weet dat je contact opnam met Narvesen, dat hij naar Fagernes is gereisd voor een ontmoeting met Merethe Sandmo. Ik weet dat hij haar vijf miljoen kronen in cash heeft betaald om het schilderij terug te krijgen. Ik vraag me alleen maar af wat het hele proces in gang heeft gebracht. Was ik dat?"

Ze glimlachte verachtelijk toen hij de laatste woorden uitsprak. De wind speelde met haar lange haar en de golven stroomden over haar voeten.

"Het lukt je maar niet om je niet één seconde op jezelf te focussen, hè?" zei ze. "Zo zit ik niet in elkaar. Ik deed wat ik deed omdat ik niet aan mezelf kon denken. En het is allemaal Merethes schuld. Zij is begonnen. Zij heeft met de politie gepraat. Ik moest wel voor Jonny getuigen ..."

"Kon jij niet aan jezelf denken? Merethe Sandmo deed wat jij haar had gevraagd. Ze gaf het schilderij aan Narvesen, kreeg het geld en ging naar Reidun Vestli's huisje. Daar heb jij het geld gepakt, haar vermoord en het huisje in brand gestoken. Je nam haar identiteit over, gebruikte haar ticket naar Athene. Om zoiets te plannen en uit te voeren moet je verschrikkelijk kwaad op haar zijn geweest. Iemand die zó kwaad is op iemand anders, is alleen maar op zichzelf gefocust."

"Ik heb niemand vermoord. En jij weet niet waar je het over hebt."

"Integendeel. Ik weet donders goed waar ik het over heb. Ik heb het hele spoor gevolgd. Het begon die nacht dat ik weg moest in verband met die vermoorde nachtwaker, een jongen nog, een student met een bijbaantje. Doodgeslagen."

"Jim Rognstad heeft de man doodgeslagen. Het is niet mijn schuld."

"Maar jij hebt Rognstad een alibi gegeven, dan sta je toch aan zijn kant?"

Ze gaf geen antwoord, maar keek uit over zee. Aan de horizon voeren twee grote tankers achter elkaar.

"Je had de jongens geen alibi hoeven te geven voor die nacht", zei Frank Frølich.

"Frank", zei ze lief, "waarom geloof je me niet?"

"Ik zeg niet wat ik geloof, ik zeg wat ik weet. Bijvoorbeeld dat ik weet dat je mij herkende in de Torggata, vlak voor de actie tegen Badirs winkel. Je draaide je om, je plaatste jezelf in mijn blikveld, je wilde mijn aandacht op je vestigen."

"Ik wist niet wat er zou gebeuren. Ik wilde alleen dat je mij zou zien. Maar jij was degene die zich op mij stortte." Ze keek opzij en glimlachte even. "Kun je je dat nog herinneren?"

"Ik kan me vooral herinneren dat je die nacht naast mijn bed zat te wachten tot ik weer in slaap zou vallen, zodat jij weg kon sluipen en de hele nachtmerrie kon beginnen."

Ze bleven een tijdje zwijgend staan. De wind kreeg vat op hun kleren. De golven sloegen op de kust.

Hij schrok op toen hij weer de aanraking van haar vingers op de rug van zijn hand voelde.

"Denk jij ook af en toe dat de wereld er blauw uitziet?" fluisterde ze. "Van buitenaf gezien?"

"Waarom zeg je dat?"

"Omdat alles, ook wat er tussen jou en mij is gebeurd, afhankelijk is van het standpunt, Frank. Ik begrijp dat je verbitterd bent dat ik die nacht niets tegen je heb gezegd. Maar ik had net gehoord dat iemand Jonny zou arresteren voor de moord op een man die hij niet eens had aangeraakt. Jij was politieman. Ik heb je erbuiten gehouden en ik heb gedaan wat ik dacht dat goed was."

Hij keek op haar hand neer. Haar handen waren hem het eerste opgevallen. De vingers in zwarte leren handschoenen die pakjes sigaretten in een rugzak stopten. Dezelfde vingers die nu over zijn hand streelden, die zich om zijn hand sloten. De warmte van haar aanraking schoot langs zijn onderarm omhoog. Hij sloot heel even zijn ogen en genoot van het gevoel, voor hij zijn hand in zijn zak stak en zei: "Deed je ook wat je dacht dat goed was toen je terugging naar jullie appartement en alles schoonmaakte? Toen je Merethes haarborstel op jouw bed legde zodat de politie die zou vinden en Merethes DNA-profiel zou gebruiken om de botstukken in de as van Reidun Vestli's huisje te identificeren? Toen je Merethe het gerucht liet verspreiden dat ze een baan in Griekenland had gekregen? Toen je haar aanzette om een vliegticket te kopen?"

Ze gaf geen antwoord.

"Was het ook goed om haar te vermoorden?"

"Als iemand Merethe heeft vermoord, dan is het Vidar Ballo geweest. Ik heb geen idee wat er met Merethe is gebeurd."

"Jim Rognstad heeft dan misschien de nachtwaker op Loenga vermoord. Je broer is misschien per ongeluk uitgegleden. Reidun Vestli pleegde zelfmoord. Maar Vidar Ballo kan Merethe niet hebben vermoord. Hij lag, na een overdosis, dood in zijn eigen bed toen het huis afbrandde."

Frank greep in zijn binnenzak en gaf haar een papier aan. "Een nieuwe kopie."

Ze keek naar de kopie van Reidun Vestli's afscheidsbrief. Ook die begon ze in stukjes te scheuren.

"Ik heb die brief eindeloos herlezen toen ik in het vliegtuig zat", zei Frank, "en ik heb mezelf steeds weer afgevraagd: waarvoor vraagt Reidun jou om vergiffenis? Moest je haar vergeven dat ze een stel gewelddadige criminelen naar jouw schuilplaats heeft geleid? Welke criminelen waren dat dan? Toen het huisje afbrandde was Jim Rognstad bij een vrouw in Oslo, Vidar Ballo was dood. En – als zij het huisje niet in brand hebben gestoken – wie heeft Reidun Vestli dan in elkaar geslagen? En waarom werd ze pas in elkaar geslagen nadat het huisje afbrandde? Dat antwoord was moeilijk te vinden omdat helemaal niemand haar overvallen had. Ze heeft de overval op zichzelf in scène gezet. Ze wilde de politie laten geloven dat iemand haar in elkaar had geslagen, om van haar te horen waar jij was. Als het nodig zou zijn, zou ze beweren dat de overval werd uitgevoerd door Rognstad en Ballo. Ze wilde geloofd worden. Ze was een universitair medewerker met aanzien. Maar, gezien het feit dat ze de overval op zichzelf in scène zette, moet ze van een deel van jouw plannen op de hoogte zijn geweest. Ze moet van de brand geweten hebben. Ze moet haar huisje hebben opgeofferd. Maar als er geen overvallers waren, dan is de hamvraag: waarvoor vraagt ze vergiffenis?"

"Je zei zojuist dat dit om ons ging, Frank. Waarom zei je dat?"

"Als je geen antwoord wilt geven, laat mij dat dan doen. Reidun vraagt om vergiffenis omdat ze eruit stapt. Ze kon niet meegaan in jouw bloedige race. Ze had jouw motivatie niet. Ze hield van je, dat was alles. Die liefde leidde uiteindelijk tot de vraag om vergiffenis. Jíj was degene die de in scène gezette overval op Reidun plande. Je wilde namelijk dat de politie zou denken dat iemand haar in elkaar had geslagen, zodat zij zou verraden waar jouw schuilplaats was, zodat iemand jou zou vinden, en je zou vermoorden. Op die manier wilde je iemand de schuld in de schoenen schuiven voor de brand en de moord op jezelf. Maar Reidun Vestli wilde niet medeplichtig zijn aan moord. Daarom wilde ze uiteindelijk niet langer met jouw waanzinnige plan meedoen en vroeg ze of je haar wilt vergeven."

Ze schudde het hoofd. "Dat is het meest waanzinnige verhaal dat ik ooit heb gehoord."

Hij glimlachte met droge lippen: "Het is nog niet afgelopen. Je was woedend op Merethe, dat begrijp ik. En misschien gaf je haar ook wel de schuld van Jonny's dood. Misschien was het beredeneerd, misschien fantasie, het feit is dat je een paar dingen over het hoofd zag toen je je wraakplannen beraamde. Je vergat bijvoorbeeld dat je in mijn bed een haarnetje had moeten dragen. Toen je de laatste nacht bij mij wegging, bleef er een zwarte haar op het kussen achter. Dat DNA-profiel kwam niet overeen met Merethe Sandmo's haarborstel, en kwam ook niet overeen met de botresten in het verbrande huisje. Je hebt het op een haar na gered, Elisabeth, want mijn baas is een irritante terriër. Toen ik met jouw haar op de proppen kwam, en het laboratorium geen match kon aantonen, wilde hij per se naar het appartement van Merethe Sandmo om daar DNA-materiaal te zoeken. En raad eens waarmee dat profiel overeenkwam?"

Ze stond nog steeds stil te kijken naar het hotel. De wind speelde met haar jurk.

"Merethe Sandmo zat in het vliegtuig naar Athene, terwijl bewezen was dat ze dood was", zei hij. "Dezelfde vrouw die zich Merethe Sandmo noemde, stapte uit het vliegtuig en huurde een auto waarmee ze naar Patras reed, waar de auto en de sleutels werden ingeleverd bij het Herz-kantoor. Maar toen verdween Merethe Sandmo. Spoorloos. In de veerboothaven in dezelfde stad dook echter een andere vrouw op: Elisabeth Faremo. Ze kocht een ticket naar Bari, aan de andere kant van de Adriatische Zee, in Italië. Daar verdween Elisabeth Faremo, en twee dagen later dook een vrouw met de naam Merethe Sandmo weer op, kilometers verder naar het noorden, in de havenstad Ancona. Ze kocht een ticket naar Zadar in Kroatië. De vrouw die daar een hotel kocht, was helemaal onbekend. De omweg was lang. Maar jouw probleem is dat de vrouw die eigenares is van het hotel, rekeningen heeft betaald met Noorse valuta waarvan de nummers geregistreerd staan bij de fiscale recherche. Elisabeth, er is een heel team bij de politie dat weet dat jouw verblijf hier is gefinancierd met het geld van Narvesen."

"Ben je helemaal hierheen gekomen, heb je mij opgespoord, om me dat te vertellen?"

Hij bleef haar staan aankijken. Opeens leek alles zinloos. Hij dacht aan de dichtbundel die hij had gevonden. Het gesprek in bed toen ze hem de naam van dit eiland had verteld.

"Ik heb op je gewacht", ging ze verder. "Maar ik wilde dat je zou worden gedreven door verlangen, niet door negatieve gevoelens." Ze legde haar hand op zijn arm, rekte zich uit op haar tenen en streelde met haar lippen over zijn wang, een beroering die hij eerder had gevoeld.

"Ik wist het", fluisterde ze, "dat je me zou vinden en hierheen zou komen."

Hij rukte zich los. "Het is te laat."

"Nee", zei ze. "Niets is te laat."

"Waarom heb je het gedaan?" fluisterde hij terug, hij verfoeide zijn eigen geklaag. "Eén ding kun je toch wel uitleggen: wat was het nut van dit alles?"

"Zonder Jonny heb ik niets."

Hij stond na te denken over wat ze had gezegd. "Bedoel je dat er niets was gebeurd, dat je leven nog gewoon zou zijn, als Jonny ..."

"Nu heb ik alleen jou nog", viel ze hem in de rede.

"Dat is niet waar Elisabeth. Je bent ervandoor gegaan."

"Ik heb op je gewacht", herhaalde ze.

"Maar we zullen elkaar nooit krijgen."

Er verliep een kleine eeuwigheid. Alleen het geruis van de golven was te horen. Ze stonden twee meter van elkaar. Toen ze elkaar eindelijk weer aankeken, las hij in haar ogen dat er iets was gebeurd. Ze bevond zich ergens anders.

"Je bent één ding vergeten", zei ze luid.

"Help me eens."

"Inge Narvesen zal zijn mond houden. Hij zal nooit openlijk toegeven dat hij een gestolen schilderij in zijn bezit heeft. Je kunt me niets maken. Zonder schilderij klopt jouw verhaal van geen kant. Zonder schilderij was er niets te halen in die bankkluis. Zonder schilderij was er niets te verkopen aan Inge. Ik heb inderdaad Merethes naam en ticket gebruikt om weg te komen, maar ik moest wel, ik vreesde voor mijn leven. Iemand had eerst mijn broer vermoord, en daarna Merethe."

"Schilderij?" vroeg Frank Frølich verwonderd. "Over welk schilderij heb je het?"

"Je weet heel goed welk schilderij ik bedoel."

"Als je het hebt over die studie van een moeder met kind die in 1993 is gestolen uit een Italiaanse kathedraal, dan is dat schilderij nu nog net zo spoorloos als toen. Niemand heeft het sindsdien gezien. Als iemand beweert dat het in Noorwegen is gesignaleerd, is dat niets anders dan een waanidee. Dat schilderij is namelijk niet te achterhalen. Het spijt me, Elisabeth, in deze zaak zijn alleen de menselijke resten die zijn gevonden in de ruïne van het vakantiehuisje van belang. De politie in Noorwegen kan bewijzen dat die vrouw vijf miljoen kronen heeft gekregen van Inge Narvesen. Daar heeft Narvesen een verklaring voor afgelegd. Eerst probeerde hij de landelijke recherche voor te spiegelen dat Merethe hem seks had verkocht. Maar vijf miljoen voor seks is wel heel erg duur. Dus hij werd niet geloofd. Ten slotte bekende hij dat Merethe Sandmo hem een verhaal had verteld over een waardevol renaissanceschilderij dat hij voor vijf miljoen zou kunnen kopen. Hij was zo dom om haar te geloven en betaalde. Maar er werd nooit een schilderij geleverd. Hij betaalde haar en kreeg niets. Hij werd opgelicht. En mooie meisjes die geld aftroggelen van sukkels met veel geld, hebben een slaapverwekkend effect op Noorse rechters. Zo lang er geen schilderij opduikt, is dat deel van het verhaal volkomen oninteressant. Maar voor de rechtbank is de gecalculeerde planning van jouw nieuwe leven hier wel van betekenis. Je gebruikte Reidun Vestli om het arrangement van je eigen dood te onderbouwen. Je gebruikte Merethe Sandmo als tussenpersoon om geld voor jou te ritselen. Het is bewezen dat jij het geld van Merethe afpakte en haar vermoordde – omdat je dagelijks gebruik maakt van het geld, nadat je Merethe Sandmo's identiteit had overgenomen en onder haar naam was gevlucht."

Toen hij zweeg, stond zij nog precies zo, met haar blik naar zee gewend.

Hij maakte met zijn hoofd een beweging in de richting van het hotel. "Zullen we gaan?"

"Heb je zo weinig tijd?" Weer een andere toon. Bijna vrolijk.

Ze keken elkaar weer aan. Hij probeerde in haar ogen te lezen wat zich in die zwarte bronnen omringd door blauwe glittertjes afspeelde, maar hij gaf het op.

"Je gaat me toch geen laatste wens weigeren?" ging ze met een spottende glimlach om haar lippen verder.

"Dan moet je wel bescheiden blijven."

"Ik heb je gezegd dat ik ging zwemmen. Als je wilt, kun je meegaan."

Hij staarde twijfelend naar het water.

Ze begon haar jurk uit te trekken. Al snel stond ze voor hem in een blauwe bikini. De wind speelde met haar zwarte haar. Nog een keer streken haar lippen over zijn wang. "Durf je zo aardig te zijn?"

Hij ging in het zand zitten toen zij naar de waterkant liep. Hij keek naar haar mooie gestalte die het water in liep, de zongebruinde benen die door het schuimende water ploegden, de draaiende heupen. Het water moest koud zijn, niemand waagde zich erin, toch liep ze door, zonder te aarzelen. Toen ze begon te zwemmen, stond hij op om haar beter te zien. Hij spiedde naar het hoofd met het donkere haar dat in de verte verdween tussen de golven, tot het opeens weer in zicht kwam. Verdween. Weer in zicht. Verdween.

Hij dacht na over haar woorden.

Hij keek zonder haar te zien.

Gevoelloosheid verspreidde zich over zijn hele lichaam.

Toen hij eindelijk in beweging kwam en naar het hotel rende, kwamen de beide politiemannen hem al over het strand tegemoet.

23

"En jij vond dat goed? Dat ze ging zwemmen?"

Frank Frølich gaf geen antwoord.

"Vertel verder", zei Gunnarstranda toonloos.

"Ze kleedde zich uit ..."

"Beperk je tot de dingen die echt belangrijk zijn."

Frank Frølich krabde aan zijn wang. "Ze liep het water in, zonder om te kijken."

"Ja?"

"Toen ze tot haar middel in het water stond, begon ze te zwemmen, van de kust af."

"Waren er andere mensen aan het zwemmen?"

"Niemand."

Gunnarstranda keek hem fronsend aan.

"Ze kon zich nergens verbergen, geen heuvels, geen stenen, geen boot, geen strandbal, niets anders dan zee en zand."

"Je had het kunnen weigeren."

"Ik had misschien kunnen zeggen dat ze geen toestemming kreeg, maar wat dan nog? Ik had geen autoriteit om haar te arresteren, dat was aan de Kroatische politie."

"Maar je had niet alleen met haar mogen zijn."

"Luister eens ..."

"Nee", onderbrak Gunnarstranda hem opgewonden. "Jíj moet nu eens luisteren. Je kreeg het vertrouwen om een gezochte persoon terug te halen naar Noorwegen. Maar ze is weg. Verdwenen! Jouw vroegere vriendinnetje is gaan zwemmen en verdwenen."

"De lokale politie zei dat het kwam door de stroming in het water. Ze is verdronken."

"Maar kun jij accepteren dat ze zomaar is verdwenen?"

"We hebben het geld, haar spullen, pas, bankpasje, alle persoonlijke eigendommen. Geloof me, Elisabeth is dood."

"Die juffrouw is al eens eerder dood geweest, Frølich!" Gunnarstranda stond op en liep naar de deur. Voor hij naar buiten ging, draaide hij zich om. Ze keken elkaar in de ogen. "De zaak wordt geseponeerd", zei Gunnarstranda kort. "Ben je tevreden?"

Frank Frølich gaf geen antwoord. Hij staarde afwezig naar de dichtslaande deur. In zijn hoofd zat maar één beeld: een zongebruinde vrouwengestalte in een blauwe bikini die rustig het water in liep, steeds verder, zonder om te kijken. Hij tilde zijn hand op om weer aan zijn wang te krabben. Het bleef daar maar jeuken. Hij ging door. Het begon te schrijnen. Hij legde zijn hand op zijn dijbeen. Het bleef schrijnen. Hij kreeg de gedachte niet uit zijn hoofd. Een brandende pijn, precies op de plek waar zij hem met haar lippen had aangeraakt, voor ze zich omdraaide en het water in liep.

Lees nu ook van uitgeverij Signature

Koudegolf

Arnaldur Indriðason

ISBN 90 5672 183 6

In een meer even ten zuiden van Reykjavík wordt het lichaam van een dode man ontdekt. De waterspiegel is na een aardbeving drastisch gedaald waardoor het menselijk skelet zichtbaar is geworden. Het lichaam blijkt vastgeketend aan een zendapparaat, waarmee een natuurlijke dood is uitgesloten. Gaat het hier om een 'afgedankte' spion? Erlendur, Elínborg en Sigurður Óli worden met deze zaak belast. Hun naspeuringen leiden hen naar het naoorlogse Leipzig waar een tragische geschiedenis van liefde, verlies en ongekende wreedheid begon …

De IJslandse schrijver Arnaldur Indriðason (1961) won in 2005 de Gold Dagger Award en werd tot twee keer toe bekroond met de Glazen Sleutel, de prijs voor de beste Scandinavische misdaadroman. Bezoekers van Crimezone.nl nomineerden Indriðason voor de Zilveren Vingerafdruk. *Koudegolf* is het vijfde boek met inspecteur Erlendur in de hoofdrol.

'*Koudegolf* is Indriðasons belangrijkste boek.'
– NRC *Handelsblad*

SIGNATURE

Zwanenmeer

Unni Lindell

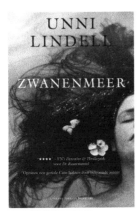

ISBN 90 5672 181 X

Wanneer Siv Ellen Blad na een uitvoering van *Het Zwanenmeer* naar huis rijdt, wordt ze wreed vermoord. Er zijn vier verdachten: haar ex-man, een vriend van het orkest, de zoon van de vrouw van haar ex-man en een vriend van haar huisbaas. Cato zet alles op alles om de moordenaar te vinden. Dan wordt Georg, Cato's zevenjarige zoontje, op een dag door een vreemde man opgepikt en op een ijsje getrakteerd. Hoe dichter Cato de moordenaar nadert, des te intenser Georg door de vreemde man wordt achtervolgd. Het verband is angstaanjagend …

De Noorse schrijfster Unni Lindell (1957) schreef meer dan twintig romans en jeugdboeken. Internationaal heeft zij zich een miljoenen-publiek verworven. *Zwanenmeer* is Lindells vijfde thriller met inspecteur Cato Isaksen in de hoofdrol.

'★★★★ – Een goed verhaal, sterk uitgewerkte personages, een verrassende plot en een eind dat ontroert.' – *Crimezone.nl*

SIGNATURE